당신에게 방탄book기술력은
천재일우
3
당신에게
방탄book기술력은
(수입 창출 6가지 시스템)
천재일우다!
천재일우(千載一遇)
BOOKK

인생을 바꿔 줄
4가지 천재일우 멘토
당신에게 부크크출판사는 천재일우다!
당신에게 유페이퍼는 천재일우다!
당신에게 망고보드는 천재일우다!

만나서 반갑습니다!
좋은 일이 생길 거예요!

가슴이 설레는 만남이 아니어도 좋습니다.
가슴이 떨리는 운명적인
만남이 아니어도 좋습니다.
만남 자체가 소중하니까요!

최보규 천재일우 멘토

머리말
0
당신에게
부크크출판사는
천재일우다!
1
당신에게
유페이퍼는
천재일우다!
2
당신에게
망고보드는
천재일우다!
3
당신에게
망한book기술력은
천재일우다!

80억 분의 1 검증된 천재일우 멘토
천재일우 Mentor
천재일우(千載一遇):
천 년에 한 번 만난다는 뜻으로
좀처럼 만나기 어려운 기회

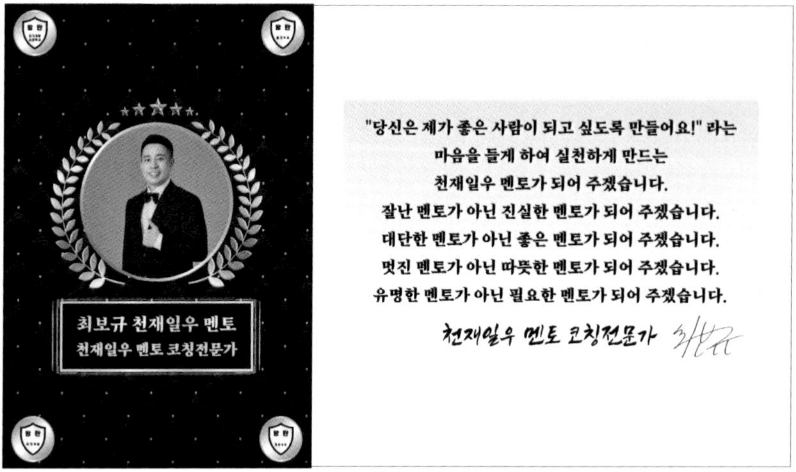
최보규 천재일우 멘토
천재일우 멘토 코칭전문가
"당신은 제가 좋은 사람이 되고 싶도록 만들어요!" 라는
마음을 들게 하여 실천하게 만드는
천재일우 멘토가 되어 주겠습니다.
잘난 멘토가 아닌 진실한 멘토가 되어 주겠습니다.
대단한 멘토가 아닌 좋은 멘토가 되어 주겠습니다.
멋진 멘토가 아닌 따뜻한 멘토가 되어 주겠습니다.
유명한 멘토가 아닌 필요한 멘토가 되어 주겠습니다.
천재일우 멘토 코칭전문가

당신에게는 천재일우 멘토가 있는가?
사람은 누구를 만나느냐에 따라 달라지고
누구와 함께 하느냐에 따라 인생이 달라진다.

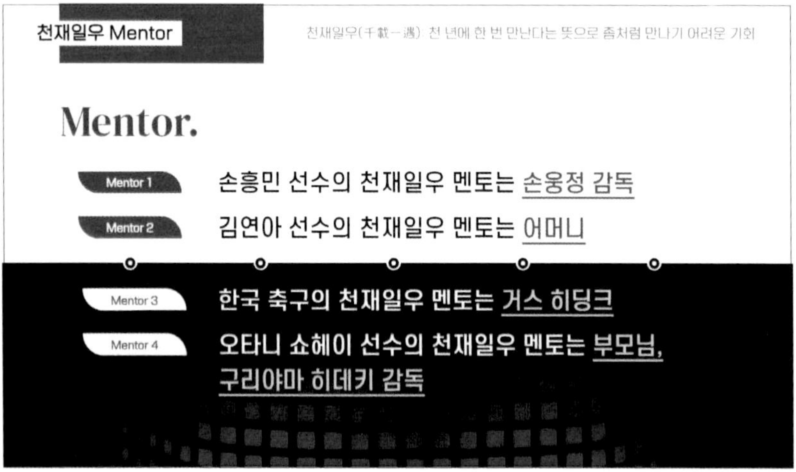
천재일우 Mentor
천재일우(千載一遇): 천 년에 한 번 만난다는 뜻으로 좀처럼 만나기 어려운 기회
Mentor.
Mentor 1
손흥민 선수의 천재일우 멘토는 손웅정 감독
Mentor 2
김연아 선수의 천재일우 멘토는 어머니
Mentor 3
한국 축구의 천재일우 멘토는 거스 히딩크
Mentor 4
오타니 쇼헤이 선수의 천재일우 멘토는 부모님, 구리야마 히데키 감독

천재일우 Mentor

천재일우(千載一遇): 천 년에 한 번 만난다는 뜻으로 좀처럼 만나기 어려운 기회

Mentor.

Mentor 5 일론머스크의 천재일우 멘토는 책(비대면 멘토)

Mentor 6 빌게이츠의 천재일우 멘토는 책(비대면 멘토), Ed 로버츠

Mentor 7 오프라윈프리의 천재일우 멘토는 책(비대면 멘토), 메리던킨

Mentor 8 스티브잡스의 천재일우 멘토는 책(비대면 멘토), 로버트 프리드랜드

천재일우 Mentor

천재일우(千載一遇): 천 년에 한 번 만난다는 뜻으로 좀처럼 만나기 어려운 기회

Mentor.

Mentor 9 워렌버핏의 천재일우 멘토는 책(비대면 멘토), 벤저민그레이엄

Mentor 10 마이클조전의 천재일우 멘토는 책(비대면 멘토), 필잭슨

Mentor 11 마크저커버그의 천재일우 멘토는 책(비대면 멘토), 스티브잡스

Mentor 12 최보규 방탄book기술력 창시자의 멘토는 1. 존경하는 아내, 2. 책(비대면 멘토), 3. 습관 381가지

천재일우 Mentor가
있다고
무조건 결과를
만들어 내는 건
아니다.
하지만
결과를
만들어 내는
사람들 99%는
천재일우 Mentor가
있었다.

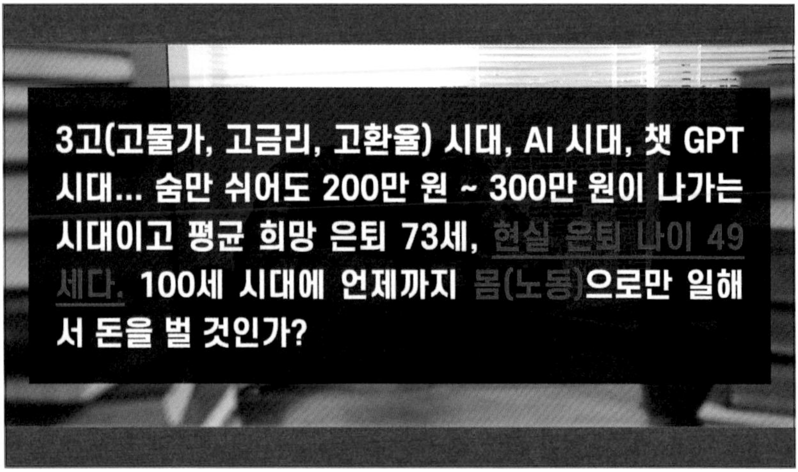
3고(고물가, 고금리, 고환율) 시대, AI 시대, 챗 GPT 시대... 숨만 쉬어도 200만 원 ~ 300만 원이 나가는 시대이고 평균 희망 은퇴 73세, 현실 은퇴 나이 49세다. 100세 시대에 언제까지 몸(노동)으로만 일해서 돈을 벌 것인가?

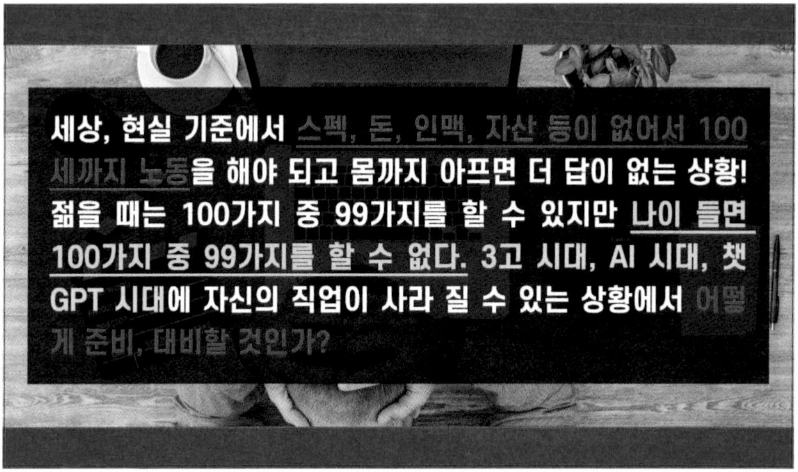
세상, 현실 기준에서 스펙, 돈, 인맥, 자산 등이 없어서 100세까지 노동을 해야 되고 몸까지 아프면 더 답이 없는 상황! 젊을 때는 100가지 중 99가지를 할 수 있지만 나이 들면 100가지 중 99가지를 할 수 없다. 3고 시대, AI 시대, 챗GPT 시대에 자신의 직업이 사라 질 수 있는 상황에서 어떻게 준비, 대비할 것인가?

지금 상황을 극복하기 위한 천재일우 멘토가 필요하다.
지금 당신에게 필요한
4가지 천재일우 멘토를 소개한다.

천재일우 Mentor

천재일우(千載一遇): 천 년에 한 번 만난다는 뜻으로 좀처럼 만나기 어려운 기회

keyword.

0.MENTOR 1.MENTOR 2.MENTOR 3.MENTOR

지금 당신에 걱정, 고민을 해결해 줄 4가지 멘토!

지금 당신에 걱정, 고민을 해결해 줄 4가지 멘토는 선택이 아닌 필수!

천재일우 Mentor

천재일우(千載一遇): 천 년에 한 번 만난다는 뜻으로 좀처럼 만나기 어려운 기회

0. Mentor

당신에게는 부크크출판사가 천재일우다!

스펙, 돈, 외모, 인맥, 실력... 아무것도 없는 사람에게 부크크출판사는 천재일우 멘토다! 평균 자비출판 한 권 출간 비용 300만 원 발생하지만 부크크출판사를 통하면 0원이다.

천재일우 Mentor

천재일우(千載一遇): 천 년에 한 번 만난다는 뜻으로 좀처럼 만나기 어려운 기회

1. Mentor

당신에게는 유페이퍼출판사가 천재일우다!

스펙, 돈, 외모, 인맥... 아무것도 없는 사람에게 유페이퍼출판사는 천재일우 멘토다!
자신 경력, 자신 분야 전문성을 활용하여 전자책을 0원으로 출간하여 24시간 수입 창출 무인 시스템을 만들 수 있다.

천재일우 Mentor

천재일우(千載一遇): 천 년에 한 번 만난다는 뜻으로 좀처럼 만나기 어려운 기회

2. Mentor

당신에게는 망고보드가 천재일우다!

스펙, 돈, 외모, 인맥, 실력... 아무것도 없는 사람에게 망고보드는 천재일우 멘토다!
마우(마우스만 움직일 줄 아는 사람)실력이어도 망고보드 프로그램을 통해 전문가 수준급으로 돈을 벌게 하는 디자인 제작을 할 수 있다. 디지털 콘텐츠 시대에 디자인 스펙은 선택이 아닌 필수다.

천재일우 Mentor

천재일우(千載一遇): 천 년에 한 번 만난다는 뜻으로 좀처럼 만나기 어려운 기회

3. Mentor

당신에게는 방탄book기술력은 천재일우다!

스펙, 돈, 외모, 인맥, 실력... 아무것도 없는 사람에게 방탄book 기술력은 천재일우 멘토다!
노벨상 받은 사람, 하버드 대학교 교수, 은퇴 전문가, 노후 전문가들 1,000명이면 1,000명이 말하는 것이 최고의 은퇴 준비, 노후 준비는 100세까지 현역을 하는 것이라고 한다.
방탄book기술력(수입 창출 6가지 시스템)은 100세까지 지속적인 수입을 발생시키고 100세까지 현역을 유지시켜 준다.

천재일우 Mentor

천재일우(千載一遇): 천 년에 한 번 만난다는 뜻으로 좀처럼 만나기 어려운 기회

20,000명 심리 상담, 코칭 하면서 알게 된 사람들이 바라는 시스템!
6가지 모두 가능하게 만드는 방탄book기술력!

이 책을 보는 순간 당신 인생에 천재일우가 온 것이다.
[천재일우(千載一遇): 천 년에 한 번 만난
다는 뜻으로 좀처럼 만나기 어려운 기회]

4가지 천재일우 멘토 시스템 설명 시작한다.
0.MENTOR
1.MENTOR
2.MENTOR
3.MENTOR
www.방탄자기계발사관학교.com
Google 자기계발아마존
YouTube 방탄자기계발
NAVER 방탄book기술력
NAVER 최보규

ONLY ONE
"80억 분의 1 검증된 전문가"
특허청 등록
최보규 자기계발코칭 창시자
등록 번호: 제 40-2072344 호
최보규 대표
상담, PT, 코칭, 강의, 컨설팅 문의
010-6578-8295
특허청 등록
최보규 리더동기부여 코칭전문가
등록 번호: 제 40-2128786 호
대한민국 강사 섭외 NO1 '강사야'
'강사야' "대표 일타 강사 최보규"
GANGSAYA 강사섭외 최보규
로그인 회원가입
전체분야 강사프로필 섭외문의 분야별특강 커뮤니티 추천강사
섭외문의무료등록
최보규강사
특허청 등록으로 검증된 강사!
방탄 동기부여/리더십/자기계발
동기부여/리더십/자기계발 업데이트!
저서 100권의 내공을 통한 세계 최초 1+4를 주는 가성비 강사!
(강의메세지+즐거움+스토리텔링+실천 사용 설명서 제공)
Google 자기계발아마존
YouTube 방탄자기계발
NAVER 강사야
NAVER 최보규

명품 동기부여
명품 자기계발
최보규 대표
상담, 코칭, 강의, 컨설팅 문의
010-6578-8295
현] 방탄자기계발사관학교 대표
현] 강사야 대표강사
현] 자기계발아마존 CEO
현] 방탄book 출판사 대표
현] 방탄강사사관학교 코칭전문가
현] 사랑의전화 카운슬러
현] 방탄자기계발 유튜버
현] 최보규상(대한민국 노벨상)창시자

방 탄
동기부여
명품
동기부여
명품
자기계발
책150권 출간
상담 17,000회
COACHING
코칭 13,000회
강의 경력 6,200회
Google 자기계발아마존
YouTube 방탄자기계발
NAVER 방탄자기계발사관학교
NAVER 최보규
최보규
네이버 인물정보 등록 34만 명! (2016년 기준)
대한민국 1% 미만 "네이버 명예의 전당" 인물정보 등록!
전체
프로필
최근활동
도서
프로필
소속 방탄자기계발사관학교/방탄북(BOOK)출판사(대표)
수상 2016년 제1회 세계를 빛낸 천사상 대상
경력 방탄자기계발사관학교/방탄북(BOOK)출판사 대표
방탄자기계발사관학교 대표
2012.05~2016.06 사랑의전화 전화상담 자원봉사자
2014.11 행복사관학교 대표
사이트 유튜브, 블로그, 네이버TV, 페이스북, 공식홈페이지
작품 ★ 도서 108건, 관련활동

자기계발서 150권, 전자책 250권 출간으로
삼성(진정성, 전문성, 신뢰성)이 검증된 전문가
Google 자기계발아마존
YouTube 방탄자기계발
NAVER 방탄자기계발사관학교
NAVER 최보규

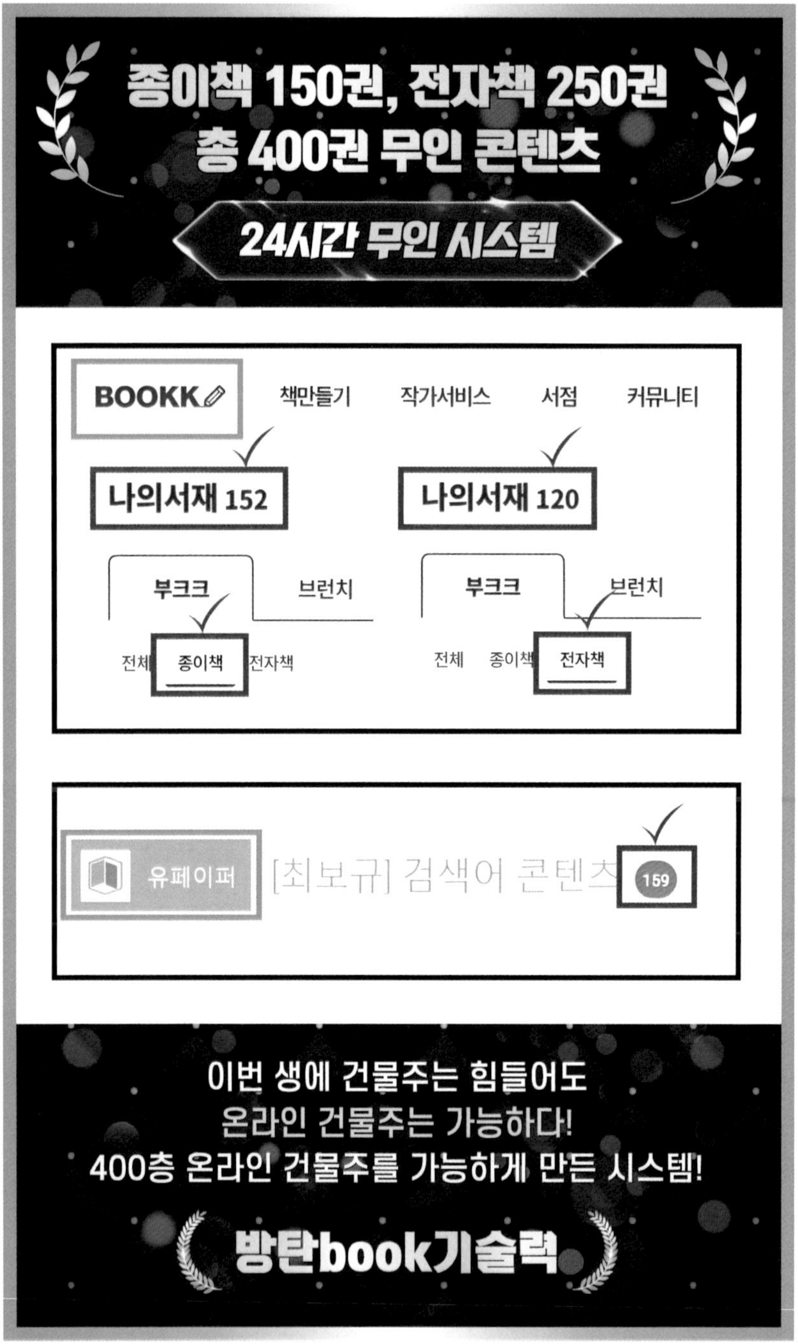
종이책 150권, 전자책 250권
총 400권 무인 콘텐츠
24시간 무인 시스템
BOOKK
책만들기
작가서비스
서점
커뮤니티
나의서재 152
나의서재 120
부크크
브런치
전체
종이책
전자책
부크크
브런치
전체
종이책
전자책
유페이퍼
[최보규] 검색어 콘텐츠
159
이번 생에 건물주는 힘들어도
온라인 건물주는 가능하다!
400층 온라인 건물주를 가능하게 만든 시스템!
방탄book기술력

명품 동기부여

교육 실적

명품 자기계발

기업

삼성전자, 현대자동차, 한국전력공사, LG전자, 삼성생명보험, 포스코, GS칼텍스, SK네트웍스, 기아자동차, 현대중공업, 에쓰오일, SK에너지, 한국가스공사, LG디스플레이, GM대우, 교보생명, KT, SK텔레콤, 대한생명, LG화학, 롯데백화점, 신세계백화점, 삼성물산, 삼성화재해상보험, 오일뱅크, 대한항공, 삼성중공업, 현대모비스,하이닉스반도체, 현대제철, 대우조선해양, 한진해운, 대우건설, GS건설, 현대건설, 한국수력원자력, 효성, LG상사,현대상선, 현대해상화재보험, 대림산업, STX팬오션, LIG손해보험, LG텔레콤, 동부화재, 여천NCC, SK건설, 삼성테스코, 삼성SDI, 삼성토탈, 현대하이스코, 한국남부발전, 동국제강, 아시아나항공, 롯데건설, 포스코건설,한화, SK가스, ING생명, 위아,삼성테크윈, 대우차판매, 쌍용자동차, 제일모직, 한국서부발전, 한국동서발전,신한카드, 현대미포조선, 르노삼성자동차, 현대산업개발, GS리테일, 대우증권, 신한지주금융, 삼성전기, 현대삼호중공업, 우리투자증권, 비씨카드, 메리츠화재, 글로비스, 한화석유화학, 삼성카드, 현대증권, 로보트보쉬, 씨티클럽증권, 한독약품, 이마트, 제일기획, 리츠칼튼, 유엔젤, 삼신개발, CJ, 코오롱, 오리온, GS마켓, 종로학원, 김영사, 이토, 코엔텍, 휴스틸, 블루클럽, 한국콘베어, 디시페로 신진화학 등 2000여 대중소기업

은행

KB국민은행, 우리은행, 신한은행, 산업은행, SC제일은행, 하나은행, 기업은행, 한국외환은행, 한국씨티은행, 농협, 수협, 축협 등

관공서

금융감독원, 검찰청, 국세청, 경찰청, 법무부, 식약청, 보건복지부, 교육청, 서울시, 각 구청, 서울시, 수원시, 인천시, 안동시, 제주시, 안양시, 거제시, 상주시, 민방위교육장, 한국과학기술평가원, 보훈교육연구원, 각 지역 교육연수원, 한국교육개발원, 농업기술센터, 농업기반공사, 국립공원관리공단, 국립특수교육원, 건설교통인재개발원 한국증권업협회 등 200여개 기관

병원

서울대병원, 서울아산병원, 삼성서울병원, 연세대세브란스병원, 가톨릭대 서울성모병원, 아주대병원, 고려대안암병원, 한양대병원, 중앙대병원, 선한목자정형외과, 순천향병원, 보훈병원, 봄빛병원, 이다치과, 소리이비인후과, 영산의료법인 등

대학교 특강 (교양, 최고경영자과정, 명사특강)

서울대, 연세대, 고려대, 중앙대, 한양대, 서강대, 포스텍, 카이스트, 경희대, 인하대, 이화여대, 조선대, 안동대, 건국대, 동아대, 충수대, 대전대, 청수대, 대진대, 한국산업기술대, 금오공과대, 아주대, 경기대, 숙명여대, 동국대, 순천대, 전남대, 영남대, 경기대, 경남대, 세종대, 카톨릭대, 경북대, 부경대, 창원대, 목포대, 광주여대, 한국해양대, 세명대, 충남대, 광운대, 울산대, 국민대, 제주대, 서울시립대, 단국대, 군산대, 경성대, 대구대, 동아방송예대, 동의과학대, 백석대, 백석예술대, 폴리텍대, 인천대 등 150여개 대학교

명품 동기부여

강의 사진

명품 자기계발

명품 동기부여

명품 자기계발

최보규 방탄강사 창시자

저는 입으로 강의하지 않겠습니다.
제 삶으로 강의하겠습니다.
저는 가르치지 않겠습니다.
제 삶으로 가르치겠습니다.
최보규강사는 명강사, 스타강사가 아닙니다!
그래서 한 달에 15권 책을 보고 메모하며
강의 준비, 솔선수범 하고 있습니다!
최보규강사 보다 강의 잘하는 사람은 많습니다!
다만 최보규강사 만큼 학습자를
사랑하는 강사는 세상에 없을 것입니다!

최보규 방탄동기부여 신조

들어라 하지 말고 듣게 하자.
누구처럼 살지 말고 나답게 살자.
좋아하게 하지 말고 좋아지게 하자.
마음을 얻으려 하지 말고 마음을 열게 하자.
믿으라 말하지 말고 믿을 수 있는 사람이 되자.
좋은 사람을 기다리지 말고 좋은 사람이 되어주자.
보여주는(인기) 인생을 사는 것이 아닌
보여지는(인정) 인생을 살아가자.
나 이런 사람이야 말하지 않아도
이런 사람이구나 몸, 머리, 마음으로 느끼게 하자.

경력은 실력이 아닙니다! 최보규 강사는 경력만으로 강의하지 않습니다!
책을 읽고 메모하며 책을 출간 했다고 강의 내공이 좋은 건 아닙니다!
하지만 책 2,032권, 메모 7,626개, 습관 320가지, 책 100권 출간 내공으로
강의하는 강사에 강의 내공은 단언컨대 "세계 최고"일 것입니다!

15년 2,032권 읽음

15년 7,626개 메모

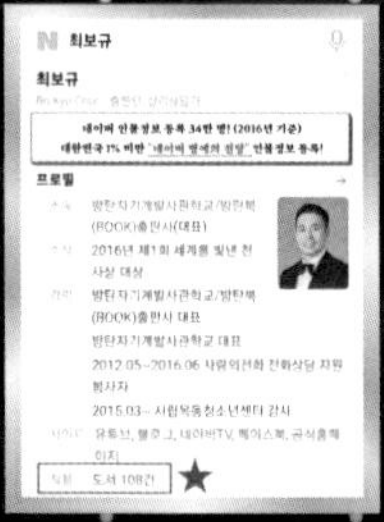

자기계발서 100권 출간

45년 방탄 습관 320가지

최보규 강사 11계명

1. 학습자에게 섬김을 받으려는 강의가 아닌 학습자를 섬길 수 있는 강의를 하겠습니다.
2. 오늘이 마지막 날인 것처럼 강의하고 영원히 살 것처럼 학습자에게 배우겠습니다.
3. 강의 있는 전날에는 최상의 컨디션을 유지 하기 위해 건강관리, 목 관리, 자기관리 하겠습니다.
4. 강의장 1시간 전에 도착해서 강의 마음가짐 준비하겠습니다.
5. 강의장 가장 먼저 도착 강의 끝난 후 가장 늦게 나오겠습니다.
6. 내 삶이 강의고 강의가 내 삶이 되도록 행동하겠습니다.
7. 힘들게 배운 강의 노하우들 아낌없이 주겠습니다.
8. 어떻게 하면 학습자에게 즐거움? 행복? 메시지? 감동? 희망? 사랑?을 줄 것인가에 항상 생각하며 공부하겠습니다.
9. TV보다 책을 더 보겠습니다. 10. 공인이라는 마음으로 솔선수범하겠습니다.
11. 강사의 자존심 아침에 나올 때 신발장에 넣고 나오겠습니다.

방탄강사 백신

★ 잘난 강사가 되지 않고 진실한 강사가 되겠습니다!
잘난 강사는 피하고 싶어지지만 진실한 강사는
곁에 두고 싶어집니다!

★ 대단한 강사가 되지 않고 좋은 강사가 되겠습니다!
대단한 강사는 부담을 주지만 좋은 강사는
행복을 줍니다

★ 멋진 강사가 되지 않고 따뜻한 강사가 되겠습니다!
멋진 강사는 눈을 즐겁게 하지만 따뜻한 강사는
마음을 데워 줍니다.

★ 유명한 강사가 되지 않고 필요한 강사가 되겠습니다!
유명한 강사는 환상을 주지만 필요한 강사는
배움, 성장, 지혜를 줍니다.

최보규 방탄동기부여 전문가
검증된 PT, 강의, 맞춤 코칭, 컨설팅
특허청 등록
최보규 자기계발코칭 창시자
등록 번호: 제 40-2072344 호
최보규 대표
010-6578-8295
특허청 등록
최보규 리더동기부여 코칭전문가
등록 번호: 제 40-2128786 호
방탄자기계발사관학교는 국가등록 민간자격증 발급 기관! 명품 인재 양성 기관!
리더십코칭전문가
동기부여코칭전문가
자기계발코칭전문가
강사코칭전문가
책쓰기코칭전문가
리더 분야
동기부여 분야
자기계발 분야
강의, 강사 분야
책쓰기, 책출간 분야
<저자 최보규>
<저자 최보규>
<저자 최보규>
<저자 최보규>
<저자 최보규>
방탄 리더십
리더 7대의무교육
리더 품위유지의무
리더 은퇴, 재테크
리더 동기부여
리더 스피치
리더 사명감, 인성
리더 기본기, 태도
리더 자존감, 멘탈
리더 습관, 행복
리더 인간관계
인재 양성 매뉴얼
리더 감정컨트롤
리더 스트레스관리
리더 라포형성기법
리더 상담기법
리더 코칭기법
리더 스토리텔링
7대 동기부여
변화,성장동기부여
비전 동기부여
열정 동기부여
사원 동기부여
임원진 동기부여
직급별 동기부여
사랑 동기부여
자존감 동기부여
자신감 동기부여
자기관리 동기부여
자기계발 동기부여
멘탈 동기부여
습관 동기부여
긍정 동기부여
인간관계 동기부여
인재양성 동기부여
행복 동기부여
7대 자기계발
변화,성장자기계발
비전 자기계발
열정 자기계발
사원 자기계발
임원진 자기계발
직급별 자기계발
사랑 자기계발
자존감 자기계발
자신감 자기계발
자기관리 자기계발
자기계발 자기계발
멘탈 자기계발
습관 자기계발
긍정 자기계발
인간관계 자기계발
인재양성 자기계발
행복 자기계발
강사 7대 의무교육
강사 인성, 매너
강사 품위유지의무
강사1~3년 차
강사료 올리기 위한 준비, 스펙 쌓기.
강사4~10년 차
강사료 올리기 의한 준비, 스펙 쌓기.
강사10~20년 차
강사료 올리기 위한 준비, 스펙 쌓기.
강사 스킬UP
강사 트레이닝
강의 스토리텔링 기법
강의 SPOT 기법
강사 양성 매뉴얼
강사 양성 시스템
책 쓰기 동기부여
책 출간 동기부여
작가 품위유지의무
책 쓰기, 책 출간 10G 매뉴얼, 시스템.
100권 출간으로 월세, 연금성 수입 창출전수.
강의 교안으로 책 쓰고 책 출간.
출간한 책으로 강의 교안 작업.
출간한 책으로 온라인, 디지털 콘텐츠 제작.
6가지 수입을 창출 하는 책 쓰기, 책 출간.
100년 지속 할 수 있는 기술력을 배우는 책 쓰기, 책 출간.
Google 자기계발아마존
YouTube 방탄자기계발
NAVER 방탄자기계발사관학교
NAVER 최보규

해보자! 해보자!
자신 가능성을 믿고!
해보자!
해보자!
자신의
사과 씨, 도토리, 포도 씨 믿으세요!
사과 씨 안에 얼마나 많은 사과가 있는지 모른다!
도토리 안에 얼마나 많은 도토리가 있는지 모른다!
포도 씨 안에 얼마나 많은 포도가 있는지 모른다!

방탄 동기부여
명품 자기계발
명품 동기부여
방탄동기부여 전문가
www.방탄자기계발사관학교.com
방탄리더 동기부여 1
최보규 대표
상담, 코칭, 강의, 컨설팅 문의
010-6578-8295
어제의 나는 잊어라!
살아온 날로 살아갈 날단정 짓지 말자!
자신을 못 믿겠다면 자신을 믿어주는
최보규 방탄동기부여 전문가를 믿고 시작합시다!
세상, 현실아 덤벼라!
몸, 머리, 마음을
강하게 해드립니다.!
Google 자기계발아마존
YouTube 방탄자기계발
NAVER 방탄동기부여
NAVER 최보규

명품 동기부여
명품 자기계발
최보규 대표
상담, 코칭, 강의, 컨설팅 문의
010-6578-8295
살아온 날로 살아갈 날·단정 짓지 말자!
해보자! 해보자! 지금부터 해보자!
NAVER 최보규
NAVER 방탄자기계발사관학교
YouTube 방탄자기계발
Google 자기계발아마존
자기계발, 미래 걱정과 고민은 이제 그만 하세요!
시간과 돈 낭비하지 마시고 검증된 곳에서 학습, 연습, 훈련!
150년 a/s, 피드백, 관리, 케어 받으세요!
방탄
최보규 대표
010.6578.8295
코칭, PT, 강사, 컨설팅
nice5889@naver.com

목차

최보규 천재일우 멘토
천재일우 멘토 코칭전문가

"당신은 제가 좋은 사람이 되고 싶도록 만들어요!" 라는
마음을 들게 하여 실천하게 만드는
천재일우 멘토가 되어 주겠습니다.
잘난 멘토가 아닌 진실한 멘토가 되어 주겠습니다.
대단한 멘토가 아닌 좋은 멘토가 되어 주겠습니다.
멋진 멘토가 아닌 따뜻한 멘토가 되어 주겠습니다.
유명한 멘토가 아닌 필요한 멘토가 되어 주겠습니다.

천재일우 멘토 코칭전문가 최보규

당신에게 방탄book기술력은

천재일우

0.

당신에게 방탄book기술력이 왜! 천재일우인가?

(수입 창출 6가지 시스템)

1) 방탄book가출력(수입 창출 6가지 시스템)과 자신 분야 연결

누구나 움직이지 않아도 노동을 하지 않아도 돈을 버는 시스템을 바란다. 움직이지 않아도 노동을 하지 않아도 돈이 들어오는 시스템을 만들 수 있다면?

여행 중에도 돈이 들어오는 시스템?

쉬는 동안에도 돈이 들어오는 시스템?

직원이 없어도 돈이 들어오는 시스템?

사무실이 없고 사무실 임대료 걱정 없이 돈이 들어오는 시스템? ....

숨만 쉬어도 기본 한 달에 200~300만 원이 지출 되는 3고 시대에서 숨만 쉬어도 돈이 매월 자동으로 들어온다면? 연금처럼 매월 돈이 나오는 시스템? 건물주처럼 월세가 매월 나오는 시스템?

자동으로 한 달에 100만 원을 벌 수 있는 시스템을 만든다면 3억짜리 건물을 가지고 있는 건물주다.

자동으로 한 달에 50만 원을 벌 수 있는 시스템을 만든다면 1억 5천만 원짜리 건물을 가지고 있는 건물주다.

자동으로 한 달에 10만 원을 벌 수 있는 시스템을 만든다면 3천만 원짜리 건물을 가지고 있는 건물주다.

자동으로 한 달에 1만 원을 벌 수 있는 시스템을 만든다면 300만 원짜리 건물을 가지고 있는 건물주다.

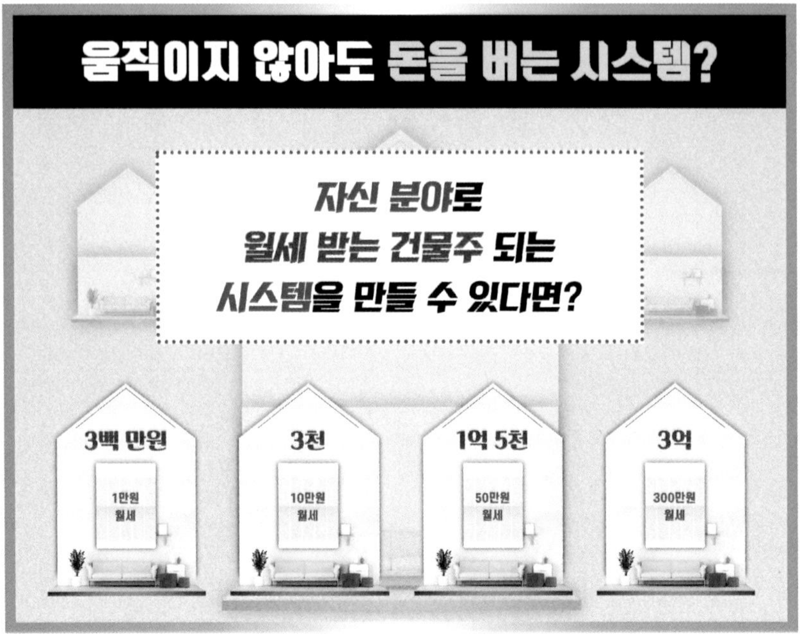

순간 이런 생각이 드는 사람도 있을 것이다.
"최소 매월 100이상은 나와야 그래도 쓸만한 시스템(건물)이라고 말을 하죠. 지금 3고 시대에 10만 원? 1만 원? 솔직히 안 벌고 말죠."라는 말을 하며 표면적인 것만으로 판단을 한다.

당연히 액수만 보면 매월 1만 원, 5만 원, 10만 원... 얼마 되지 않는다. 단순하게 생각을 해보자. 한번 물어보겠다.

"당신은 노동을 하지 않았는데 매월 십 원 하나 통장에 들어오는 게 있는가? ”
“당신은 노동을 하지 않았는데 매월 1만 원이 통장에 들어오는 시스템이 있는가?”

“없으면서 십 원을 무시하는가? 1만 원을 무시하는가? 무슨 자격으로 무시하는가? 그런 말을 할 자격이 있다고 생각하는가? 한 달에 1,000만 원씩 벌고 있으면서 그런 말을 하는가?”

오해하지 말고 들었으면 한다. 위와 같은 생각을 했던 사람들을 무시하는 것이 아니라 노동하지 않아도 벌 수 있는 시스템을 제대로 알지 못하는 사람들의 생각을 체크해 주는 것이다. 당연히 무시하는 의도로 말하진 않았을 것이고 3고 시대다 보니 현실적으로 말을 했을 거라 생각한다.

자신이 세상, 현실 기준에서 스펙, 돈, 인맥, 자산... 등이 없는 상황, 100세까지 노동을 해야 되는 답이 없는 상황에서 월세, 연금처럼 자동으로 1만 원이라도 나오는 시스템을 가지고 있다는 것이 엄청난 것임을 느끼지 못한다면 당신은 인생, 현실 돈 공부가 턱없이 부족한 상태고 당신의 미래 자산 주머니는 미래를 가보지 않아도 어둡다는 것이 보인다.

1만 원이 나오는 시스템의 시작이 100만 원, 300만 원, 500만 원, 1,000만 원이 나오는 시스템을 만들 수 있는 것이다. 가지고 있는 것이 아무것도 없는 상황에서 매월 100만 원 나오는 시스템을 누가 권유한다면 사기꾼일 확률이 1,000%다. 가진 게 많은 사람들이 사기당할 거 같은가? 아니다. 가진 것이 없는 사람들이 자신 주제에 맞지 않고 올 수 없는 정보, 권유가 오기에 판단력이 흐려져 사기당하는 것이다. 사기꾼들이 가장 많이 하는 말이 '무조건 돈 번다'라는 말이다. 정신 바짝 차려야 한다.

그 누구도 믿지 말고 의심해야 한다. 가족도 의심해라! 친구는 더 의심해라! 의심하고 또 의심해라!

2024년 대한민국 현실은 5명 중 1명이 사기꾼이고 3혹[유혹, 현혹, 화혹(화려함에 혹하다)]에 빠져 3명 중 1명중 한명이 사기 당한다. 대검찰청에 따르면 연간 136만 건 범죄 중 가장 많이 발생하는 범죄가 1위는 사기다. 수입 인증, 통장 인증하는 사람들 90%는 "믿음을 줘야 크게 한탕을 칠 수 있다."라는 심리가 있다. 수입 인증, 통장 인증하는 사람들이 다 사기꾼은 아니다. 하지만 단언컨대 사기꾼들은 수입 인증, 통장 인증을 한다는 것을 명심하자!

노벨상 받은 사람, 하버드 대학교 교수, 은퇴 전문가, 노후 전문가들 1,000명 이면 1,000명이 말하는 것이 최고의 은퇴 준비, 노후 준비는 100세까지 현역을 하는 것이다.

100세까지 현역이라는 말이 무슨 말인가?
100세까지 노동을 죽어라 하라는 것이 아니다. 나이에 맞는 일을 해야 한다는 것이다. 100세까지 돈을 벌수 있는 시스템을 만들어야 된다는 것이다.

움직여서 돈을 벌 수 있는 것은 한계가 있기에 움직이지 않아도 돈을 벌 수 있는 시스템을 만들어야 된다. 하나이가 들면 들수록 돈을 벌수 있는 일들이 극소수가 되어간다.

젊었을 때는 1,000가지 직업 중에 전문직 빼고는 90% 직업을 할 수 있었지만 나이가 들면 반대로 1,000가지 직업 중에 90%는 할 수 없는 것이 되고 극소수만 10% 직업을 유지 한다. 그것도 일반 사람들에게는 사짜 직업 외에는 더 극소수만 일을 할 것이다. 이런 현실이 앞으로 더 하면 더 했지 덜하지는 않는다. 이런 현실 속에서 지금까지 경험하고 쌓았던 경력으로 배운 지식을 연결해서 월세처럼 돈을 벌고 100세까지 현역을 유지할 수 있다면? 하겠는가? 무엇이든 보장은 없다. 가능성이 얼마만큼 높은가에 따라 달라지는 것이다.

방탄book기술력 시스템을 배우면 “자신 분야로 매월 1,000만 원을 벌수 있다?”라는 말을 하는 게 아니다.

방탄book기술력 시스템을 통해 자신 분야 삼성(진정성, 전문성, 신뢰성)을 높여 움직이지 않아도 노동하지 않아도 지속적인(100세)수입을 발생 시키고 100세까지 현역으로 살 수 있는 인생을 알려주는 시스템이다.

방탄book기술력 시스템이라는 도구를 가지고 어떻게 활용을 하느냐에 따라 달라지는 것이지 ‘무조건 돈 번다’가 아니다.

자신 인생, 자신 분야를 터닝포인트 해줄 방탄book기술력을 접목해서 나다운 시스템을 만들길 바란다.

시스템을 만들 수 없다면 만들어진 시스템 안으로 들어가면 된다.

방탄book기술력
(수입 창출 6가지 시스템)
특허청 등록
최보규 자기계발코칭 창시자
등록 번호: 제 40-2072344 호
특허청 등록
최보규 리더동기부여 코칭전문가
등록 번호: 제 40-2128786호
3고 시대, AI 시대, 챗 GPT 시대를
극복하기 위한
방탄book기술력
작가(인세)
강사
유튜버
온, 오프라인
디지털 콘텐츠
무인 시스템
코칭

2) 3고 시대를 극복하기 위한 포트폴리오 커리어

방탄book기술력(6가지 수입을 창출) 시스템의 핵심은 일반 사람이 습득하는 기술력이 아니라 리더급이 습득하는 기술력이다. 누구나 방탄book기술력을 배울 수 있지만 아무나 지속하지 못한다. 그 만큼 수준이 높은 방탄book기술력이다 보니 일반 사람들도 배울 수는 있지만 리더들이 배우길 추천한다.

지금 시대는 은퇴 나이가 점점 더 빨라지고 있다. 통계청에 의하면 희망퇴직 73세이고 은퇴 현실은 49세다. 권고사직, 명예퇴직 10명 중 4명은 자신의 뜻과 상관없이 그만둔다. 평균 은퇴 나이 49세다. 앞으로 은퇴 나이가 더 낮아지는 상황에서 20대는 은퇴 예정자? 30대는 은퇴 확정자? 40대는 은퇴 위험군? 은퇴 준비는 빠를수록 좋다는 것이다.

3고 시대, AI 시대, 챗 GPT 시대... 이제는 한 분야 전문성으로는 힘든 시대다. 이제는 리더도 포트폴리오 커리어 리더(한 분야 전문성이 있는 것이 아닌 다수에 전문성이 있는 사람)가 되어야 한다. 다음으로 나오는 포트폴리오 커리어 개념을 참고하자.

한 분야 전문성으로는 힘든 시대! 앞으로 포트폴리오 커리어 시대에는 포트폴리오 커리어 인재만 살아남는다!

1970년대 인재, 1980년대 인재, 1990년 대 인재, 2000년 대 인재, 2010년 대 인재... 2010년 대부터 인재상이 580도로 확 달라졌다. 그 이유는 스마트폰이 보급화되어 빠른 기술 변화로 인해 이전 새대와 차원이 다른 인재로 업그레이드되었다는 것이다. 하지만 많은 리더들이 시대에 맞는 인재상이 아닌 이전 새대에 인재상으로 리더십을 발휘하니 인재가 오래 버티지 못하는 것이다. 인재상도 시대에 맞게 업데이트해야 한다.

지금 시대는 포트폴리오 커리어 인재라고 한다. 다음은 포트폴리오 커리어 인재가 어떤 인재인지 깨닫게 해주는 내용이다.

포트폴리오 커리어 시대

'포트폴리오 커리어의 시대'는 세계 최고의 경영사상가 찰스 핸디가 이미 오래전에 예측한 바 있다. 그는 포트폴리오 커리어의 시대에는 대부분의 생활이 일에 포함된다고 본다.

2가지 또는 그 이상의 영역에서 일을 하는 사람들이 늘어나는 현상에 따른 것이다.

'멀티-커리어리즘' (Multi-careerism)과도 연결된다. 이런 포트폴리오 커리어는 하나의 직무만으로 평생 먹고 살기가 힘들어진다. 그런 미래가 우리 앞에 이미 현실화 되었음을 시사한다.
이광호의《아이에게 동사형 꿈을 꾸게 하라》중에서

* 하나의 일, 하나의 직업으로
살아가는 시대는 지났습니다. 모든 것이
일이 되고 모든 일이 직업이 되는 시대를 맞고 있습니다. 여러 일을 동시에 할 수 있는 '멀티 플레이어'가 되어야 살아남을 수 있습니다. 이런 시대에 요구되는 가장 중요한 것은 자기 관리, 자기 준비입니다. 새로운 기술과 지식, 유연한 사고와 창의적 발상으로 언제든 능숙하게 대응해야 합니다. 포트폴리오 커리어 시대입니다.

(2020년 8월 11일 앙코르메일)

<고도원의 아침편지>

포트폴리오 커리어 시대를 준비하자
우리가 살아가는 세상은 커리어 세상이다. 그리고 현대 사회는 포트폴리오 커리어 시대이다.

우리는 예전에 "한 우물을 파야 된다"는 어르신들의 말씀을 듣고 살았다. 즉, 단일경로 시대인 커리어 패스 시대 였다. 마치 사다리를 오르듯 한 단계씩 더 큰 책임과 승진으로 가는 모습이었다.

이에 반해 요즘은 포트폴리오 커리어 시대다.
포트폴리오 커리어란 다양한 자신의 역량과 경험을 횡으로 개발하고 펼쳐놓아 어떤 커리어가 필요할 때 이들을 유연하게 조합하는 것을 의미한다. 세상이 바뀌어서 정보시대이고 그러고는 세상이 눈 깜빡할 사이에 많은 것이 변하고 있다.

그래서 한 가지 직업으로는 살아남기가 무척 어렵기에 자신의 다양한 포트폴리오를 활용하여 변화하는 상황과 필요로 하는 직업에 유연하게 대응하는 것이다.

과거는 대개 한 두 회사에서 퇴직까지 근무하거나 회사를 옮겨도 한 업종 안에서 왔다 갔다 할 뿐이었다. 이에 커리어 패스가 중요했다. 한 두 회사에서의 커리어 패스란 사실상 승진이라는 단일경로 외에는 대안이 없다.

이에 대부분의 교육과 역량개발은 승진의 단계마다 초점이 맞추어졌다. 그러나 인간의 수명이 점점 길어져 100세 시대가 되었다. 그리고 하나의 일, 하나의 직업으로 살아가는 시대는 지났다. 모든 것이 일이 되고 모든 일이 직업이 되는 시대를 맞고 있다. 여러 일을 동시에 할 수 있는 '멀티 플레이어'가 되어야 살아남을 수 있다.

이런 시대에 요구되는 가장 중요한 것은 자기 관리, 자기 준비이다. 새로운 기술과 지식, 유연한 사고와 창의적 발상으로 언제든 능숙하게 대응해야 한다. 기업도 생존주기는 점점 짧아져 간다. 젊은 세대들은 과거와 달리 한 회사에 평생 머물기를 원하지 않는다. 이제 몇 번의 동종업계 이직뿐 아니라 전혀 새로운 커리어 도전도 하게 될 것이다.

직장생활을 하는 직장인들도 야간이나 주말을 활용하여 자신의 또 다른 부캐를 이용하여 유튜브 등의 콘텐츠를 생성하고 투자활동도 한다. 기업 또한 빠르고 예측 불가능한 환경변화, 디지털 전환에 따른 기회와 위협에 대응하기 위해 인재관을 새롭게 정립하고 있다.

이런 시대는 어떤 인재가 필요할까?
미래의 인재들은 과거와 달리 박스나 사일로에 갇혀 있거나 특정 비즈니스만을 잘하는 사람들보다는 이를 넘어 사고를 확장할 수 있고 다양한 경험과 유연성을 갖춘 사람일 가능성이 높다. 그러므로 앞으로는 포트폴리오 커리어가 더 중요해질 것이라는 주장이다. 포트폴리오 커리어를 구축하기 위해 노력하는 사람들은 현재의 직업에 머물지 않는다.

호기심을 가지고 다양한 경험을 해본다. 다양한 기술들을 습득한다. 또한 습득한 다양한 기술과 직무에 필요한 기술을 창의적으로 연결하는데 숙련되어 있다. 이에 새로운 기회를 위해 자신을 홍보하고 심지어 만들 수 있는 준비가 더 잘 되어 있는 것이다. 전문가들은 산업혁명이 시작된 이래 유지되어오던 '일자리 시대'가 산업혁명 이전의 '일거리 시대'로 다시 회귀하는 추세라고 말한다.

유엔미래포럼 한국대표인 박영숙의 저서 '메이커의 시대(미래 일자리)'라는 유엔보고서 책자에서 “2030년대 즈음에 일자리의 시대에서 일거리의 시대로 바뀐다”라고 말한다.
혹시 개인적으로 부담이 된다면, '일거리'를 '일자리로 가기 위한 경험을 부여해줄 징검다리 활동'으로 보면 좋다.

따라서 오랫동안 일하면서 비교적 높은 보수를 받았던 안정된 형태의 '주된 일자리'에서 벗어난 이후에도 재취업 등을 통해서 일해야 할 필요성이 있는 신중년들은 이제 기존에 유연하지 않은 생각에서 벗어나 세상의 변화에 따르는 방법론도 좋은데 그 중 하나가 바로 '포트폴리오 커리어'이다. 또한, 자신이 직장인들이라면 빈 백지 하나를 꺼내서 자신의 포트폴리오 커리어를 하나씩 원으로 표시해보자.

지금까지 내가 경험한 것이 무엇일까? 내가 잘하는 것은 무엇일까? 두 번째, 이들을 연결해보라. 이들을 연결함으로써 어떤 새로운 가능성을 만들 수 있을까? 마지막으로는 여기에 추가하고 싶은 포트폴리오가 무엇인지 더해보라. 어댑터블하고 유연한 포트폴리오 커리어를 구성해 나가보라. 이것이 예측이 어려운 미래를 효과적으로 대응하는 방법이 될 것이다.

인생 1막을 마치고 난 이후에도 안정된 일자리에서 일하고픈 인간의 욕구는 당연하지만, 베이비붐 세대의 본격적인 퇴직이 시작되는 현시점의 높은 재취업 경쟁률 속에서 이전과 달리 질적이고도, 안정된 일자리를 찾기는 점점 어려워진다.

아래 변화의 시간이 빨라진 현시점에서 여러 가지 장애물을 넘어야만 하는 재취업보다는 '혼자 하는 일', 혹은 여러 개의 '파트타임 일'을 묶어서 동시에 해보라고 조언한다. 이전과 달리 장기간의 고용을 제공하는 일자리는 점점 줄어들기 때문이다. 특히 안정된 일자리만 희망하면서 장기간에 걸친 구직기간을 허비할 수 없는 처지라면 평소에 생각하지 않던 '파트타임 일' 등에 관심을 가져보면 어떨까? - 강성남 칼럼위원(담양문화원장)-

<담양뉴스>

한마디로 포트폴리오 커리어 인재는 한 분야 전문성이 있는 것이 아닌 다수에 전문성이 있는 사람을 말한다. 한 가지 일만 잘 하는 사람이 아닌 다수에 일을 할 수 있는 사람이다. 지금은 포트폴리오 커리어 인재 한 명이 10명의 가치를 창출하는 시대다.

《방탄 리더 인재양성 1》

3고 시대에 포트폴리오 커리어 리더가 되는 것은 선택이 아닌 필수다.

6가지 수입을 창출하기 위한 본질은 리더자질을 갖추어야만 시너지 효과가 난다. 리더 자질도 일반 리더십이 아닌 방탄리더이다. 4차 산업시대는 4차 리더십인 방탄리더십 자질이 있어야만 방탄book기술력(6가지 수입을 창출) 시스템이 극대화된다. 다음으로 나오는 포트폴리오 커리어 리더(방탄 리더) 6가지 수입 창출 비교 참고하자.

1. 포트폴리오 커리어 리더 작가
2. 포트폴리오 커리어 리더 강사
3. 포트폴리오 커리어 리더 유튜버
4. 포트폴리오 커리어 리더 오프라인, 온라인, 디지털 콘텐츠
5. 포트폴리오 커리어 리더 무인 시스템
6. 포트폴리오 커리어 리더 코칭

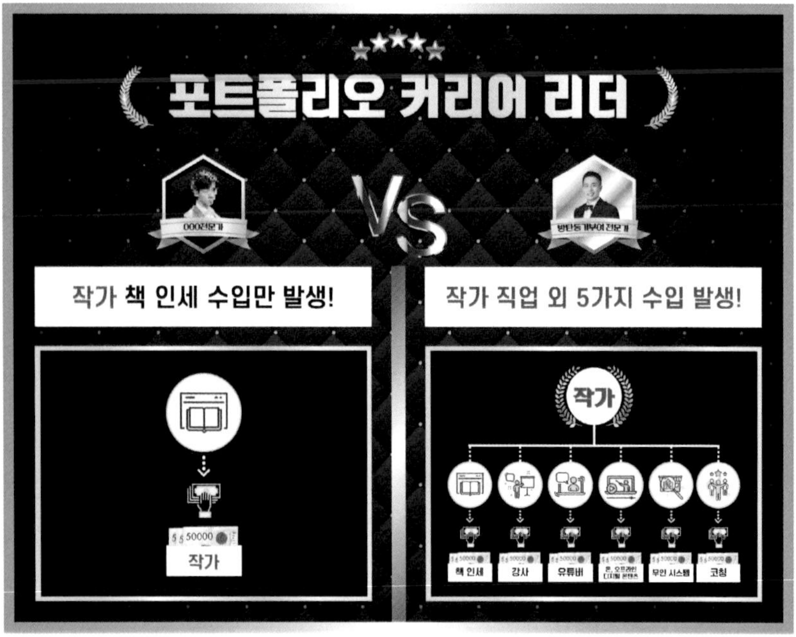

포트폴리오 커리어 리더
OOO전문가
VS
방탄동기부여 전문가
강사 수입만 발생!
강사 외 5가지 수입 발생!
50000
강사
강사
책 인세
강사
유튜버
온, 오프라인 디지털 콘텐츠
무인 시스템
코칭

포트폴리오 커리어 리더
OOO전문가
VS
방탄동기부여 전문가
유튜버 수입만 발생!
유튜버 외 5가지 수입 발생!
50000
유튜버
유튜버
책 인세
강사
유튜버
온, 오프라인 디지털 콘텐츠
무인 시스템
코칭

포트폴리오 커리어 리더
000전문가
VS
방탄동기부여전문가
디지털 수입만 발생!
디지털 외 5가지 수입 발생!
50000
디지털
디지털
책 인세
강사
유튜버
온, 오프라인 디지털 콘텐츠
무인 시스템
코칭

포트폴리오 커리어 리더
000전문가
VS
방탄동기부여전문가
무인 시스템 수입만 발생!
무인 시스템 외 5가지 수입 발생!
50000
무인 시스템
무인 시스템
책 인세
강사
유튜버
온, 오프라인 디지털 콘텐츠
무인 시스템
코칭

포트폴리오 커리어 리더
OOO전문가
VS
코칭 수입만 발생!
코칭 외 5가지 수입 발생!
코칭
코칭
책 인세
강사
유튜버
온, 오프라인 디지털 콘텐츠
무인 시스템
코칭

출판계의 스티브 잡스!
스마트폰의 혁신!
아이폰
(아이팟 + 인터넷 + 폰)
출판계의 혁신!
방탄book
6가지 수입 창출 책 쓰기 기술력!

방탄book 기술력!
아이팟, 인터넷 , 폰. 이것은
3개의 기기가 아닙니다.
하나의 디바이스입니다.
우리는 이것을 아이폰이라 부릅니다.
책만 출간하고 끝나는 것이 아닌 자신 분야와 출간 한 책을 연결하여 6가지 수입을 창출 할 수 있는 방법이 아닌 기술력을 전수합니다.
우리는 이것을
방탄book 기술력이라 부릅니다.

한 분야 전문성으로는 살아남기 힘든 시대!
기술력 시대! 당신의 선택은?
VS
대한민국 평균(90%) 책 쓰기
책 한 권 쓰고 출간 후 활용 못해서 3개월 뒤에 쓰레기 취급해버리는 책 출간만 하는 책쓰기 교육, 코칭!
세계 최초 6가지 기술력 전수 책쓰기
책 한 권 쓰고 출간해서 100년 지속 할 수 있는 6가지 기술력까지 배워서 6가지 수입을 올리는 책쓰기 기술력 교육, 코칭!

3고 시대, AI 시대, 챗 GPT 시대... 이제는 한 분야 전문성으로는 힘든 시대다. 이제는 리더도 포트폴리오 커리어 리더(한 분야 전문성이 있는 것이 아닌 다수에 전문성이 있는 사람) 자기계발을 해야 한다.

6가지 수익 창출 포트폴리오 커리어 리더 자기계발을 어떻게 할 것인가?

1. 포트폴리오 커리어 리더 작가 자기계발
2. 포트폴리오 커리어 리더 강사 자기계발
3. 포트폴리오 커리어 리더 유튜버 자기계발
4. 포트폴리오 커리어 리더 오프라인, 온라인, 디지털 콘텐츠 자기계발
5. 포트폴리오 커리어 리더 무인 시스템 자기계발
6. 포트폴리오 커리어 리더 코칭 자기계발

3고 시대를 극복하기 위한 6가지 수익 창출 포트폴리오 커리어 리더 자기계발. 희망퇴직 나이 73세이고 대한민국 현실 은퇴 나이 49세를 준비, 극복하기 위한 6가지 수익 창출 포트폴리오 커리어 리더 자기계발.
100세 현역으로 살기 위한 6가지 수익 창출 포트폴리오 커리어 리더 자기계발. 6가지 수익 창출 포트폴리오 커리어 리더 자기계발 매뉴얼, 시스템 세계 최초 공개한다!

20,000명 심리 상담, 코칭으로 알게 된 사람들이 바라는 6가지 시스템!

1

커피숍에서 지인과 대화 중에도 돈이 입금되는 시스템?

2

자고 있는데 돈을 버는 시스템?

3

여행 중에도 돈이 입금되는 시스템?

4

사무실, 직원이 필요 없는 시스템?

5

건물주처럼 월세가 입금되는 시스템?

6

집에서 댕댕이와 휴식하고 있는데 돈이 입금되는 시스템?

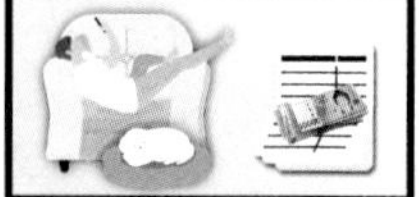

세계 최초! 출판계의 혁신!
돈이 들어오는 6가지 시스템을 가능하게 하는 것이

방탄book기술력!

평균 희망 은퇴 73세, 현실 은퇴 나이 49세!
100세 시대 언제까지 몸(노동)으로만
일해서 돈을 벌 것인가?

세상, 현실 기준에서 스펙, 돈, 인맥, 자산 등이 없어서 100세까지 노동을 해야 되고 몸까지 아프면 더 답이 없는 상황! 젊을 때는 100가지 중 99가지를 할 수 있지만 나이 들면 100가지 중 99가지를 할 수 없다. 3고 시대, AI 시대, 챗GPT 시대에 자신의 직업이 사라 질 수 있는 상황에서 어떻게 준비, 대비할 것인가?

방탄BOOK기술력
선택이 아닌 필수!

Google 자기계발아마존 | YouTube 방탄자기계발 | NAVER 방탄BOOK | NAVER 최보규

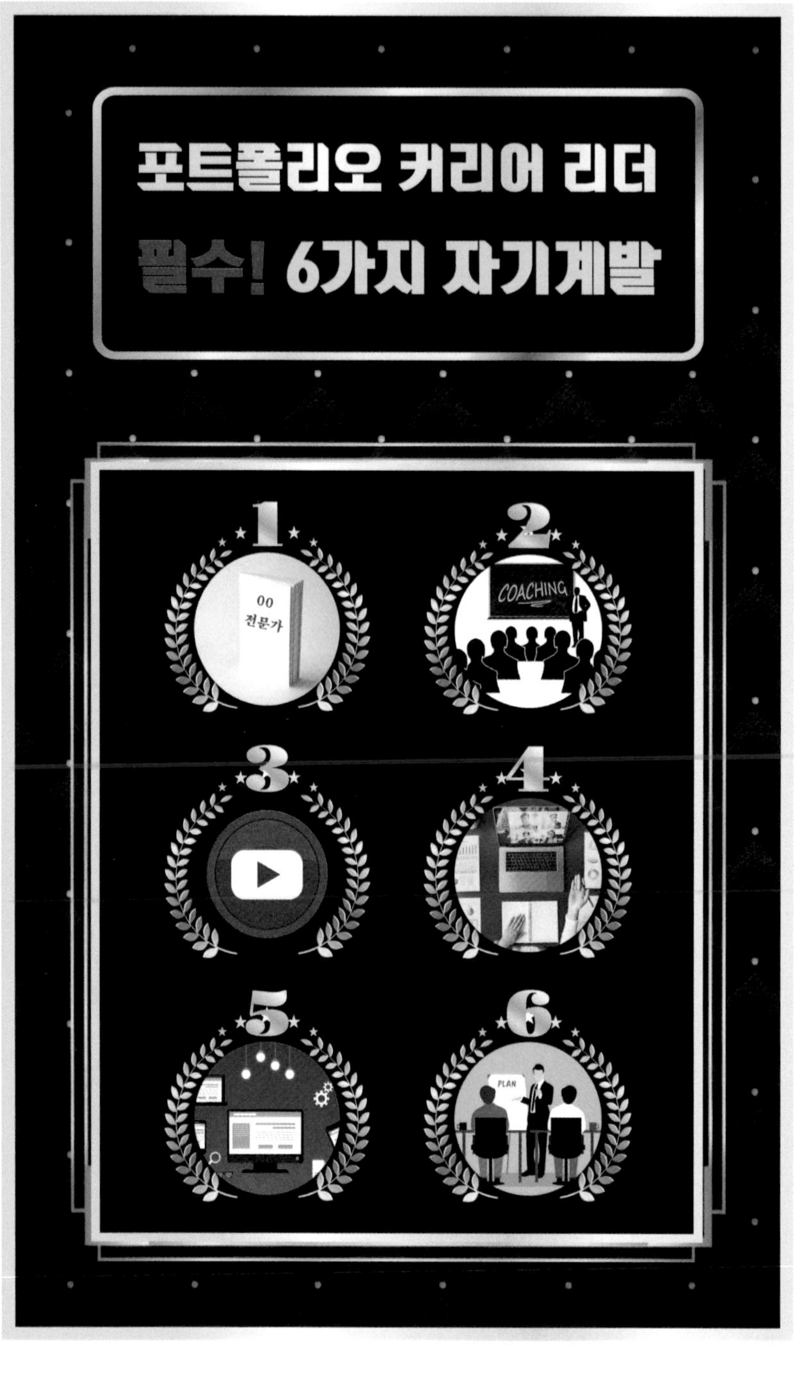
포트폴리오 커리어 리더
필수! 6가지 자기계발
1
00
전문가
2
COACHING
3
4
5
6
PLAN

1. 포트폴리오 커리어 리더는 왜! 작가 자기계발을 해야 하는가?

리더는 자신 분야의 전문가다. 짝퉁 전문가는 매뉴얼, 시스템이 머리에만 있어 말로만 한다. 명품 전문가는 매뉴얼, 시스템이 자료화(전문 서적)되어 있다. 리더의 경력은 스펙이 아니다. 리더가 경력을 자료화(책 출간)할 때 강력한 스펙이 된다!

– 자신 분야 삼성(진정성, 전문성, 신뢰성)을 올리는 최고의 자기계발은 책 쓰기, 책 출간이다!

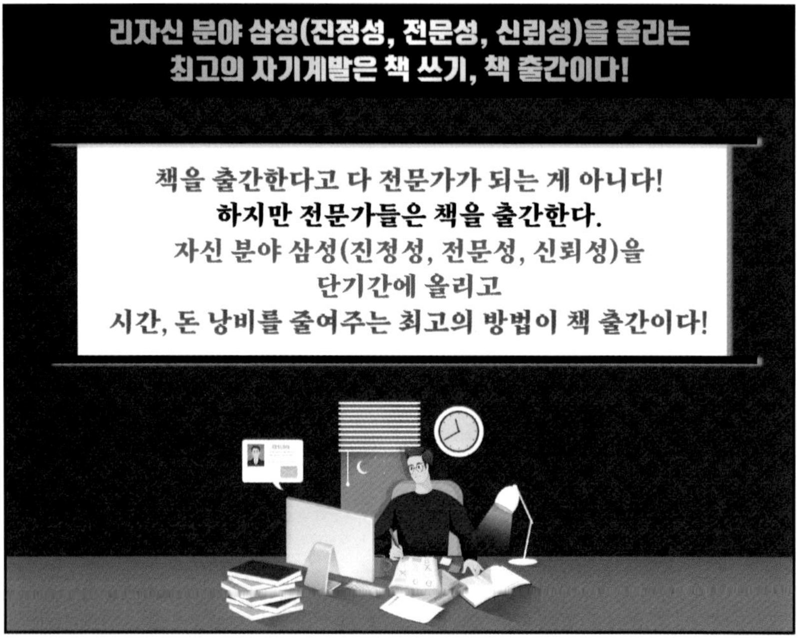

세상에는 두 가지 종류에 지식이 있다. “아는데요!” 설명을 못하는 지식과 설명을 할 수 있는 지식이 있다. 진짜 지식은 설명까지 할 수 있어야 한다.

설명에서 한 차원 더 높은 것은 누구나 알아볼 수 있게 정리를 해서 쓰는 것이고 책을 출간하면 진짜 전문가가 되는 것이다. 그래서 자신 분야 전문 책이 있는 사람과 자신 분야 전문 책이 없는 전문가는 개미와 코끼리 차이다.

진짜 전문가가 되고 싶다면 설명할 수 있는 건 당연한 것이고 나를 똑같이 닮은 인재를 복제를 할 수는 없겠지만 복제가 가능한 매뉴얼, 시스템을 만들어 책으로 출간한다면 진정한 자신 분야 전문가가 되는 것이고 자부심, 사명감이 생긴다.

자신 분야 삼성(진정성, 전문성, 신뢰성)을 올리는 최고의 자기계발은 책 쓰기, 책 출간이다. 경력은 스펙이 아니지만 책을 쓰면 강력한 스펙이 된다.

지금은 경력이 10년, 20년, 30년...경력만 있는 사람을 전문가라 말하지 않는다. 그런 전문가들은 천지빼까리(국어사전: 너무 많아서 그 수를 다 헤아릴 수 없을 때 쓰는 말)이다.

경력을 무시하는 게 아니다. 전문가의 본질을 말 하는 것이다. 경력으로만 전문가라 말하는 시대는 끝났다. 지금 시대는 가짜 전문가가 너무 많기에 자신 분야 전문책이 있어야 전문가라고 말을 할 수 있다.

경력만 있는 사람들 특징은 머리에만 노하우가 많다. 머리에 있는 노하우를 책으로 출간한다면 진짜 전문가가 되는 것이다. 자신 분야를 정리를 해서 말만 하는 사람과, 정리해서 책을 출간한 사람 중에 어떤 사람이 더 전문가라고 말 할 수 있을까?

전문가라고 말을 하려면 증명할 수 있는 자료, 책이 있어야 한다. 전문 분야가 있다면 무조건 책을 써야 하고 책 출간을 해야 하는 건 아니다. 한번 생각해 보라! 전문 서적이 있는 전문가와 전문 서적이 없는 전문가를 봤을 때 어떤 사람을 진짜 전문가라고 인정하겠는가? "이 전문가는 다른 전문가와 별 차이 없네."라고 느낌을 주면 전문가의 믿음, 신뢰, 비전을 느끼지 못한다. "이 전문가는 다른 전문가와 다르다"라는 것을 보여 줄 때 전문가의 믿음, 신뢰, 비전이 보이는 것이다.

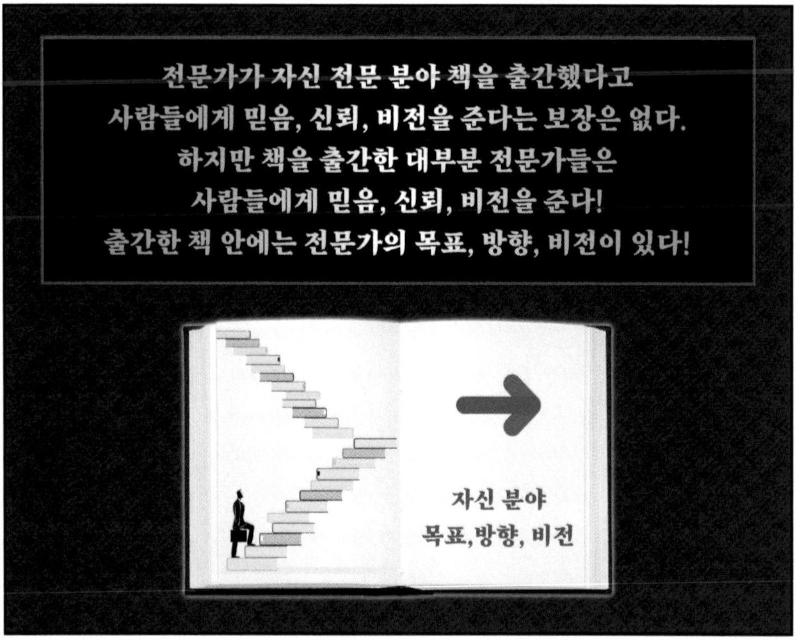

전문가도 같은 전문가가 아니다. 경력만 있는 전문가가 있는 반면 검증 받은 전문 분야가 있는 전문가가 있다. 경력이 같은 전문가가 있다고 가정 했을 때 스피치, 표정, 행동으로 어떤 전문가가 더 내공이 느껴지는지 알 수도 있지만 표면적으로 증명할 수 있는 스펙이 있어야만 대중들은 인정을 한다는 것이다.

지금 시대는 학위보다 더 인정받는 것이 자신 분야 전문 서적이다. 이제는 경력만 쌓으면 안 된다. 경력을 표면적으로 증명할 수 있는 강력한 플랫폼인 전문 서적을 출간해야 한다.

포트폴리오 커리어 리더는 자신 분야 작가가 되어야 한다. 자신 분야를 매뉴얼, 시스템을 자료화할 수 있는 책을 쓰고 책 출간을 해야 강력한 스펙이 된다.

표면적으로 보여 줄 것이 없어서 말로만 가르치려 리더.

"내가 말이야! 나 때는 말이야! 내가 했던것들과 내 스펙이 좋았어. 보여 줄 것은 없어서 표현할 방법이 없지만. 왕년에는 그 누구도 나 만큼 전문성이 있는 사람은 없었고 따라 올 수가 없었어. 내가 하고 있는 분야에서 만큼은 최고였어."

자신 분야를 매뉴얼, 시스템화 한 책을 출간해서 어필하는 리더.

"전문성을 말로만 어필하는 사람이고 싶지 않습니다. 제가 지금까지 제 분야를 어떤 마음, 목표, 스킬로 했는지 내 분야 매뉴얼, 시스템을 만들었는지 출간한 책이 부연 설명이 될 것입니다. 매뉴얼, 시스템을 토대로 좀 더 자세히 설명하겠습니다."

- 자신 분야 전문 서적이 없는 전문가와 자신 분야 전문서 적이 있는 전문가 차이점

책 쓰기, 책 출간과 직접적으로 연결되어 있는 직업이 강사 직업이다. 그래서 전문서적이 있는 강사와 전문서적이 있는 강사를 비교해 주겠다. 자신 분야와 접목을 해서 본다면 도움이 될 것이다.

강사 경력 15년 차인 A라는 강사는 강의 경력 15년이 전부다. 표면적으로 보여 줄 수 있는 스펙은 강의 했던 업체명 밖에 없다. 그 강사를 무시하는 게 아니다. 현실을 직시 해보자는 것이다.

강사 경력 15년 차인 B라는 강사는 강사를 양성하는 강사 백과사전 2권 출간 외 자기계발 책 100권을 출간했다.

어떤 강사가 더 전문가라고 느껴지는가? 누구한테 물어보더라도 자신 분야 전문 책이 있는 사람을 전문가라고 할 것이다.

지금 시대는 석사, 박사 학위만큼 인정해주는 것이 자신 분야 전문 분야 책이다. 책을 출간한다고 전문가가 되진

않는다. 하지만 전문가들은 자신 분야 책이 3~4권이 있다.

그래서 자신 분야 전문가라고 말을 하려면 자신 분야 책을 쓰고 출간하기 위해서 모든 걸 집중해야 한다.

경력은 스펙이 아니다!
경력만 있는 사람을 전문가라고 하지 않는다!
강사 경력 15년 차
전문 분야가 있지만
표면적으로
증명할 수 있는 것이 없다!
VS
코칭 경력 15년 차
전문 분야 책 100권 출간
★ 특허청 등록 ★
제40-2072344호
최보규 자기계발코칭 창시자
제40-2128786호
최보규 리더동기부여 코칭전문가
OOO전문가
강사 경력 15년 차
매뉴얼, 시스템 책!
경력만 있다.

2. 포트폴리오 커리어 리더는 왜!
강사 자기계발을 해야 하는가?

리더의 스피치는 프로 강사처럼 해야 한다! 리더 스피치에서 믿음, 신뢰, 진정성, 비전, 가치, 열정, 가능성, 동기부여 등이 나온다! 들어라 스피치가 아니라 듣게 하는 스피치! 따르라 말 하지 않아도 따르게 하는 스피치! 행동하게 만드는 3D스피치, 4D스피치

- 리더는 프로 강사처럼 말, 표정, 행동이 나와야 한다.

다른 자기계발도 많은데 굳이 강사 자기계발을 해야 할까? 결론부터 말하면 강사처럼 리더는 앞자리에서 말, 표정, 행동을 어떻게 보여 주냐에 따라서 믿음, 신뢰, 진정성, 비전, 가치, 열정, 가능성, 동기부여 등이 조직체 구성원들에게 영향력을 끼친다. 특히 영업쪽에 있는 리더들은 어떤 분야보다 강사 자기계발을 프로 강사처럼 해야 한다. 왜? 사람의 심리, 본능은 자신보다 대단해 보이는 사람을 믿고 의지하고 따르려고 한다. 그런데 리더가 조직체 앞에서 말을 하는데 말, 표정, 행동에서 믿음, 신뢰, 진정성, 비전, 가치, 열정, 가능성, 동기부여가 느껴지지 않는다면? 회사가 아니라 리더가 비전이 없어서 떠나는 경우가 더 많다. 리더가 비전이 없다면 회사가 비전이 없는 것이다. 리더는 말도 잘해야 한다. 리더는 말이 아니라 강사 스피치를 해야 한다.

특히 영업 쪽에 있는 조직체 원들은 신입 외에 대부분 영업사원들 말, 표정, 행동이 프로 강사 못지않다. 리더가 영업사원, 조직체 원들 보다 말, 표정, 행동이 아마추어 같다면? 리더를 무시하는 건 당연한 것이고 이것은 사람의 심리, 본능이라는 것을 알아야 한다.

"난 리더, 사장이니까 조직체 원들이 알아서 당연하게

리더를 존중해야 한다!" 이런 태도의 리더는 세상에서 가장 멍청한 리더십을 가지고 있는 리더다.

꼰대십(리더병)을 보여주는 리더, 사장, 대표!
"저 리더는 어떻게 리더, 사장이 되었을까? 의심스러워 돈만 많아서 리더, 사장, 대표하는 거 같아. 전혀 리더십을 찾아 볼 수 가 없어. 나도 돈 있으면 당신보다 더 잘하겠다. 스피치 더럽게 못한다. 차라리 말을 하지 마라! 말을 하면 있던 비전, 열정, 가능성이 떨어져 퇴사 날짜를 당기게 한다."

방탄리더십을 보여주는 리더, 사장, 대표!
"우리 리더님은 프로 강사처럼 말을 해! 말, 표정, 행동에서 믿음, 신뢰, 진정성, 비전, 가치, 열정, 가능성, 동기부여...등이 느껴져 대단해! 우리 리더는 스피치 코칭을 따로 배우나 봐! 스피치가 프로 강사야. 나도 우리 리더님 같은 스피치를 배우고 싶다. 우리 리더는 보고 배울 게 많은 사람이야. 오래 함께 해야지."

리더가 조직체 원들을 움직이게 하는 최고의 방법은 자신이 가지고 있는 능력보다 더 대단한 능력이 있다는 것을 보여 줄 때 따르라 말하지 않아도 따르게 된다. 따르라고 하면 한 달 가고 따르게 하면 100년 간다.

- 90%가 잘 못 알고 있는 스피치 본질! 스피치 고.틀.선.편 깨기(고정관념, 틀, 선입견, 편견)

20,000명 심리 상담, 코칭 하면서 알게 된 것은 리더들 90%가 스피치는 “발음을 정확하게 발성을 명료하게 말하는 것이고 상대방이 잘 알아들을 수 있도록 말을 잘 하는 것이며 자신의 의사를 정확하게 전달하는 것이다.” 라고 알고 있다. 틀린 말은 아니지만 틀렸다.

“틀린 말은 아니지만 틀렸다?” 이 말이 무슨 말인까?
틀린 말이 아니라고 말한 이유는 리더들 90%가 알고 있는 것이 스피치의 이론, 방법, 공식이기 때문이고 틀렸다고 말한 이유는 스피치 이론, 방법, 공식보다 선행되어야 할 것이 리더 자신의 1. 삼성(진정성, 전문성, 신뢰성)스피치, 2. 스피치 자존감, 3. 스피치 멘탈, 4. 스피치 습관, 5. 스피치 행복, 6. 스피치 자기계발, 7. 스피치 코칭 학습, 연습, 훈련이 되어 있지 않으면 스피치 이론, 방법, 공식은 효과를 보지 못하기 때문에 틀린 말은 아니지만 틀렸다고 하는 것이다.

이 시점에서 이런 의문점이 90% 생길 것이다. “보편적으로 시중에 나온 수많은 스피치 책, 영상에서는 스피치 이론, 방법, 공식이 중요하다고 하는데 최보규 방탄리더 스피치 전문가는 다른 말을 하는 이유가 뭘까?"

이유 설명을 하기 전에 스피치 이론, 방법, 공식보다 더 중요하고 선행되어야 할 것이 리더 자신의 1. 삼성(진정성, 전문성, 신뢰성)스피치, 2. 스피치 자존감, 3. 스피치 멘탈, 4. 스피치 습관, 5. 스피치 행복, 6. 스피치 자기계발, 7. 스피치 코칭 학습, 연습, 훈련이라는 것을 깨닫게 해주는 스토리텔링을 먼저 보겠다.

생쥐가 한 마리가 있었다. 생쥐는 늘 고양이를 무서워하며 살았다. 마법사에게 찾아가 고양이의 천적인 개로 만들어 달라고 했다. 레드썬! 개의 모습이 되어 고양이 앞에 갔는데 또 무서움이 사라지지 않았다.

마법사에게 찾아가 호랑이로 만들어 달라고 했다. 레드썬! 호랑이의 모습이 되어 고양이 앞에 갔는데 또 무서움이 사라지지 않았다.

마법사에게 찾아가서 사람으로 만들어 달라고 했다. 레드썬! 사람의 모습이 되어 고양이 앞에 갔는데 또 무서움이 사라지지 않았다.

결국 생쥐를 도와줬던 마법사가 사람이 된 생쥐를 다시 본래의 생쥐를 만들어 주면서 이렇게 말했다.

"너의 모습이 아무리 좋게 바뀌어도 생쥐의 가슴을 가지고 있는 한 그때뿐이다".

《마음을 밝혀주는 소금 1》 내용 각색

아무리 화려하고 멋있는 것 일지라도 포장지일 뿐이다. 포장지가 아무리 화려할지라도 내면이 [리더 자신의 1. 삼성(진정성, 전문성, 신뢰성)스피치, 2. 스피치 자존감, 3. 스피치 멘탈, 4. 스피치 습관, 5. 스피치 행복, 6. 스피치 자기계발, 7. 스피치 코칭] 바뀌지 않으면 쓰레기가 된다는 것을 깨닫게 해주는 스토리다.

생쥐의 심장 스토리텔링을 스피치로 비유하면 스피치 이론, 방법, 공식은 생쥐가 겉모습만 바뀌고 싶어 하는 고양이, 개, 호랑이, 사람이고 생쥐의 심장은 평상시 학습, 연습, 훈련이 되어 있지 않은 리더 자신의 1. 삼성(진정성, 전문성, 신뢰성)스피치, 2. 스피치 자존감, 3. 스피치 멘탈, 4. 스피치 습관, 5. 스피치 행복, 6. 스피치 자기계발, 7. 스피치 코칭이라고 말할 수 있다.

간단히 정리를 하면 리더의 방탄 리더 스피치 7단계 시스템이 [리더 자신의 1. 삼성(진정성, 전문성, 신뢰성)스피치, 2. 스피치 자존감, 3. 스피치 멘탈, 4. 스피치 습관, 5. 스피치 행복, 6. 스피치 자기계발, 7. 스피치 코칭] 평상시 학습, 연습, 훈련되어 있지 않으면 스피치 이론, 방법, 공식을 배우더라도 늘 그때뿐이고 시간, 돈 낭비만 한다는 것이다.

한마디로 리더 스피치 외모 성형이 중요한 것이 아니라 리더 스피치 내면 성형[리더 자신의 1. 삼성(진정성, 전문성, 신뢰성)스피치, 2. 스피치 자존감, 3. 스피치 멘탈, 4. 스피치 습관, 5. 스피치 행복, 6. 스피치 자기계발, 7. 스피치 코칭]을 먼저 해야지만 리더 스피치 외모 성형에 촛불처럼 금방 꺼지는 빛이 아닌 태양 빛처럼 오래 지속되는 빛이 나는 것이다.

20,000명 심리 상담, 코칭을 하면서 알게 된 것은 리더들 90%가 리더 스피치 내면 성형을 하지 않고 리더 스피치 외모 성형만 하려고 하니 스피치 책 1,000권, 스피치 영상 1,000개, 수많은 스피치 관련 교육을 보고 배우더라도 늘 그때뿐이라고 말하는 리더들이 많았다는 것이다. 시중에 있는 스피치 책, 영상들이 나쁘다고 말하는 것이 아니다. 스피치 이론, 방법, 공식들이 필요 없다고 말하는 것이 아니다. 스피치 본질이 중요하다고 말을 하는 것이다. 당연히 스피치 외모 성형을 통해 사람의 심리인 단기간에 빠른 효과를 보고 싶은 마음을 모르는 것은 아니다. 하지만 리더 스피치 내면 성형을 전혀 신경 안 쓰고 스피치 외모 성형에만 집착을 하니 문제가 많이 벌어진다는 것이다.

어떤 문제가 생길까? 오너 리스트, 오너의 갑질, 임원진의 갑질, 리더들의 위력, 직장내 괴롭힘...등 리더 스피치 외모 성형만 집착을 하게 돼서 발생한다는 것이다.

※. 리더 스피치 외면 성형보다 먼저 내면 성형을 하지 않으면 벌어지는 상황!

1. 리더십의 본질인 삼성(진정성, 전문성, 신뢰성)리더십이 나오지 않는 데 삼성스피치가 나오겠는가?

삼성(진정성, 전문성, 신뢰성)리더십, 스피치가 나오지 않으면 조직체원들은 회사의 애사심이 생기지 않아 임원진의 갑질, 직장내 괴롭힘이 발생하여 인재가 떠난다.

2. 자존감이 낮은데 자존감 높은 스피치가 나오겠는가?
리더의 자존감 낮은 스피치는 비전제시가 제대로 되지 않아서 조직체원들은 리더의 비전을 느끼지 못해서 인재가 떠난다.

3. 멘탈이 약한데 멘탈 강한 스피치가 나오겠는가?
리더의 멘탈 약한 스피치는 조직체원들의 멘탈을 약하게 만들어 자신감을 저하 시켜 인재가 떠난다.

4. 스피치를 망치는 습관이 있는데 스피치를 잘하겠는가?
리더의 안 좋은 스피치 습관은 조직체원들의 사기저하를 시켜 인재가 떠난다.

5. 행복하지 않은데 스피치에서 행복이 느껴지겠는가?
리더의 스피치에서 행복을 느끼지 못하면 조직체원들은 "행복하지 않는 리더와는 오래 있고 싶지 않다. 내일이라도 떠날 수 있는 준비를 하자"라는 태도로 함께 하는 척한다.

6. 리더다운 스피치 자기계발을 하지 못하는데 스피치 자기계발을 통해 수익을 극대화 시킬 수 있겠는가?
리더가 스피치 자기계발을 하지 못하면 "월급 말고는 배움, 변화, 성장이 없는 조직체 리더에게 보고 배울게 없다."라는 태도로 떠날 준비를 한다.

7. 인재 양성 코칭 스피치 매뉴얼, 시스템이 없는데 인재가 양성되기를 바라는가?
리더의 인재 양성 코칭 스피치 매뉴얼, 시스템이 없으면 "10년 전, 20년 전 자신의 경험, 노하우를 지금 시대에 먹힐 거라고 강요하는 꼰대십, 매뉴얼, 시스템, 자료화된 것 없이 주먹구구식으로 알려주는 자신의 옛날 호랑이 담배 피던 시절 노하우. '나 때는 말이야'라는 말을 외울 정도로 반복하는 의미부여, 동기부여! 전혀 도움 안 되는 스피치 지겹다. 지겨워."라는 마음을 들게 하여 불신이 생겨 인재 양성이 아닌 인재를 망치는 매뉴얼, 시스템을 리더 자신도 모르게 만들어 버린다.

리더여, 당신의 스피치에서는 무엇을 느낄 수 있고 무엇을 느끼게 하는가?

스피치에서 존중, 인성, 사랑, 배려, 양보가 느껴지는 않는 리더

스피치에서 열정이 느껴지는 않는 리더

스피치에서 비전이 느껴지는 않는 리더

스피치에서 내공이 느껴지는 않는 리더

스피치에서 삼성(진정성, 전문성, 신뢰성)이 느껴지는 않는 리더

스피치에서 당당함이 느껴지는 않는 리더

스피치에서 행복이 느껴지는 않는 리더

스피치에서 긍정의 에너지가 느껴지는 않는 리더

스피치에서 희망이 느껴지는 않는 리더

스피치에서 감사가 느껴지는 않는 리더

스피치에서 "함께 잘되고 잘 살자" 마음이 느껴지는 않는 리더

스피치에서 존중, 인성, 사랑, 배려, 양보가 느껴지는 리더

스피치에서 열정이 느껴지는 리더

스피치에서 비전이 느껴지는 리더

스피치에서 내공이 느껴지는 리더

스피치에서 삼성(진정성, 전문성, 신뢰성)이 느껴지는 리더

스피치에서 당당함이 느껴지는 리더

스피치에서 행복이 느껴지는 리더
스피치에서 긍정의 에너지가 느껴지는 리더
스피치에서 희망이 느껴지는 리더
스피치에서 감사가 느껴지는 리더
스피치에서 "함께 잘되고 잘 살자" 마음이 느껴지는 리더

리더여, 가족, 팀원, 조직체원들이 어떤 스피치를 바랄까? 성공한 사람 스피치? 위대한 스피치? 인지도 있는 스피치? 멋있는 스피치? 아나운서 스피치? 뉴스앵커 스피치? 정확한 발음이 나오는 스피치? 정확한 발성이 되는 스피치? 단언컨대 가족, 팀원, 조직체원들이 바라는 스피치는 지금 당장 가족, 팀원, 조직체원들에게 필요한 스피치다.
다음은 가족, 팀원, 조직체원들에게 필요한 스피치가 무엇인지 깨닫게 해주는 스토리텔링이다.

선생님은 좋은 의사입니까? 최고의 의사입니까? 지금 여기 누워있는 환자에게 물어보면 어떤 쪽 의사를 원한다고 할 거 같나? 최고의 의사요? 아니! 필요한 의사다~~!!

지금 이 환자에게 절실히 필요한 것은 골절을 치료해

줄 의사야. 그래서 나는 내가 아는 모든 걸 총동원해서 이 환자에게 필요한 의사가 되려고 노력 중이다.
답이 됐냐? 네가 시스템을 탓하고 세상을 탓하고 그런 세상 만든 꼰대 탓하는 거 다 좋아. 좋은데...그렇게 남 탓해봐야 세상 바뀌는 건 아무것도 없어. 그래봤자 그 사람들 네 이름 석 자도 기억하지 못할 걸. 정말로 이기고 싶으면 필요한 사람이 되면 돼. 남 탓 그만하고 네 실력으로 네가 바뀌지 않으면 아무것도 바뀌지 않는다.

<SBS 드라마 낭만닥터 김사부>

지금 눈앞에 보이는 사람들이 필요로 하는 것이 무언지 상황파악을 하고 필요한 스피치를 했을 때 세상에서 가장 강력한 스피치가 나오고 사람의 마음을 움직이는 스피치가 나오는 것이다.

한마디로 나다운 스피치, 진심 스피치가 세상에서 가장 강력한 스피치다. 세계 인구 79억 명 나다운 스피치, 진심 스피치 79억 가지다.

나다운 스피치는 얄팍한 생각으로 한 순간에 효과를 보고 싶어서 스피치 이론, 방법, 공식을 속성으로 배운다고 나오는 게 아니다. "검증 된 나다운 스피치, 진심 스피치의 자세한 설명은 뒤에서 하겠다."

잘난 스피치를 하는 리더가 아니라 진실한 스피치를 하는 리더! 잘난 스피치를 하는 리더는 피하고 싶어지지만 진실한 스피치를 하는 리더는 곁에 두고 싶어진다.
대단한 스피치를 하는 리더가 아니라 좋은 스피치를 하는 리더! 대단한 스피치를 하는 리더는 부담을 주지만 좋은 스피치를 하는 리더는 행복을 준다.
멋진 스피치를 하는 리더가 아니라 따뜻한 스피치를 하는 리더! 멋진 스피치를 하는 리더는 눈을 즐겁게 하지만 따뜻한 스피치를 하는 리더는 마음을 데워 준다.
유명한 스피치를 하는 리더가 아니라 가족, 팀원, 조직 체원들에게 필요한 스피치를 하는 리더! 유명한 스피치를 하는 리더는 환상을 주지만 필요한 스피치를 하는 리더는 배움, 변화, 성장, 지혜를 준다.

나다운 스피치, 진심 스피치, 진실한 스피치, 좋은 스피치, 따듯한 스피치, 필요한 스피치는 자신의 시행착오, 대가 지불, 인고의 시간을 통해 스피치 본질인 방탄 리더 스피치 7가지[1. 삼성(진정성, 전문성, 신뢰성)스피치, 2. 스피치 자존감, 3. 스피치 멘탈, 4. 스피치 습관, 5. 스피치 행복, 6. 스피치 자기계발, 7. 스피치 코칭]와 Body(몸) 스피치, Head(머리) 스피치, Mind(마음) 스피치를 꾸준히 학습, 연습, 훈련 했을 때 나온다.

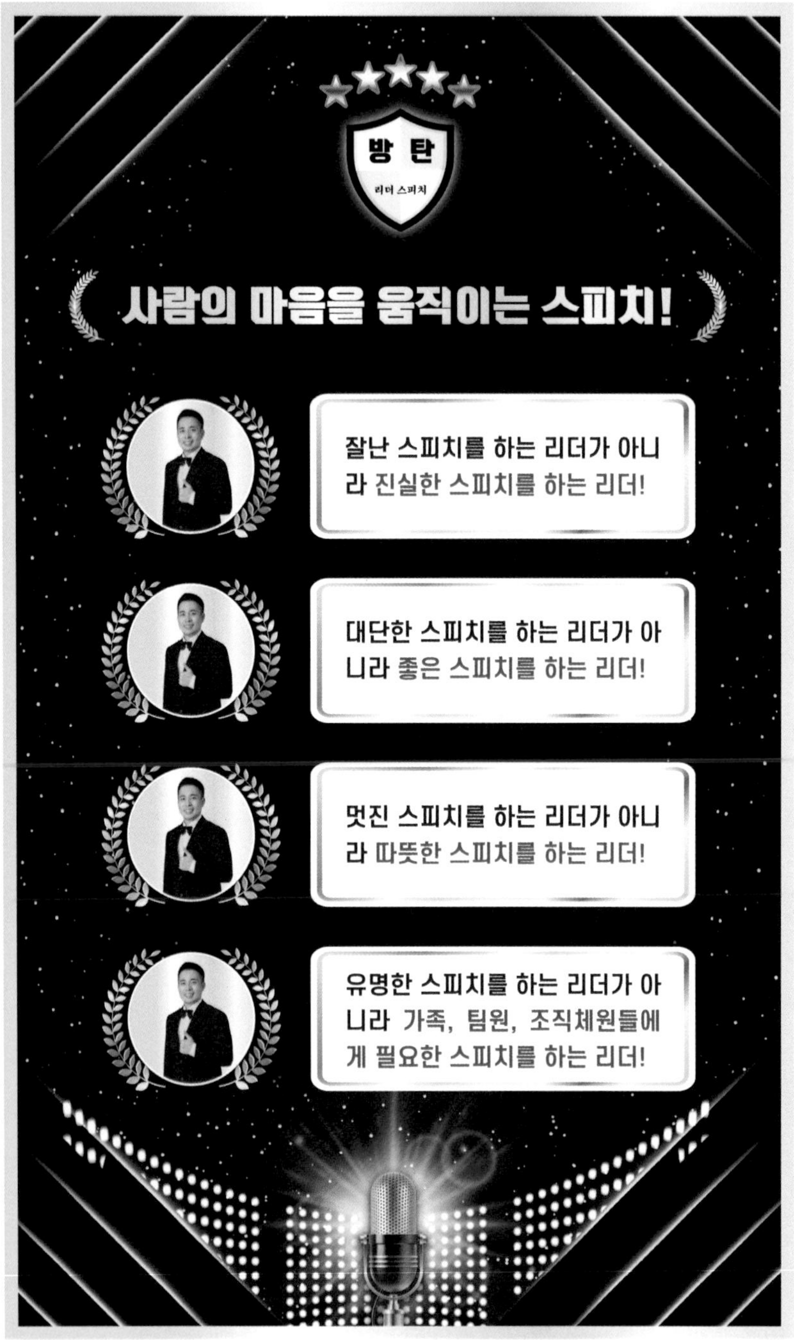
방탄
리더 스피치
사람의 마음을 움직이는 스피치!
잘난 스피치를 하는 리더가 아니라 진실한 스피치를 하는 리더!
대단한 스피치를 하는 리더가 아니라 좋은 스피치를 하는 리더!
멋진 스피치를 하는 리더가 아니라 따뜻한 스피치를 하는 리더!
유명한 스피치를 하는 리더가 아니라 가족, 팀원, 조직체원들에게 필요한 스피치를 하는 리더!

- Body(몸) 스피치, Head(머리) 스피치, Mind(마음) 스피치 학습, 연습, 훈련 하는 방법 320가지!

Body(몸) 스피치, 몸이 건강하지 않으면 건강한 스피치가 나오지 않는다.

세상에서 가장 중요한 것이 건강이다. 누구나 알지만 아무나 몸이 자신에게 말하는 것을 듣지 못한다. 몸이 아프다는 것은 몸이 자신에게 말을 하는 것이다. 평상시에 몸 관리를 신경 쓰고, 먹고 싶은 거, 좋아하는 음식(대부분 달고 짜고 자극적인 음식)이기에 절제 좀 하라는 몸이 나에게 말하는 신호다. 혀가 좋아하는 음식은 몸이 싫어하고 몸이 좋아하는 음식은 혀가 싫어한다. 혀가 좋아하는 음식을 줄일 때 몸이 말하는 것이 잘 들린다. 필자가 하고 있는 Body(몸) 스피치 학습, 연습, 훈련하는 방법 320가지 참고하자.

Head(머리) 스피치, 머리에 든 지식이 없으면 깡통 스피치가 나온다.

입은 출력하는 곳이라면 머리는 저장하는 곳이다. 한 마디로 지혜, 지식, 정보, 상식, 삼성(진정성, 전문성, 신뢰성), 목표, 방향, 이루고 싶은 것, 꿈, 비전, 인간관계, 사랑, 사람 심리... 등이 머리에 많은 데이터가 저장 되어 있지 않으면 입에서 나오는 스피치는 자신, 사람들에게

소음밖에 되지 않는다. 필자의 Head(머리) 스피치 학습, 연습, 훈련하는 방법 320가지 참고하자.

Mind(마음) 스피치, 마음이 우울하면 우울한 스피치가 나온다.

트라우마, 콤플렉스, 가족에 대한 상처, 부모에 대한 상처, 사랑의 상처, 인간관계 상처, 낮은 자존감으로 인한 자격지심, 낮은 멘탈로 인한 열등감, 우울함... 등 마인드 컨트롤이 되지 않아 나오는 스피치는 만나는 사람들에게도 감정 전이, 감정 전염이 되어 우울한 스피치가 나온다. 필자의 Mind(마음) 스피치 학습, 연습, 훈련하는 방법 320가지 참고하자.

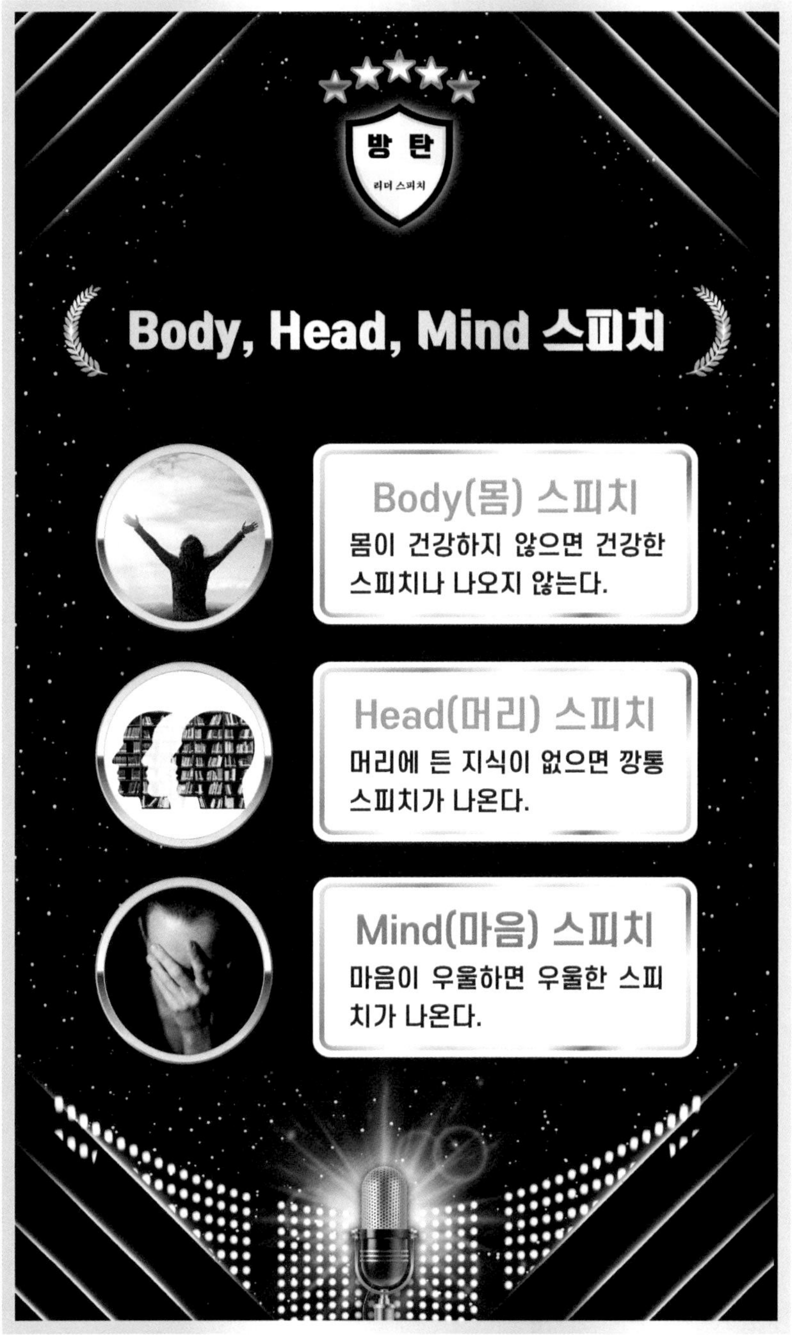
방 탄
리더 스피치
Body, Head, Mind 스피치
Body(몸) 스피치
몸이 건강하지 않으면 건강한 스피치나 나오지 않는다.
Head(머리) 스피치
머리에 든 지식이 없으면 깡통 스피치가 나온다.
Mind(마음) 스피치
마음이 우울하면 우울한 스피치가 나온다.

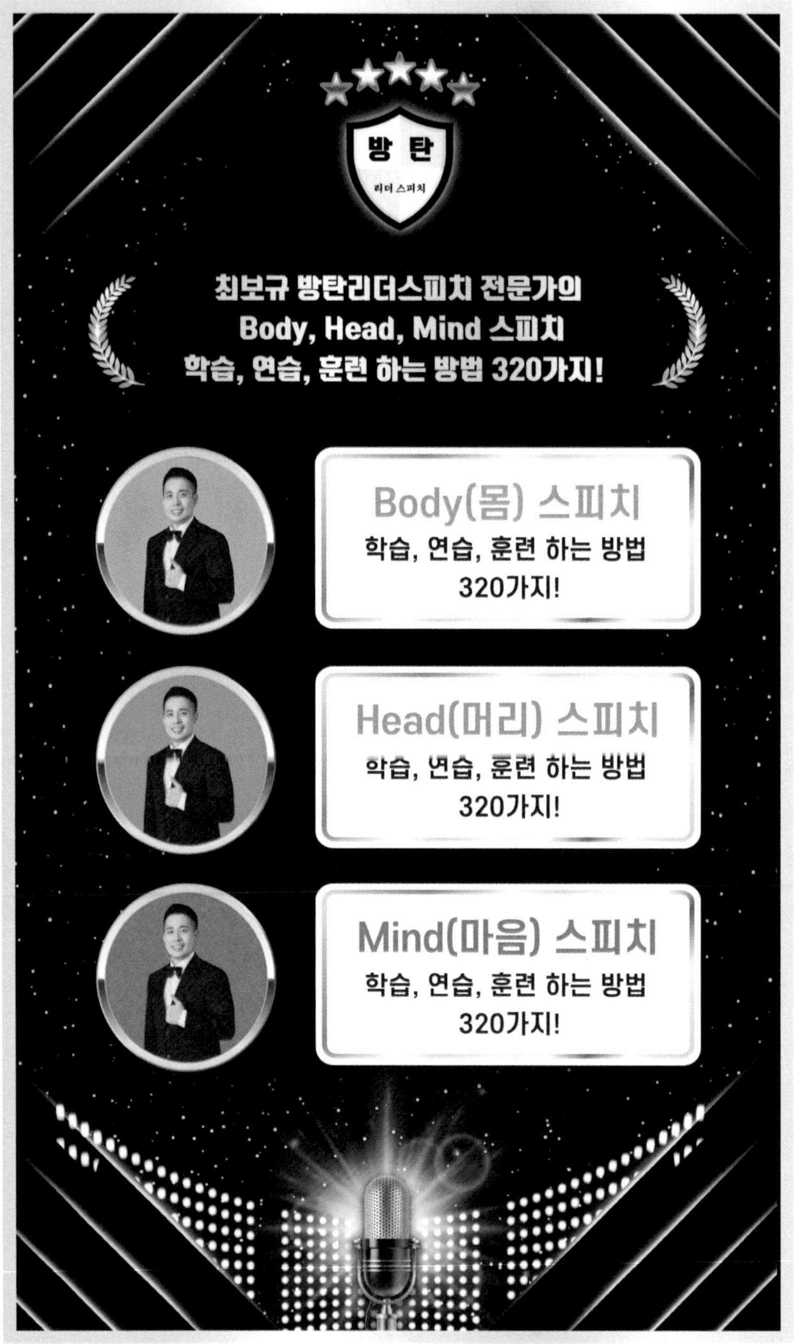
방 탄
리더 스피치
최보규 방탄리더스피치 전문가의
Body, Head, Mind 스피치
학습, 연습, 훈련 하는 방법 320가지!
Body(몸) 스피치
학습, 연습, 훈련 하는 방법
320가지!
Head(머리) 스피치
학습, 연습, 훈련 하는 방법
320가지!
Mind(마음) 스피치
학습, 연습, 훈련 하는 방법
320가지!

♥ 최보규 방탄리더스피치 전문가의 몸 스피치, 머리 스피치, 마음 스피치 학습, 연습, 훈련 하는 방법 320가지!

1. 전신 장기기증
2. 유서 써놓기
3. 꿈 목표 설정
4. 영양제 챙기기
5. 꿀 챙기기
6. 계단 이용
7. 8시간 숙면
8. 취침 4시간 전 안 먹기
9. 기상 후, 자기 전 스트레칭 10분
10. 술, 담배 안 하기
11. 하루 운동 30분
12. 밀가루 기름진 음식 줄이기
13. 자극적인 음식 줄이기
14. 얼굴 눈 스트레칭
15. 박장대소 하루 2회
16. 기상 직후 양치질 물먹기
17. 물 7잔 마시기
18. 밥 먹는 중 물 조금만
19. 국물 줄이기
20. 밥 먹고 30후 커피 마시기
21. 기상 직후 책 듣기

22. 한 달 책 15권 보기
23. 책 메모하기
24. 메모 ppt 만들기
25. SNS 캡처 자료수집
26. 강의 자료 항상 찾기
27. 좋은 글 점심때 보내기
28. 사랑의 전화 봉사
29. 주말 유치원 봉사
30. 지인 상담봉사
31. 강의 재능기부
32. 사랑의 전화 후원
33. 강의자료 주기
34. TV 줄이기
35. 부정적인 뉴스 줄이기
36. 솔선수범하기
37. 지인들 선물 챙기기
38. 한 달 한번 등산
39. 몸에 무리 가는 행동 안 하기
40. 하루 감사 기도 마무리
41. 탄산음료, 과일주스 줄이기
42. 아침 유산균 챙기기
43. 고자세
44. 스마트폰 소독 2번

45. 게임 안 하기
46. SNS 도움 되는 것 공유
47. 전단지 받기
48. 긍정, 멘탈 사용설명서 도구 스티커 나눠주기
49. 학습자 선물 주기
50. 강의 피드백 해주기
51. 자일리톨 원석 먹기 하루 3개
52. 찬물 줄이고 물 미온수 먹기
100. 소금물 가글
54. 알람 듣고 바로 일어나기
55. 오전 10시 이후 커피 먹기
56. 믹스커피 안 먹기
57. 강의 족보 주기
58. 강의 동영상 주기
59. 강의 녹음파일 주기
60. 블로그 좋은 글 나누기
61. 인스턴트 음식 줄이기
62. 아이스크림 줄이기
63. 빨리 걷기
64. 배워서 남 주자 실천(PPT)
65. 읽어서 남 주자 실천(책 속의 글)
66. 오른손으로 차 문 열기
67. 오손도손 오손 왼손 캠페인 전파하기

68. 운전 중 스마트폰 안 보기
69. 취침 전 30분 독서
70. 취침 전 30분 스마트폰 안 보기
71. 오늘이 마지막인 것처럼 섬기고 영원히 살 것처럼 배우기
72. 자존심 신발장에 넣어 두고 나오기
73. 내가 받은 상처는 모래에 새기고 내가 받은 은혜는 대리석에 새기기
74. 어제의 나와 비교하기
75. 어제 보다 0.1% 성장하기
76. 세상에서 가장 중요한 스펙? 건강, 태도 실천하기
77. 나방이 되지 않기
78. 마라톤 10주 프로그램 시작
79. 마라톤 5km 도전
80. 마라톤 10km 도전
81. 마라톤 하프 도전
82. 마라톤 풀코스 도전
83. 자기 전 5분 명상
84. 뱃살 스트레칭 3분
85. 아침 동기부여 사진 보내기 8시
86. 저녁 동기부여 사진 보내기 9시
87. 나의 1%는 누군가에게는 100%가 될 수 있다. 실천
88. 150세까지 지금 몸매, 몸 상태 유지 관리

89. 아침 달걀 먹기
90. 운동 후 달걀 먹기
91. 헬스장 등록
92. 오래 살기 위해서가 아니라 옳게 살기 위해 노력하는 사람이 되자
93. 남들이 하는 거 안 하기 남들이 안 하는 거 하기
94. 아침 결명자차 마시기
95. 저녁 결명자차 마시기
96. 폼롤러 스트레칭
97. 어제보다 나은 내가 되자
98. 남들이 안 하는 강의 분야 도전
99. 플랭크 운동
100. 스쿼터 운동
101. 계산할 때 양손으로 주고받고 인사
102. 명함 거울 선물 주기
103. 40살 되기 전 책 출간
104. 반 100년 되기 전 책 5권 집필하기
105. 유튜브[나다운TV] 강사심폐소생술
106. 유튜브[나다운TV] 나다운심폐소생술
107. 아.원.때.시.후.성.실 말 줄이기
108. 나다운 강사 책 유튜브 올려 함께 잘 되기
109. 리플렛으로 동기부여 시켜주기
110. 아침 8시 동기부여 메시지 만들어 보내기

111. 저녁 9시 동기부여 메시지 만들어 보내기
112. 어플 책 속의 한 줄에 책 내용 올리기
113. 책 내용 SNS 오픈
114. 3번째 책 원고 작업 시작
115. 4번째 책 자료수집
116. 뱃살관리 스트레칭 아침, 저녁 5분
117. 3번째 책 기획출판계약
118. 최보규강사사관학교 시작
119. 최보규강사사관학교 지회 원장 임명
120. 올 노(올바른 노력)공식 오픈
121. 행복, 방탄멘탈 공식 자자자자멘습긍 오픈
122. 생화 네 잎 클로버 선물 주기
123. 세바시를 통해 극단적인선택 예방 전파!
124. 세바시를 통해 자자자자멘습긍 사용설명서 전파!
125. 4번째 책 원고 시작 2021년 1월 출간 목표!
126. 전염성이 강한 상황 왔을 때 대처하기 위한 준비!
127. 코로나19 극복을 위한 공적 마스크 독고 어르신들 주기!
128. 아내를 위해 앉아서 소변보기
129. 들어라 하지 말고 듣게 하자
130. 좋은 사람이 되지 말고 좋은 사람 되어주자.
131. 좋아하게 하지 말고 좋아지게 하자
132. 보여주는(인기)인생을 사는 것보다 보여지는(인

정)인생을 살아가자.

133. 나 이런 사람이야 말하지 않아도 이런 사람이구나 느끼게 하자.

134. 마음을 얻으려 하지 말고 마음을 열게 하자.

135. 믿으라 하지 말고 믿게 하자

136. 나에 행복 0순위는 아내의 행복이다! 일어나서 자기 전까지 모든 것 아내에게 집중!

137. 아내 말을 잘 듣자! 하는 일이 잘 된다!

138. 아버지가 어머니에게 이렇게 대했으면 하는 남편이 되겠습니다. 매형들이 누나들에게 이렇게 대했으면 하는 남편이 되겠습니다.

139. 내 몸은 아내거다. 빌려 쓰는 거다! 담배, 술, 몸에 무리가 가는 모든 것 자제 하고 건강관리, 자기관리 하겠습니다.

140. 아내의 은혜를 보답하기 위해 머리, 가슴, 몸, 돈으로 실천하겠습니다!

141. 아내에게 받은 사랑(내조) 보답하기 위해 머리, 가슴, 몸, 돈으로 실천하겠습니다.

142. 아내를 몸, 마음, 돈으로 평생 웃게 해서 호강시켜 주겠습니다.

143. 아내를 존경하겠습니다. 세상에 아내 같은 여자 없습니다.

144. 아내 빼고는 모든 여자는 공룡이다! 정신으로 살겠

습니다.

145. 많은 사람들에게 인정받는 남편이 아닌 아내에게 인정받는 남편이 되기 위해 먼저 맞춰가는 남편이 되겠습니다.

146. 아내에게 무조건 지겠습니다.
이기려 하지 않겠습니다. 아내 앞에서는 나직성자체를 내려놓겠습니다. (나이, 직급, 성별, 자존심, 체면)

147. 지저분한 것(음식물 쓰레기, 화장실 청소)다 하겠습니다.

148. 함께하는 한 가지를 위해 개인 생활 10가지를 감수하겠습니다.

149. 최강자 학습지 시작 (최보규의 강사학습지, 자기계발학습지)

150. 홈코 시작(집에서 화상 1:1 케어)

151. 불자의 인생 시작

152. 나는 복덩어리다. 나는 운이 좋은 사람이다.

1100. 베스트셀러 3권 달성 노하우 책쓰기 교육 시작

154. 유튜브, 유튜버 100년 하는 노하우 교육 시작

155. 방탄멘탈마스터 양성 시작

156. 나다운 방탄멘탈 책으로 극단적인 선택 줄이기

157. 아침 8시, 저녁 9시 방탄멘탈공식 SNS 공유

158. 5번째 책 2022년 나다운 방탄사랑

159. 2023 나다운 방탄멘탈 2
160. 2024 나다운 책 쓰기(100년 가는 책)
161. 2025 유튜버가 아니라 나튜버
(100년 가는 나튜버)
162. 2026 나다운 강사3(Q&A)
163. 2027 나다운 명언
164. 2029 나다운 인생(50살 자서전)
165. 줌 화상 기법 강의, 코칭(최보규줌사관학교)
166. 언택트(비대면)시대에 맞게 아날로그 방식 80%를 디지털 방식 80%로 체인지
167. 변기 뚜껑 닫고 물 내리기
168. 빨래개기
169. 요리하기, 요리책 내기 위한 자료 수집
170. 화장실 물기 제거
171. 부엌 청소, 집 청소, 화장실 청소
172. 사랑해 100번 표현하기
173. 아내에게 하루 마무리 안마 5분 해주기
174. 헌혈 2달에 1번
175. 헌혈증 기부
176. 네 번째 책 행복 히어로 책 출간
177. 극단적인 선택률, 이혼율 낮추기 위한 교육 시작
178. 행복률 높이기 위한 교육 시작
179. 다섯 번째 책 원고 작업 시작

180. 여섯 번째 책 자료 수집
181. 운전 중 양보 해 줄 때, 받을 때 목례로 인사하기.
182. 다섯 번째 책 나다운 방탄습관블록 출간
183. 습관사관학교 시스템 완성
184. 습관 코칭, 교육 시작
185. 아침 8시, 저녁 9시 습관 메시지 sns 공유
186. 습관 전문가 되어 무료 케어 상담 시작
187. 습관 콘텐츠 유튜브<행복히어로>에 무료 오픈
188. 여섯 번째 책 원고 작업 시작
189. 최보규상(대한민국 노벨상) 버킷리스트 설정
190. 2037년까지 운영진, 자금(상금), 시스템 완성 목표 설정
191. 최보규상을 1,000년 동안 유지하기 위한 공부
192. 일곱 번째 자존감 책 원고 작업
193. 여덟 번째 책 쓰기 책 자료 수집, 공부
194. 앉아서 일할 때 50분의 한번 건강 타이머 누르기
195. 세계 최초 자기계발쇼핑몰 (www.자기계발아마존.com)
196. 온라인 건물주 분양 시작 (월세, 연금성 소득 올릴 수 있는 시스템)
197. 일곱, 여덟 번째 책 출간 (나다운 방탄자존감 명언 Ⅰ,Ⅱ)
198. 자기계발코칭전문가 1급, 2급 자격증 교육 시작

199. 방탄자기계발사관학교 Ⅰ,Ⅱ,Ⅲ,Ⅳ 4권 출간
200. 2021년 목표였던 9권 책 출간 달성!
201. 하루 3번 호흡 스펙 습관 쌓기 시작
(코 8초 마시고, 5초 멈추고, 입으로 8초 내뱉기)
202. 장모님께 출간 한 책 12권 드리기
203. 2022년 최보규의 책 쓰기9 원고 작업 시작
204. 100만 프리랜서들 도움주기 위한 프로젝트 시작
205. 방탄 자존감 코칭 기술
206. 방탄 자신감 코칭 기술
207. 방탄 자기관리 코칭 기술
208. 방탄 자기계발 코칭 기술
209. 방탄 멘탈 코칭 기술
210. 방탄 습관 코칭 기술
211. 방탄 긍정 코칭 기술
212. 방탄 행복 코칭 기술
213. 방탄 동기부여 코칭 기술
214. 방탄 정신교육 코칭 기술
215. 꿈 코칭 기술
216. 목표 코칭 기술
217. 방탄 강사 코칭 기술
218. 방탄 강의 코칭 기술
219. 파워포인트 코칭 기술
220. 강사 트레이닝 코칭 기술

221. 강사 스킬UP 코칭 기술
222. 강사 인성, 멘탈 코칭 기술
223. 강사 습관 코칭 기술
224. 강사 자기계발 코칭 기술
225. 강사 자기관리 코칭 기술
226. 강사 양성 코칭 기술
227. 강사 양성 과정 코칭 기술
228. 퍼스널브랜딩 코칭 기술
229. 방탄 리더십 코칭 기술
230. 방탄 인간관계 코칭 기술
231. 방탄 인성 코칭 기술
232. 방탄 사랑 코칭 기술
233. 스트레스 해소 코칭 기술
234. 힐링, 웃음, FUN 코칭 기술
235. 마인드컨트롤 코칭 기술
236. 사명감 코칭 기술
237. 신념, 열정 코칭 기술
238. 팀워크 코칭 기술
239. 협동, 협업 코칭 기술
240. 버킷리스트 코칭 기술
241. 종이책 쓰기 코칭 기술
242. PDF 책 쓰기 코칭 기술
243. PPT로 책 출간 코칭 기술

244. 자격증 교육 커리큘럼으로 책 출간 코칭 기술

245. 자격증 교육 커리큘럼으로 영상 제작 코칭 기술

246. 책으로 디지털콘텐츠 제작 코칭 기술

247. 책으로 온라인 콘텐츠 제작 코칭 기술

248. 책으로 네이버 인물 등록 코칭 기술

249. 책으로 강의 교안 제작 코칭 기술

250. 책으로 민간 자격증 만드는 코칭 기술

251. 책으로 자격증 과정 8시간 제작 코칭 기술

252. 책으로 유튜브 콘텐츠 제작 코칭 기술

2100. 유튜브 시작 코칭 기술

254. 유튜브 자존감 코칭 기술

255. 유튜브 멘탈 코칭 기술

256. 유튜브 습관 코칭 기술

257. 유튜브 목표, 방향 코칭 기술

258. 유튜브 동기부여 코칭 기술

259. 유튜브가 아닌 나튜브 코칭 기술

260. 유튜브 영상 제작 코칭 기술

261. 유튜브 영상 편집 코칭 기술

262. 유튜브 울렁증 극복 코칭 기술

263. 유튜브 썸네일 디자인 제작 코칭 기술

264. 유튜브 콘텐츠 제작 코칭 기술

265. 유튜브 수입 연결 제작 코칭 기술

266. 유튜브 영상 홍보 코칭 기술

267. 홈페이지 무인시스템 연결 제작 코칭 기술
268. 홈페이지 자동 결제 시스템 제작 코칭 기술
269. 홈페이지 비메오 연결 제작 코칭 기술
270. 홈페이지 렌탈 시스템 제작 코칭 기술
271. 홈페이지 디자인 제작 코칭 기술
272. 홈페이지 제작 코칭 기술
273. 재능마켓 크몽 PDF 입점 코칭 기술
274. 재능마켓 크몽 강의 입점 코칭 기술
275. 재능마켓 크몽 이미지 디자인 제작 코칭 기술
276. 재능마켓 크몽 입점 영상 제작 코칭 기술
277. 재능마켓 크몽 입점 영상 편집 코칭 기술
278. 재능마켓 크몽 VOD 입점 코칭 기술
279. 클래스101 영상 입점 코칭 기술
280. 클래스101 PDF 입점 코칭 기술
281. 클래스101 이미지 디자인 제작 코칭 기술
282. 클래스101 영상 제작 코칭 기술
283. 클래스101 영상 편집 코칭 기술
284. 탈잉 영상 입점 코칭 기술
285. 탈잉 PDF 입점 코칭 기술
286. 탈잉 이미지 디자인 제작 코칭 기술
287. 탈잉 영상 제작 코칭 기술
288. 탈잉영상 편집 코칭 기술
289. 탈잉 VOD 입점 코칭 기술

290. 클래스U 영상 입점 코칭 기술
291. 클래스U 영상 제작 코칭 기술
292. 클래스U 영상 편집 코칭 기술
293. 클래스U 이미지 디자인 제작 코칭 기술
294. 클래스U 커리큘럼 제작 코칭 기술
295. 인클 입점 코칭 기술
296. 자신 분야 콘텐츠 제작 코칭 기술
297. 자신 분야 콘텐츠 컨설팅 코칭 기술
298. 자기계발코칭전문가 1시간 ~ 1년 코칭 기술
299. 강사코칭전문가, 리더십코칭전문가 1시간 ~ 1년 코칭 기술
300. 온라인 건물주 되는 코칭 기술
301. 강사 1:1 코칭기법 코칭 기술
302. 전문 분야 있는 사람 1:1 코칭 기법 코칭 기술
303. CEO, 대표, 리더, 협회장 품위유지의무 코칭 기술
304. 은퇴 준비 코칭 기술
305. 2023년 나다운 방탄리더십 1, 2, 3, 4, 5 출간
306. 나다운 방탄리더십 아침, 저녁 메시지 시작
307. 강사코칭전문가 자격증 시스템 시작
308. 방탄 리더십 원고 작업 시작
309. 방탄 리더 자존감 원고 작업 시작
310. 방탄 리더 멘탈 원고 작업 시작
311. 방탄 리더 습관 원고 작업 시작

312. 방탄 리더 행복 원고 작업 시작
313. 방탄 리더 자기계발 원고 작업 시작
314. 방탄 리더 코칭 원고 작업 시작
315. 마트에서 구입한 물건들 바코드 정렬해서 올리기
316. 장모님 머리 염색해 주기
317. 처남 금연, 금주 도와주기
318. 한 해 시작할 때 습관 영상 업로드
319. 결혼기념일 빼지, 명찰 제작
320. 뒤꿈치 들기 운동 시작

작은 일도 무시하지 않고 최선을 다해야 한다.
작은 일에도 최선을 다하면 정성스럽게 된다.
정성스럽게 되면 겉에 배어 나오고
겉에 배어 나오면 겉으로 드러나고
겉으로 드러나면 이내 밝아지고
밝아지면 남을 감동시키고
남을 감동시키면 이내 변하게 되고 변하면 생육 된다.
그러니 오직 세상에서 지극히 정성을 다하는 사람만이
나와 세상을 변하게 할 수 있는 것이다.
<중용 23장>

자동차가 움직이기 위해서는 2만~3만 개의 부품들이 조합을 이루어서 움직이게 되고 손목시계는 100개~200개 부품이 모여 움직이며 스마트폰은 50개~100개 부품이 모여 움직이듯이 필자는 Body(몸) 스피치, Head(머리) 스피치, Mind(마음) 스피치 학습, 연습, 훈련하는 방법 320가지가 모여서 세상 어느 누구도 흉내 낼 수 없는 최보규 다운 Body(몸) 스피치, Head(머리) 스피치, Mind(마음) 스피치가 나오는 것이다.

나다운 스피치, 진심 스피치가 나올 때 모든 사람들의 살아가는 이유인 행복한 인생(나다운 인생)을 살 수 있는 것이다.

스피치 이론, 방법, 공식보다 선행 되어야 할 것이 왜 Body(몸) 스피치, Head(머리) 스피치, Mind(마음) 스피치 학습, 연습, 훈련인지를 깨닫게 해주는 스토리텔링이다.

미국 대통령 4명의 스피치 멘탈 관리법!

여기 있는 토니 로빈스의 세미나는 전 세계에서 가장 인기 있는 세미나죠. “50시간짜리 강의에요.” “하지만 오늘 5분간 짧게 설명해볼게요.” 그리고 토니가 여러분을 인생을 새롭게 바꿀 겁니다. 제가 오늘 부탁하는 건 50시간의 강의의 지혜를 5분에 줄여서 해주세요.

토니 로빈슨은 세계에서 가장 유명한 연설가입니다. 많은 유명인들의 멘토링과 지금까지 네 명의 미국 대통령이 멘토링도 했었죠. <life mastery institute>이라는 그의 세미나 가격은 1,500만 원 ~ 5,000만 원이며 세미나 참석 전 참가자 심사까지 한다고 하는데요. 그의 세미나 중 '부정적인 생각을 2분 만에 떨쳐내는 방법' 대해 설명합니다. 집중하세요.

2분 동안 여러분께 간단한 컨셉에 대해서 먼저 설명해 줄게요. 모두는 목표를 가지고 있죠. 여러분들이 노력하는 무언가요. 그 새로운 결과를 얻으려면 당연히 새로운 행동을 해야 합니다. 모두 아는 사실이죠. 행동이 같은데 새로운 결과는 안 나타나니까요. 같은 결과만 나오겠죠. 인간이 할 수 있는 것들은 정말 대단한데도 대부분의 사람은 형편없는 행동만 해요. 능력이 부족한 게 아니라 새로운 행동을 안 하기 때문이에요. 그 이유는 우리의 감정상태 때문입니다. 감정에 지배당하는 거죠.
조바심이 나고 실패한 것 같은 감정들요. 하지만 당신이 두려움의 감정을 느낄 때 두려움은 행동에 보여지고 결과로 나타납니다. 그래서 인생을 바꾸는 가장 중요한 방법은 결과를 바꾸는 것인데 결과를 바꾸려면 행동을 바꾸어야 하고 행동을 바꾸려면 감정 상태를 바꿔야 합니다.
자 그럼 어떻게 바꿀까요? 이미 감정에 사로잡히거나 압도당한 상태에서요.

'제가 세계 최고 운동선수들 4명의 미국 대통령에게도 가르친 방법이에요. 억만장자 고객들도 배웠습니다.'

감정 상태를 바꾸는 것은 생각만으로 되는 게 아니에요. 나는 행복하다를 반복한다고 되는 게 아니에요. 당신의 뇌가 거짓인 걸 이미 알고 있으니까요. 그렇기에 우리가 해야 하는 것은 근본적인 변화입니다. 몸을 이용해 생리학적으로 접근할게요. 어려워 보이지만 그냥 몸을 이용한다는 거예요. 움직이는 템포를 바꿔요. 어깨를 당당히 펴고 숨을 더 고르게 쉬세요. 움직임을 생동감 있게 하고 말도 좀 빠르게 한다면 이 행동들이 당신 몸 안에서 화학작용을 만들어냅니다. 그리고 새로운 감정 상태에 접어들어 완전히 다른 행동을 이끌어내게 됩니다. 저는 40년 넘게 이걸 가르쳤어요. 그리고 3년 전에 하버드에서 과학적으로도 입증이 되었죠. 그리고 '파워 포지션'이라고 이름 지었죠. 정말 간단합니다. 양손을 허리에 올리세요. 원더우먼이나 슈퍼맨처럼요. 이렇게 선 상태에서 숨을 깊게 쉬세요. 단 2분 동안 만요. 이 행동의 과학적 결과는 당신은 2분 안에 무조건 테스토스테론(자신감 호르몬)이 20% 증가하고 남녀 모두 포함입니다. 그리고 당신의 몸안의 스트레스 호르몬인 코르티솔은 22% 감소합니다. 그리고 두려움에 사로잡혀서 하려고 하지 않던 새로운 행동을 할 가능성이 33% 증가합니다. 만약 당신이 앉아있다면 머리에 깍지를 끼고 다리를 올려놓는 행동도 같은 효과를 일으켜요. 이 행동들이 당신에게 확신과 자신감을 주기 때문입니다. 그리고 그 자신감이 새로운 행동을 하게 하는 거죠.

앞서 보신 방법은 조던 피더슨의 책 《인생의 12가지 법칙》에서도 첫 번째 챕터로 나오는 부분입니다. '어깨를 펴고 똑바로 서라.' 자신감 있는 자세가 끼치는 영향은 인간뿐 아니라 동물들에게도 같은 결과를 불러옵니다. 두 번째 방법은 마인드에 관한 방법입니다.

당신이 언제라도 당신이 가장 힘들다고 생각할 때 부모님이 아프시거나 사업이 안 되고 연인관계 문제 혹은 불안하고 초초할 때 당신은 두려움의 감정 상태에 들어가게 됩니다.
나쁜 행동을 만들고 엉망인 결과를 불러오죠. 그 결과를 뇌는 이렇게 받아들이죠. "내가 말했지 너 못한다고."

그렇게 부정적인 늪에 빠지는 거죠. 이 상태를 벗어나는 방법은 자신에게 새로운 질문을 하는 겁니다. 제 질문을 곰곰이 생각해보세요. 무엇이 인생에서 가장 자랑스럽나요? 당신이 느끼는 가장 자랑스러운 것에 집중해보세요.

여러분의 아이들 가족 혹은 성취한 것들 말이죠. 가짜 아닌 진심에서 우러나오는 자랑스러움이요. 누구라도 하나쯤은 있잖아요. 자 그럼 이제 눈을 감고 그 기분에 집중하세요. 당신이 자랑스러운 그 느낌을요. 그리고 그때의 기분을 다시 느껴보세요. 그때처럼 숨을 쉬어보세요. 여유 있게! 그리고 마치 기분 좋은 아이처럼 기쁜 감정을 숨기지 말고 웃음 짓는 거예요. 자 이번엔 당신이 감사한 것에 대해 집중해보세요. 혹은 당신의 가슴을 뛰게 하는 일을요. 사람 혹은 특정 순간들 아니면 원하는 것을 말이죠. 그 감정에 집중해보세요. 눈을 감고 그 감정에 집중하는 거예요. 가슴 뛰게 하는 것에 말이죠.

그리고 그게 일어난 것처럼 느껴보세요. 건강이 되찾아지고 사업이 번창하고 연인관계 회복, 두려움을 극복하는 것을요. 그렇게 인생을 온전히 바꿈을 느끼고 그 느낌대로 숨을 뱉어보세요. 그리고 그 기분을 소리쳐보세요. "오 예! 와우! 오오오오오! 해보자! 해보자! 파이팅! 좋았어!" 이 방법으로 감정 상태를 바꾸세요. 좋은 것에 집중하고 움직임을 바꾸는 거죠. 제 마지막 질문입니다. 여러분이 원하는 것에 집중한다면 보장된 건 아니지만 엄청난 가능성이 존재해요. 그러니 가능성을 늘려가세요. 감정 상태를 바꾸면서요. 그게 제 세미나의 핵심이에요. "몸과 마인드를 바꿔 가는 방법이었습니다."

밤하늘에 뜬 별들이 더 멋지고 소중한 이유는 별들을 감싸고 있는 어둠 때문이라는 말이 있습니다. 마찬가지로 필연적으로 느끼게 되는 부정적인 생각들과 상황들이 각자의 꿈을 더 빛나게 해주는 어둠 같은 존재 같습니다. 이 방법들이 여러분의 인생에 어둠이 찾아왔을 때 마음가짐을 바꿀 수 있는데 사용되기를 바랍니다.

<유튜브 터닝포인트 - 위대한 성공의 시작점>

간단히 정리를 해보겠다. 결과를 바꾸려면, 결과를 내려면 먼저 행동을 바꿔야한다. 그래야 감정 상태가 바뀌어 원하는 결과를 만들 수 있다. 긍정적인 생각만으로 안 되기에 과학적으로 증명된 원더 우먼 자세, 슈퍼맨 자세 '파워 포지션'을 2분 동안 평상시 꾸준히 하면 자신감 호르몬이 상승하고 스트레스가 내려가서 부정적인 감정이 컨트롤이 되어 하는 일을 더 집중하게 되서 목표한 것을 이루게 된다.

토니 로빈스가 말한 미국 대통령 4명의 스피치 멘탈 관리법, 몸과 마인드를 바꿔 가는 방법을 간단명료하게 초등학생도 알아들을 수 있는 방법이 필자가 하고 있는 "Body(몸) 스피치, Head(머리) 스피치, Mind(마음) 스피치 학습, 연습, 훈련하는 방법 320가지"라는 것이다. [320가지 안에 방탄 리더 스피치, 방탄리더십, 스피치 자존감, 스피치 멘탈, 스피치 습관, 스피치 행복, 스피치 자기계발, 스피치 코칭을 생활 속에서 실천할 수 있는 방법이 포함되어 있다.]

그런데 아이러니 하게도 아무리 하버드대학에서 과학적으로 증명을 하고 1,500만 원 ~ 5,000만 원 가치가 있는 성공자의 노하우일지라도 2분 동안 원더 우먼 자세, 슈퍼맨 자세 '파워 포지션'을 90%의 사람들은 꾸준히 하지 않는다. 또한 토니 로빈스가 말하는 방법을 간단히 정리한 필자의("Body(몸) 스피치, Head(머리) 스피치, Mind(마음) 스피치 학습, 연습, 훈련하는 방법 320가지")방법일지라도 90%의 사람들은 따라 하지 않는다. 왜 그런지 아는가?
20,000명 심리 상담, 코칭 하면서 알게 된 것은 대가지불이 많을수록 사람의 심리인 '본전 정신'이 생겨 동기부여, 행동, 실천이 잘 되는데 유튜브 영상 5분(대가지불 강도 -10,000)보고 지금 보고 있는 책값만큼만 대가지불을 하니 바로 행동을 못하는 게 당연하다.

토니 로빈스의 세미나 가격인 1,500만 원 ~ 5,000만 원을 지불 하고 직접 가서 들었다면 본전 뽑기 위해서 어떻게든 실천했을 것이다. 돈이 어마어마하게 들어가야만 동기부여, 행동, 실천이 잘 되는 건 아니지만 결과를 만들고 변화, 성장하고 실천하는 사람들은 가치가 있는 것에 과감하게 금전적인 대가 지불을 무조건 한다는 것을 명심하자!
동기부여, 행동, 실천을 잘 할 수 있는 유일한 방법은 꾸준하게 전문가의 A/S, 피드백, 관리를 받는 것이다. 그래서 동기부여, 행동, 실천이 잘 안 되는 사람들을 위해서 최보규 방탄자기계발 전문가의 코칭을 받는 사람들은 세계 최초로 150년 A/S, 피드백, 관리를 해준다는 것이다. 지금 당장 상담받아라!

www.방탄자기계발사관학교.com

"때론 감정, 표정, 행동이 말보다 더 말을 한다."
"때론 Body(몸) 스피치, Head(머리) 스피치, Mind(마음) 스피치가 말보다 더 말을 한다."

리더의 스피치에서
삼성(진정성, 전문성, 신뢰성)이 느껴지지 않으면... 자존감이 낮은 스피치를 하면... 멘탈이 낮은 스피치는를 하면... 안 좋은 스피치 습관이 있으면... 행복을 느끼지 못

하는 스피치를 하면... 리더가 스피치 자기계발을 하지 못하면... 인재 양성 코칭 스피치 매뉴얼, 시스템이 없다면... 리더가 어떻게 살았는지 앞으로 인생을 어떻게 살아갈지 알게 해준다.

방탄 리더 스피치 7단계와 Body(몸) 스피치, Head(머리) 스피치, Mind(마음) 스피치 학습, 연습, 훈련은 살아온 날로 살아갈 날 단정 짓지 않게 하고 "지금 처럼이 아닌 지금부터"라는 태도로 때를 기다리는 리더가 아닌 때를 만들어 가는 리더로 변화가 아닌 진화를 시켜준다.
방탄 리더 스피치 7단계와 Body(몸) 스피치, Head(머리) 스피치, Mind(마음) 스피치는 스펙이다. 꾸준히 학습, 연습, 훈련을 통해 익히는 것이다.
세계에서 방탄 리더 스피치 학습, 연습, 훈련 하는 곳은 www.방탄자기계발사관학교.com 뿐이다.

- 리더의 스피치는 10초 안에 결정 난다?

"리더는 강사처럼 말, 표정, 행동을 할 수도 있어야 한다." 가 아니라 무조건 강사처럼 말, 표정, 행동을 해야 한다. 그래서 강사의 본질을 알고 배워야 한다. 왜 리더는 강사처럼 말, 표정, 행동을 해야 하는지 알게 해주는 과학적인 근거를 알려주겠다.

처음 만나는 사람에게 무의식적으로 일어나는 3단계 심리.
1단계 : 친구인가? 적인가? 이는 잠재의식 속에서 이뤄지는 점검
2단계 : 승자인가? 패자인가?
누군가를 처음 만날 때, 우리는 상대의 자신감을 재빨리 재본다. 이 사람이 지도자처럼 보이는지, 아니면 추종자처럼 보이는지
3단계 : 동맹인가? 적군인가?
상대를 내 편에 끌어당길지 결정한다. 우리의 뇌는 상대가 내 편이 되어줄 정도로 나에게 호의적인지를 알고 싶어 한다. 3가지 질문에 긍정적으로 답했을 때, 우리는 그 사람의 첫인상을 높이 평가하고 믿게 된다.

TED 강연 유명한 영상 2개를 가지고 실험.

사이먼 사이넥

<위대한 리더들이 행동을 이끌어내는 방법>

필즈 위커-미우린

<존재하지 않는 리더십 설명서로부터 배운 것>

두 강연은 각 영역에서 존경받는 리더들이다. 둘 다 18분 정도 영상, 큰 차이점이 생겼다. 사이닉 강연 250만 조회 수, 위커-미우린 강연 72만 조회 수 왜 이런 커다란 격차가 발생했을까?

그 격차를 알아보기 위한 실험 조회수는 비공개로 했다. 각 집단 별 7초만 시청하고 평가 기준은 신뢰성, 카리스마, 이해도, 퍼포먼스였다.

두 집단 실험 결과 별 차이 없이 사이닉 영상이 점수가 높았다!

높은 조회 수와 낮은 조회 수를 기록한 영상 간의 차이를 찾기 위해 수백 시간 테드 강연 분석했다.

손의 움직임 숫자로 기록, 목소리의 변화, 미소, 몸의 움직임.

첫인상을 좌우하는 것은 무엇을 말하는지가 아니라 어떻게 만드는지에 달려 있었다. 최고의 강연자들은 주제를 꺼내놓기도 전에 청중들과의 관계를 레벨업시킨다.

최고의 테드 강연자들이 사용한 비언어적 기술 3가지.
첫 번째 기술 두 손이 잘 보이게 드러내라.
인기 없는 강연자들은 손짓을 평균적으로 272번 사용.
인기 많은 강연자들은 손짓을 평균적으로 465번 사용.

사이먼 사이넥, 템플 그랜딘, 제인 맥고니걸
18분 동안 손짓을 600번 이상 사용! 이런 효과는 테드 강연자에게만 한정되는 것이 아닌 한 연구에 따르면 면접에서 더 많은 손짓을 사용한 구직자가 합격률이 높다고 합니다. 손짓은 왜 그토록 큰 영향력을 지녔을까?
우리는 손에서 의도를 읽기 때문이고 심리적으로 상대 손을 볼 때 편안해하고, 친근함을 느끼며, 스킨십(악수)을 하면 옥시토신 친밀함 호르몬이 만들어져서 신뢰를 더 얻게 한다!

비언어적인 방법으로 신뢰를 끌어내는 기술
첫 번째 손 제스처 많이 하고 손바닥을 많이 보여 주고 스킨십(악수)를 해라!

두 번째 승자처럼 보일 것, 승자를 사귈 것
카내기멜론대학교 연구. 전문가의 자신감은 그 사람의 명성이나 기술, 또는 경력보다 더 중요하다. 자신감은 왜 그렇게 중요한가? 인간의 심리는 끊임없이 승자를 찾기 때문에 승자가 우리 팀이길 바라고 승자와 인연 맺기를 좋아하며 승자가 우리를 이끌길 원한다! 사람의 심리는 승리와 패배를 널리 알리는 비언어적인 방법이 프로그램화 되어있다. 그래서 비언어적인 파워 포즈 자세를 취함으로써 상대방에게 신뢰를 더 줄 수 있다.

세 번째 인연을 시작하려면 눈을 맞추어라.
누군가가 신뢰할 만하고 승자라고 판단되면 3가지 질문으로 동맹 의지를 확인합니다. 이 사람이 나를 좋아하는가? 이 사람은 내 의견을 존중해줄까? 이 사람은 내 편이 되어 줄까? 최고의 테드 강연자들은 사랑이 넘치는 엄마가 자식을 대하듯 청중들을 대하고 존중을 하며 청중에게 말하는 것이 아니라 이야기를 나눈다.

《캣치》

리더는 많은 사람을 직접적으로 상대하는 위치다. 그래서 리더에게는 사람의 심리 공부는 필수다.

리더가 비언어적인 방법으로 신뢰를 끌어내기 위해서는 첫 번째 기술: 두 손 이 잘 보이게 드러내라(제스처, 손바닥, 스킨십, 악수) 두 번째 기술: 승자처럼 보일 것(파워포즈 원더우먼 자세, 출동자세) 세 번째 기술: 눈을 맞추어라. (믿음, 존중, 배려, 사랑하는 눈빛)

당신의 강의 능력 10초면 판단한다?

하버드 대학의 날리니 앰바디 교수는 대학생들을 상대로 처음 보는 교수의 호감도와 능력에 대해 평가하게 했다. 강의하는 교수의 모습이 담긴 비디오테이프를 10초간 보여준 뒤 학생들로 하여금 그 교수가 얼마나 잘 가르치는지, 또 얼마나 호감이 가는지를 평가하게 했다. 비디오테이프는 강의 내용을 들을 수 없도록 소리는 삭제한 상태였다.

이런 식으로 13명 교수들의 강의 능력이 평가되었다. 그런데 이들의 평가는 한 학기 동안 실제로 강의를 들었던 학생 수백 명의 평가와 거의 차이가 없었다. 더욱 놀라운 것은 10초짜리 비디오 영상을 5초, 혹은 2초까지 줄인 것을 보고 평가한 경우에도 10초짜리 비디오를 본 경우와 거의 차이가 없었다는 사실이다.

앰바디 교수는 비디오 영상을 통해 평가자들이 본 구체적인 비언어적 행위들이 무엇인가를 조사해보았다. 그 결과 손을 만지작거리는 것, 손으로 물건을 만지작거리는 것, 눈살을 찌푸리는 것, 몸을 앞으로 기울이는 것, 자꾸 바닥을 바라보는 것 등이 부정적 평가의 결정적 요인이었다. 반면에 고개를 끄덕이는 것, 활짝 웃는 것, 미소 짓는 것 등은 긍정적이고, 확신에 차 있고, 활기차고, 열정적이라는 느낌을 주었다. 이와 같은 긍정적인 태도를 보인 교수들에게 긍정적인 호감도와 유능감을 이끌어낸다는 것이다.
호감을 주면서 존중심도 불러일으키는 소통능력에는 말하기 방식, 표정이나 제스처 등 비언어적 행위들을 들 수 있다. 여기 연구에서 알 수 있는 것은 비언어적 행위들도 결정적인 역할을 한다는 것이다.

긍정적인 비언어적 행위는 미소, 자신감 있고 열정적인 태도, 긍정적 표정 등이다. 이 연구는 비언어적인 긍정적 정서의 습관화와 훈련이 중요함을 말해주고 있다.
《회복탄력성》

습관화와 훈련이 중요함을 다시 한번 강조해주는 스토리텔링이다. 위의 스토리텔링을 뒷받침해주는 메리비언의 법칙이 있다. 스피치에 관심 있는 사람이라면 귀가 아프도록 들었을 것이다.

그 어떤 방법, 공식, 법칙이든 30%만 벤치마킹하고 70%는 자신 경험, 시행착오 대가 지불, 인고의 시간이 필요하다는 것을 명심하자!

- 리더 스피치는 공식 30%, 스피치 습관 70%로 이루어진다.

다음은 스피치에서 가장 중요한 것이 무엇인지 깨닫게 해주는 메라비언의 법칙 설명 내용이다.

메라비언의 법칙
한 사람이 상대방으로부터 받는 이미지는 시각이 55%, 청각이 38%, 언어가 7%에 이른다는 법칙이다. 캘리포니아대학교 로스앤젤레스캠퍼스(UCLA) 심리학과 명예교수인 앨버트 메라비언(Albert Mehrabian)이 1971년에 출간한 저서 《Silent Messages》에 발표한 것으로, 커뮤니케이션 이론에서 중요시된다. 특히 짧은 시간에 좋은 이미지를 주어야 하는 직종의 사원교육으로 활용되는 이론이다.
시각이미지는 자세·용모와 복장·제스처 등 외적으로 보이는 부분을 말하며, 청각은 목소리의 톤이나 음색(音色)처럼 언어의 품질을 말하고, 언어는 말의 내용을 말한다. 이 이론에 따르면, 대화를 통하여 상대방에 대한 호감 또는 비호감을 느끼는 데에서 상대방이 하는 말의 내용이 차지하는 비중은 7%로 그 영향이 미미하다. 반면에 말을 할 때의 태도나 목소리 등 말의 내용과 직접적으로 관계가 없는 요소가 93%를 차지하여 상대방으로부터 받는 이미지를 좌우한다는 것이다.

<두산백과>

리더라면 조직체원들에게 무의식적으로 일어나는 3단계 심리(1단계: 친구인가? 적인가? 2단계: 승자인가? 패자인가? 3단계: 동맹인가? 적군인가?), 비언어적 기술 3가지(첫 번째 두 손이 잘 보이게 드러내라, 두 번째 승자처럼 보일 것, 세 번째 눈을 맞춰라), 메라비언의 법칙(시각 55%, 청각 38%, 언어 7%)은 선택이 아닌 필수로 학습, 연습, 훈련을 해야 한다. 리더가 왜 강사처럼 말, 표정, 행동을 해야 하는지 1,000% 감이 오는가?
리더 스피치는 들어라 스피치가 아니라 듣게 하는 스피치가 되어야 한다? 듣게 하는 스피치가 어떤 것일까? 진심 스피치, 나다운 스피치다. 진심, 나다운 스피치는 어떻게 나오는 것인가?

다음은 진심 스피치, 나다운 스피치, 사람들에게 들으라고 말하지 않아도 듣게 하는 스피치가 무엇인지 깨닫게 하는 스토리텔링이다.

사람들은 어떤 스피치에 열광하는가?
여기 한 남자가 강단에 올라와 스피치를 시작합니다.
“제 아버지는 트럭 운전수였습니다. 트럭 운전수는 굉장히 힘들고 고된 직업이었습니다. 1960년 매우 춥던 한 겨울날 제 아버지는 일을 하다가 얼음 판 위에서 넘어졌습니다. 그래서 아버지는 다리와 엉덩이 뼈가 부러지는 부상을 입었죠. 1960년대 미국에서는 만약 당신이 교육도 받지 못한 노동자이고 일을 하다가 부상을 입으면 당신은 바로 해고를 당합니다. 그리고 바로 그 일이 아버지에게 일어난 거죠. 제가 일곱 살 때 집에 돌아와 보니 아버지는 엉덩이부터 발목까지 깁스를 하고 누워 계셨죠. 일자리도 없었고 건강 보험도 없었고 보상금도, 미래도 없이 말이죠. 저는 절대 상상해 본 적이 없었습니다.

공영 주택에서 살던 어린 꼬마인 제가 회사를 세우거나 운영할 거라고 말이죠. 하지만 저는 항상 트랙의 반대편에 있는 사람들에 대한 느낌이나 감정을 항상 가지고 있었습니다. 그래서 1987년에 저희가 회사를 시작했을 때, 스타벅스는 미국에서 모든 직원들에게 건강보험을 제공하는 첫 번째 회사가 되었습니다."

눈치채셨나요? 그는 스타벅스에 대표 하월드 슐츠입니다. 그가 하는 스피치는 기가 막힌 슬라이드쇼도 없었고 멋들어진 제스처도 없었죠. 하지만 그의 스피치는 사람들을 사로잡습니다. 책 <최고의 설득>에서 카민 캘로는 세계 정상들의 스피치를 분석합니다. 스티브 잡스는 어떤 방식으로 스피치를 하는지 오프라 윈프리는 어떤 전략을 사용하는지 말이죠.

유명한 스피처들은 때론 청중을 유머를 사용해 웃기기도 하고 쉬운 단어를 사용해 그들의 이해도를 높이기도 합니다. 그들의 목소리에는 힘이 있고 적당한 제스처를 올바른 때 사용하기도 하죠. 그러나 어떤 스피치에 사람들이 열광하는가에 이유로 저자는 다른 관점을 제시합니다. 그가 주목한 것은 바로 그들이 가지고 있는 "이야기 그 자체"입니다.

하워드 슐츠는 앞에서 보았듯 자신이 어려웠던 어린 시절과 아버지에 관한 지극히 개인적인 이야기 통해 회사의 사명과 가치관을 설명합니다. 아버지의 이야기는 그의 회사가 추구하는 가치에 대한 이야기와 단단히 묶여 실제로 그가 하고자 하는 말에 힘을 실어 줍니다.

그는 이렇게 말합니다. "커피는 우리가 파는 제품일 뿐 우리가 하는 사업은 아닙니다. 우리는 커피를 파는 사업이 아니라 사람을 위한 사업을 합니다. 사람 사이의 유대가 중요합니다." 실제로 스타벅스는 임시직을 비롯한 모든 직원들에게 포괄적인 의료보험 제공했고 5년 동안

1만 명의 제대 군인을 채용했습니다. 그러나 그는 항상 스피치에 시작에 아버지가 실직해 쇼파에 누워있는 것을 본 7살 소년을 이야기합니다.

우리의 뇌는 고생담을 거부하지 못합니다. 실제로 신경과학자 유리해슨은 2010년 발표한 논문에서 경험담을 이야기한 화자와 그것을 들은 청자 사이에 신경동조화가 폭넓게 이루어진다는 사실을 밝힙니다.
대단하다고 느꼈던 사람이 흥쾌이 자신의 치부를 드러내며 "나도 항상 성공만 했던 게 아니다."라고 말하면 귀를 기울이게 되죠. "열심히 일하라"는 말이나 "실패해도 괜찮다." 말을 누구나 할 수 있습니다. 그러나 자신이 겪은 이야기(쓰라렸던 실패의 경험, 고뇌의 시간)는 쉽게 할 수 없습니다.

오프라 윈프리는 자신의 유년 시절에 겪은 인종차별, 성폭행 등 어찌보면 부끄러웠던 자신의 불행했던 순간을 전 세계의 사람들과 기꺼이 공유합니다. 16살 때 그의 마야 안젤루에 자서전 《새장에 갇힌 새가 왜 노래하는지 나는 아네》를 읽습니다. 그녀는 그 책이 바로 삶의 전환점 역할을 하게 되었다고 말 하죠. 그녀는 사람들 앞에서 말하는 재능을 연마해 이름을 알리겠다는 다짐을 하게 되었고 실제로 그녀는 사람들을 고무시키는 여성 리더가 되었습니다.

스티브 잡스는 컴퓨터를 만들지 않습니다. 그는 삶을 풍요롭게 만듭니다.
하워드 슈츠는 커피 파는 일을 하지 않습니다. 그는 사람을 위한 비즈니스를 합니다.
오프라 윈프리는 토크쇼 진행자가 아닙니다. 그녀는 사람들의 의식 수준을 높입니다.

그리고 그들의 스피치와 그 속에 담긴 살아있는 그들의 이야기는 최고의 설득이 되어 사람들의 마음을 움직입니다.

《최고의 설득》 <유튜브 책그림>

사람마다 느끼는 것이 다를 것이다. 필자가 느낀 것을 정리를 하면 진심 스피치, 나다운 스피치가 나와야 사람들의 마음을 얻을 수 있다. 그렇다면 어떻게 진심 스피치, 나다운 스피치를 할 수 있을까?

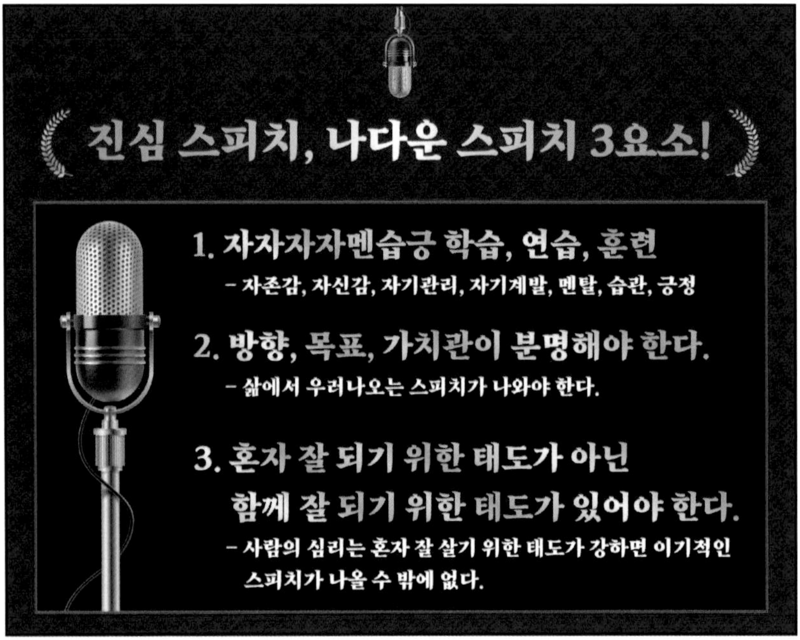

첫 번째 자자자자멘습긍 학습, 연습, 훈련
(자존감, 자신감, 자기관리, 자기계발, 멘탈, 습관, 긍정)
자자자자멘습긍을 꾸준하게 학습, 연습, 훈련을 하고 있다면 자연스럽게 진심, 나다운 스피치가 나온다. 말주변이 없는 사람이라도 자신이 겪었던 스토리를 말할 때 목소리 톤이 올라가고 자신감 넘치는 말을 한다. 이것이 나다운 스피치다. 자신의 상처, 트라우마, 콤플렉스, 열등감, 치부까지 말 할 수 있게 하는 것이 자자자자멘습긍이다. 가식적이지 않고 숨김이 없는 솔직한 스피치가 마음을 움직인다.

두 번째 방향, 목표, 가치관이 분명해야 한다.
리더 스피치는 삶에서 우러나오는 스피치가 나와야 한다. 생황 속에서는 개차반처럼 생활하면서 말만 번지르하게 한다면 진심을 느낄 수 없고 조직체원들은 그 말을 들었을 때 "너나 잘하세요. 리더 당신이나 잘하면서 말하세요. 자신도 안 하면서 우리에게만 하라고만 하네. 솔선수범 하면 할게요. 하는 짓을 보면 리더는 내가 회사를 빨리 퇴사하게 만들어"라는 태도로 마지못해 따르는 척하게 만든다.

리더가 방향, 목표, 가치관을 분명하게 말을 하며 생활 속에서 행동까지 뒷받침이 된다면 조직체원들은 "역시 우리 리더 방향, 목표, 가치관이 뚜렷한 분이야. 솔선수범까지 하면서 말을 하니 믿음이 가네. 우리 리더는 내가 좋은 사람이 되고 싶도록 만들어"라는 태도로 따르게 만든다.

세 번째 혼자 잘 살기 위한 태도가 아닌 함께 잘 되기 위한 태도가 있어야 한다.
리더를 떠나서 사람의 심리는 혼자 잘 살기 위한 태도가 강하면 이기적인 스피가 나올 수밖에 없다. "사소한 것이라도 함께 잘 살자, 사소한 것이라도 도움이 되었으면 좋겠다."라는 태도가 강하면 스피치가 함께 잘 살기 위한 스피치가 나올 수밖에 없다.
사람들은, 조직체원들은 어떤 스피치를 원할까? 누구에게 물어봐도 함께 잘 살기 위한 스피치를 원할 것이다.

세상에서 최고의 스피치는 스티브 잡스, 하워드 슐츠, 오프라 윈프리 스피치가 아니다. 진심 스피치, 나다운 스피치를 하기 위한 3요소가 융합이 되어 나오는 스피치가 자신에게는 최고의 스피치다.

– 리더의 1D, 2D, 3D, 4D 스피치!

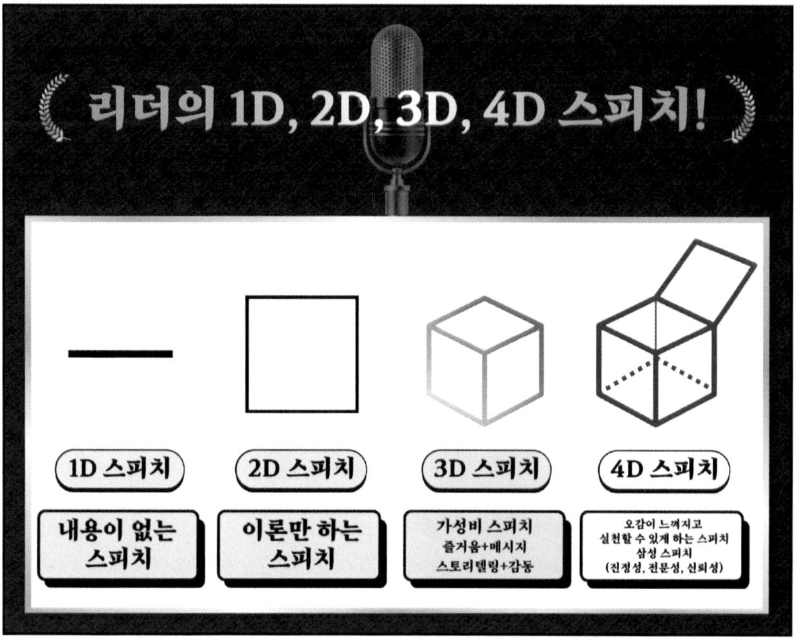

다음은 리더는 왜? 3D 스피치, 4D 스피치를 해야 하는 이유를 알려주는 내용이다.

강사님 강의는 1D 강의? 2D 강의? 3D 강의? 4D 강의? 청중, 학습자 앞에서 파워포인트를 보면서 말만 하는 것이 강의가 아닙니다. 시대에 맞는 강의와 청중, 학습자가 원하는 강의 스타일이 있습니다. 세상이 빠르게 변화하고 있지만 그 상황을 누구나 알지만 자신 직업 속에 변화를 준비하는 사람은 드물다는 것입니다.

AI로 인해 수많은 직업이 사라진다고 하는 상황에서 강사라는 직업도 안전하지는 않다는 것입니다. 살아남기 위해 대체 불가능한 강사가 되기 위해서 남과 다른 강의, 강사와 청중, 학습자가 원하는 강의, 강사가 되기 위해서 치열한 현실 속에서의 변화를 해야 강사 직업을 오래 지속할 수 있습니다. 지금 하는 강의에서 어떻게 변화를 줄 것인가? 먼저 자신의 강의가 1D 강의? 2D 강의? 3D 강의? 4D 강의? 어떤 강의 유형인지를 알고 그 유형에서 업그레이드를 어떻게 해야 되는지를 알고 나서 준비해야 될 것입니다.

• 1D 강의: 내용이 없는 강의

- 강의 주제와 벗어나는 강의!

강의 주제와 상관없는 자기 자랑이 많은 강의, 강의 주제와 상관없는 자신 가정사 이야기를 많이 하는 강의, 강의 3가지 금기어(종교, 정치, 성적인 말)를 많이 사용하는 강의

- 이해가 안 되는 강의!

무슨 강의를 하는지 알 수 없는 강의, 의도하는 것이 무엇인지 알 수 없는 강의, 전문적인 내용이 많은데 뜻과 설명도 안 해주고 자신만 떠드는 강의

- 서론, 본론, 결론, 강의가 아닌 강사 자신의 기분이 내키는 대로 하는 강의!
강의 방향이 느껴지지 않는 강의.
청중, 학습자 분위기에 맞춰 강의 조절을 하는 것이 아니라 강사 자신 컨디션에 따라 강의를 조절하는 강의

• 2D 강의: 이론만 하는 강의
- 교과서 읽는 것처럼 하는 강의!
PPT를 교과서처럼 읽고 청중, 학습자가 못 알아볼 정도로 글씨를 빼곡히 적어 눈을 피로하게 만들며 PPT에 사진, 그림도 자신만 알아볼 수 있는 크기로 강의 글씨만 읽어 주는 강의

- 감정이 느껴지지 않는 강의!
예시를 들어 줄 때 스토리텔링을 할 때 그 예시, 스토리에 맞는 감정들을 하지 않는 강의

2D 강의까지가 평균적인 강사들의 강의 스타일이고 20세기 강의 스타일입니다. 극단적으로 말씀드리면 호모사피엔스 시대의 강의 스타일이라는 것입니다. 시대에 맞는 강의 스타일을 만들어 가야 되는 것입니다. 왜? 명강사, 스타 강사, 1억 연봉 강사를 떠나서 오래 지속할 수 있는 강사, 나다운 강사가 되기 위해서입니다. 청중, 학

습자가 원하는 강의 스타일 시대에 맞는 강의 스타일 3D 강의, 4D 강의 참고하셔서 자신 강의 스타일에 융합을 잘 시켜 청중, 학습자에게 필요한 강사 대체 불가능한 강사가 되십시오.

• 3D 강의: 즐거움, 메시지, 스토리텔링, 감동을 통해 여러 가지를 접할 수 있는 강의
- 가성비 강의!
한 번의 강의로 즐겁고 메시지가 있으며 스토리텔링으로 이해가 잘 되어 감동까지 느끼며 배울 수 있는 강의, 다시 듣고 싶고 생각나는 강의, 끝나는 시간이 아쉬움을 주는 강의

- 머릿속에 그림이 그려지는 강의!
강사가 말하는 내용이 제스처, 감정이 접목이 되어 생생하게 느껴지게 하는 강의

• 4D 강의: 오감이 느껴지며 실천할 수 있게 하는 강의
- 생동감이 넘치는 싱싱한 강의!
액티비티한 강의 접목을 통해 지루하지 않은 강의, 4D 영화를 보는 듯한 생동감이 넘치며 실감나게 강의 내용에서 나오는 실물 도구를 활용해서 온몸으로 강의하는 강의

- 오감(시각, 청각, 후각, 미각, 촉각)까지 느껴지는 강의!

말로 표현하기 힘든 후각, 미각, 촉각을 강사의 스피치 속에서 감정, 표정, 온몸으로 표현을 통해 느끼게 해 주는 강의(오감 스피치)

- 그때뿐인 강의가 아닌 변화 동기부여가 되어 실천으로 옮길 수 있는 강의!

강의 시간 때만 느끼고 끝나는 것이 아닌 생활 속에서도 실천할 수 있게 실천 사용 설명서 도구를 청중, 학습자에게 주어 실천할 수 있게 도와주는 강의

《나다운 강사1》

20,000명 심리 상담, 코칭 하면서 리더 스피치에 대해 알게 된 것이 있다.

내용이 없는 1D스피치를 하는 리더 50%, 이론만 하는 2D스피치를 하는 리더 40%, 가성비 스피치(즐거움+메시지+스토리텔링+감동)인 3D스피치를 하는 리더 9%, 오감이 느껴지고 실천할 수 있게 하는 4D스피치를 하는 리더 1%다. 리더는 3D스피치, 4D스피치를 마스터해야지만 마지못해 1년을 따르는 리더십이 아닌 100년을 함께 하고 싶은 리더십이 나와 따르라 말하지 않아도 따르게 하는 것이다.

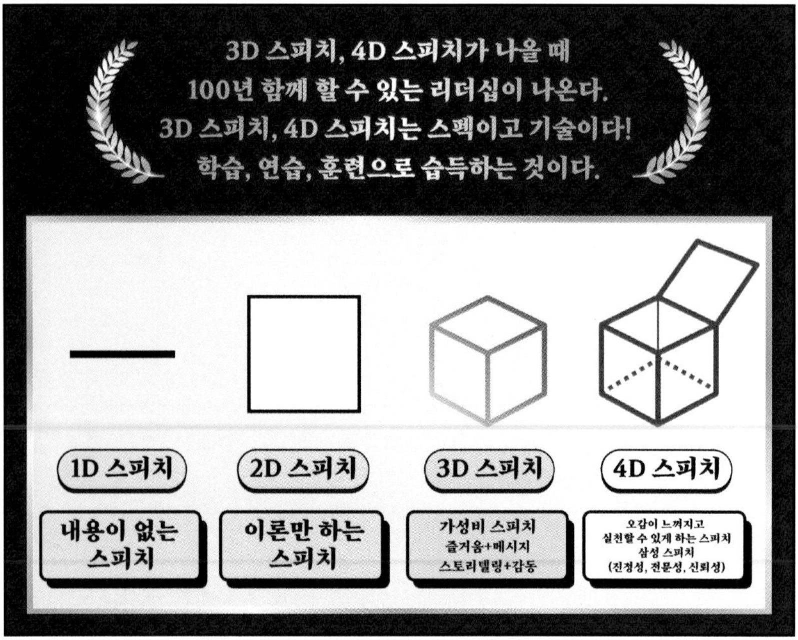
3D 스피치, 4D 스피치가 나올 때
100년 함께 할 수 있는 리더십이 나온다.
3D 스피치, 4D 스피치는 스펙이고 기술이다!
학습, 연습, 훈련으로 습득하는 것이다.
1D 스피치
내용이 없는 스피치
2D 스피치
이론만 하는 스피치
3D 스피치
가성비 스피치
즐거움+메시지
스토리텔링+감동
4D 스피치
오감이 느껴지고
실천할 수 있게 하는 스피치
삼성 스피치
(진정성, 전문성, 신뢰성)

해보자! 해보자!
리더 가능성을 믿고!
해보자!
해보자!
리더의
사과 씨, 도토리, 포도 씨 믿으세요!
사과 씨 안에 얼마나 많은 사과가 있는지 모른다!
도토리 안에 얼마나 많은 도토리가 있는지 모른다!
포도 씨 안에 얼마나 많은 포도가 있는지 모른다!

- 리더가 강사 자기계발하는 방법!

《나다운 방탄리더십 1, 2, 3, 4, 5》 책이 국가등록 민간자격증인 리더십코칭전문가 1급, 2급을 취득할 수 있는 교재다. 《자기계발 코칭전문가 1, 2, 3, 4, 5, 6》책이 국가등록 민간자격증인 자기계발코칭전문가 1급, 2급을 취득할 수 있는 교재다.《나다운 강사 1, 2》책이 국가등록 민간자격증인 강사코칭전문가 1급, 2급을 취득할 수 있는 교재다. 리더십코칭전문가, 자기계발코칭전문가, 강사코칭전문가 자격증 세 개 중 한개만 취득하더라도 강사 자격이 주어지는 것이고 강사 직업을 할 수 있는 조건이 된다.

순간 이런 생각이 들것이다. “강사 아무나 하는 거 아니잖아요?” 결론부터 말하면 강사 개나, 소나, 닭이나, 고양이나 다 한다.

세부적인 내용들은 강사 백과사전인 강사 사용 설명서인 《나다운 강사1, 2》 목차 참고하길 바란다.

1장 나다운 강사
강사 1학년: 목표, 방향 설정반
1교시: 명강사! 스타 강사! 1억 연봉 프로 강사는 잊어라? 왜? why?
1페이지: 명강사! 스타 강사! 1억 연봉 프로 강사는 제발 잊어라!
2페이지: 강사 고.틀.선.편(고정관념, 틀, 선입견, 편견) 깨기
3페이지: 나다운 강의 스타일 만드는 공식 3:7
4페이지: 나다운 강사가 되기 위한 강사 예방접종

2교시: 강사 인생의 순풍: 역풍이 불었을 때 순풍으로 만들어 주는 것?
1페이지: 빙하(목표)? 빙산(방향)? 유빙(목표, 방향 없음)? 차이점
2페이지: 노오력이 아닌 올바른 노력

3교시: 대한민국 강사 양성 과정, 민간자격증 과정 현실!
1페이지: 빠른 결과물을 유도하는 미끼에 속는 강사들
2페이지: 강사가 원하는 강사 양성 과정?
3페이지: 제대로 된 양성 과정인지 아닌지 알 수 있는 방법?
4페이지: 강사 양성 과정의 현주소
5페이지: 나이를 어디로 먹었습니까! 강의 경력을 어디로 먹었습니까!

4교시: 빠르진 않지만 멈추진 않는다!
1페이지: 걱정 마, 그것들 모두 지구 안에 있을 거야!
2페이지: 인생은 마라톤! 강사 직업 마라톤! 완주? 기록?
3페이지: 강사 직업 마라톤 완주하기 위한 GPS

5교시: 목표, 방향 설정 사용 설명서
1페이지: 대한민국 국민 5,200만 명 중 5,000만 명이 오해하고 있는 명언
2페이지: 1%의 영감을 만들기 위한 레시피?
3페이지: 1%의 영감을 만드는 사용 설명서

6교시: 강사 목표, 방향 사용 설명서

2장 강사 내비게이션
강사 2학년: 강사 자신감 반
1교시: 강사 내비게이션에 가장 중요한 것? 강사 GPS
1페이지: 강사 GPS 켜셨나요?

2교시: 강사 개나 소나 고양이나 시작합니다!
1페이지: 최보규 강사도 개나 소나였습니다! 단 개나 소나처럼 강의하지 말자!
2페이지: 강사 눈 뜨는 시기

3교시: 강사가 돈이 없지. 가오(자존심)가 없냐!
1페이지: 강사가 강의가 없지. 강의력이 없냐!

4교시: 잘하지 않아도 괜찮아! 부족하니까 사랑스럽지! 지금 잘하고 있는 거 알지!
1페이지: 최고의 자신감은 자신이 자신에게 주는 것

5교시: 자신감 사용 설명서

강사 3학년: 강사 스킬 UP반
1교시: 변화 없는 강의, 강사 스킬은 강사 암 초기 증상
1페이지: 변화 없는 강의, 강사 스킬은 강사 암 초기 증상
2교시: 지금처럼 강의할 것인가? 지금부터 강의할 것인가?
1페이지: 지금처럼 강의할 것인가? 지금부터 강의할 것인가?
3교시: 변화는 있어도 변함은 없어야 된다!
1페이지: 강사님 프로필에서는 냄새가 납니까? 향기가 납니까?
2페이지: 프로필은 담당자에게 보내는 프러포즈 편지
3페이지: 남과 다르게 나답게 변화
4페이지: 강사가 강의는 필수지만 파워포인트는 선택이

다!

5페이지: 초두 효과, 첫인상 효과, 후광 효과

6페이지: 당신의 강의 능력, 10초 만에 읽힌다?

7페이지: 세상 모든 강사들의 숙제, 시작 5분 동기 부여

8페이지: 모든 강의 고.틀.선.편 깨지 못하면 강사료 받지 마세요!

9페이지: 머리에 남는 게 아닌 가슴에 남는 스토리텔링 기법

10페이지: 강사님 강의는 끝나기 3~5분에서 결정 난다! 피크앤드 법칙

11페이지: 대한민국 모든 담당자들, 청중, 학습자들이 원하는 강의 스타일?

12페이지: 강사님 강의는 1D 강의? 2D 강의? 3D 강의? 4D 강의?

4교시: 강의 사용 설명서

1페이지: 강의 GPS, 강사가 책을 안 읽는 것은 강사를 안 한다는 것과 같습니다!

2페이지: 강의는 교육담당자, 청중, 학습자에게 고백하는 프러포즈!

5교시: 강사의 의무

1페이지: 담당자, 청중, 학습자에 대한 의무감

6교시: 스킬 UP 사용 설명서
3장 강사 사용 설명서
강사 4학년: 강사 트레이닝반
1교시: 세계 인구만큼 강의 스타일
1페이지: 명강사 강의! 스타강사 강의! 1억 연봉 프로강사 강의는 제발 잊으세요! 3:7공식

2교시: 세상에서 가장 잘 먹히는 스피치
1페이지: 사투리 때문에 강사 일 접을 뻔? 사투리 덕분에 나다움 찾음!
2페이지: 진심 스피치만큼 가슴에 남는 스피치는 없다!
3페이지: 세상에 스피치 못하는 사람은 없습니다, 다만 청중이 바라는 스피치 방법을 모를 뿐입니다.

3교시: 누구나 무대공포증은 있다. 다만 극복할 방법을 모를 뿐이다.
1페이지: 무대공포증 이것만 하면 게임오버!
2페이지: 마이크 공포증을 극복하기 위해 마이크를 스마트폰보다 더 많이 가지고 다니다.

4교시: 무대가 없음 무대를 만들자
1페이지: 강의 환경을 만들기 위한 대가 지불, 시행착오 보존의 법칙

2페이지: 내가 머문 곳이 강의 연습, 훈련! 만나는 사람이 강의 연습, 훈련!
3페이지: 강사 10년 차도 초보 강사입니다!

5교시: 트레이닝 사용 설명서

강사 5학년: 강사 멘탈반
1교시: 강사에게 가장 중요한 스펙? 세상에서 가장 중요한 스펙?
1페이지: 모든 것의 시작은 자기 관리입니다! 가장 어려운 것이 자기 관리, 가장 강력한 스펙 자기 관리

2교시: 강사 직업 수명은 강사료(돈)로 결정된다? NO! 단언컨대 말씀드립니다! 멘탈 때문에 결정됩니다! 왜? why?
1페이지: 강사 직업 수명 멘탈 때문에 결정된다? 왜? why?
2페이지: 강사님 빽 없죠? 세상에서 가장 좋은 빽 소개시켜 드릴게요!

3교시: 강사 100만 명 프리랜서 강사 창업 현실
1페이지: 누구나 강사를 시작한다! 하지만 강사 현실을 제대로 알고 시작하는 강사는 0.1%도 없다!

4교시: 강사 멘탈 3요소 = 1. 강사 인성, 2. 강사 매너(개념)
1페이지: 강사 인성, 매너(개념)도 이제는 실력입니다.
2페이지: 강사님 강사료 얼마입니까?
3페이지: 강사는 백조다! 백조 물 밑의 다리(강사 현실)
4페이지: 강사료를 올리는 건 강사 인성, 매너, 개념 강사료 올리기 위한 천기누설
5페이지: 3만 원 강의가 300만 원 나비효과

5교시: 강사 멘탈 3요소 = 3. 솔선수범
1페이지: 강사가 보내는 가장 강력한 메시지는 솔선수범
2페이지: 교수, 선생님처럼 강의할 것인가? 강사처럼 강의할 것인가?
3페이지: 강사 타이틀, 이름만 쓸 거면 댕댕이 냥냥이나 줘 버려

6교시: 담당자는 영원한 갑, 강사는 영원한 을
1페이지: 강사 현실 갑, 을, 병, 정 관계
2페이지: 담당자는 자신의 멘탈 관리자
3페이지: 담당자를 가르치지 않고 가르치는 천기누설
7교시: 강사 영업! 거래처 관리! 250 대 1 법칙만 알면 끝?
1페이지: 강사 250 대 1 법칙

2페이지: 강사 영업! 참 쉽죠!
8교시: 김밥천국 강사가 되지 말자!
1교시: 남들 다하는 강의 분야 100개 나다운 컨텐츠 강의 분야 10개? 대한민국 강사 시장에 1,000개가 넘는 강의 분야!

9교시: 비수기 강사의 블랙홀
1페이지: 강사 비수기는 언제? 강사님 비수기 준비 잘하고 있나요?
10교시: 강사 슬럼프, 강사 권태기
1페이지: 슬럼프, 권태기가 다가와 속삭인다!

11교시: 강사님은 지금 어떤 상황에서 강사 일을 하십니까?
1페이지: 강사님은 지금 어떤 상황에서 강사 일을 하십니까?

12교시: 강의 도중 부친상, 강사님이라면? 바로 간다?
1페이지: 강사님 강사 일을 할 때 가장 힘들었을 때가 언제인가요? 힘든 강의가 언제였나요?
13교시: 강사 멘탈 사용 설명서
강사 6학년: 강사 사명감반
1교시: 강사='테이커(Tacker)' 강사 트레이너='매처

(Matcher)' 강사 페이스메이커='기버(Giver)'로 나누어 진다!
1페이지: 강사님은 강사='테이커(Tacker)'? 강사 트레이너='매처(Matcher)'? 강사 페이스메이커='기버(Giver)'?

2교시: 사명감은 만들어지는 것이 아니라 만들어 가는 것!
1페이지: 아버지 발인과 바꾼 강사 직업

3교시: 사명감 사용 설명서

졸업반: 끝은 없다! 시작만 있다!
1교시: 기회가 왔다는 최고의 타이밍? 변화할 시기가 왔다는 최고의 타이밍?
1페이지: 시작만 있지 끝은 없다!

2교시: 다시! 시작! 토닥! 토닥! 지금 잘하고 있는 거 알죠!

강사 직업 현실을 간단히 정리해서 말해 주겠다. 민간자격증 2~3개 정도 취득하면 강사 자격이 주어진다.
스피치, 교안 준비, 프로필 준비, 강사 스펙...부수적으로 필요한 것들이 있지만 리더, 전문직 프리랜서라면 자신 분야를 교안(ppt)으로 만들어서 강의도 할 수 있다. 강사 직업 문턱이 아주 낮다.

온, 오프라인 교육을 받고 리더십코칭전문가 자격증을 취득하면 리더십 강사, 리더 자기계발 강사가 될 수 있고 리더 자신 분야 전문성과 연결시켜 강의 수입도 극대화 시키고 노후에 제2의 직업까지 할 수 있다는 것이

장점이다.
통계청에 의하면 대한민국 2022년 은퇴 나이 49세 점점 더 낮아지고 있다. 그 누구도 이제는 안심 할 수 없는 것이다. 20대 은퇴 예정자, 30대 은퇴 확정자, 40대 은퇴 위험군이라는 말이 그냥 나온 것이 아니다. 은퇴하면 자신 분야 10년~30년 경력 인정받고 경력을 살려서 다시 일할 수 있는 사람이 0.1%밖에 되지 않는다.

자신 분야 경력을 그대로 살려서 강사 직업, 코칭 전문가 직업이 제2의 직업, 제3의 직업이 될 수 있다. 그래서 리더 자기계발의 필수인 강사 자기계발을 해야 한다고 강조하는 것이다.

하지만 강사는 누구나 되지만 방탄강사는 아무나 될 수 없기에 방탄강사 사관학교 시스템 안에서 체계적으로 배워야 한다. 강사가 되면 1년도 못하지만 방탄강사가 되면 100년을 한다.

강사코칭전문가 2급 커리큘럼

클래스명	내용	1급(온,오)
강사 현실	강사 현실(생계형 강사 90% 강사님 강사료가 어떻게 되나요?	1강
강사 준비 1	강사라는 직업을 시작하려는 분들 준비, 학습, 연습, 훈련!	2강-1부
강사 준비 2	강사라는 직업을 시작하려는 분들 준비, 학습, 연습, 훈련!	3강-2부
강사 준비 3	강사라는 직업을 시작하려는 분들 준비, 학습, 연습, 훈련!	4강-3부
1년차 ~ 3년차	1년차 ~ 3년차 경력 있는 강사들 준비, 학습, 연습, 훈련!	5강
3년차 ~ 5년차	3년차 ~ 5년차 경력 있는 강사들 준비, 학습, 연습, 훈련!	6강
5년차 ~ 10년차 1	5년차 ~ 10년차 이상 경력 있는 강사들 준비, 학습,연습, 훈련!	7강-1부
5년차 ~ 10년차 2	5년차 ~ 10년차 이상 경력 있는 강사들 준비, 학습,연습, 훈련!	8강-2부
5년차 ~ 10년차 3	5년차 ~ 10년차 이상 경력 있는 강사들 준비, 학습,연습, 훈련!	9강-3부
5년차 ~ 10년차 4	5년차 ~ 10년차 이상 경력 있는 강사들 준비, 학습,연습, 훈련!	10강-4부
강의, 강사 트랜드	교육담당자, 청중, 학습자가 원하는 강의, 강사 트랜드! 2022년 부터 ~ 2150년 강의, 강사 트랜드!	11강
강시 코칭전문가	강사 코칭전문가 10계명(품위유지의무)	12강

강사코칭전문가 1급 커리큘럼

클래스명	내용	1급(온,오)
집중 기법	강의 시작 동기부여, 강의 집중 기법	1강
SPOT 기법	아이스브레이킹 기법 (SPOT+메시지기법)	2강
스토리텔링 기법	스토리텔링 기법, 피크앤드기법	3강
강사료UP	강사료 올리는 방법! 강사 인성, 매너, 개념, 멘탈 교육	4강
강의트랜드	담당자, 청중, 학습자가 원하는 강의기법 트랜드	5강

검진, 성형 항목! 어떤 것들이 있을까요?

노오력이 배신하는 시대! 올바른 노력을 하기 위해
강사 전문가에게 검진받고 강의, 강사 성형하세요!

강사 검진, 성형 절차는 이렇습니다.

강사가 교육 일정에 맞추는 일반적인 강사교육이 아닙니다.
상담 후 강사 현재 상황에 맞는 교육, 일정 조정 후 진행 "특별 맞춤 교육"

✔ 상담 및 예약	전화, 문자 상담 = 예약 가능합니다. 상담 및 예약 : 최보규 원장 010-6578-8295 시간 : 09:00 ~ 18:00 (부재 중 문자 남기세요.)
✔ 일시 | 시간	기본 5시간 ~ 60시간 / 3개월 / 6개월 / 1년 상담 후 교육과정에 따라 조절
✔ 장소 | 비용	신촌 두드림 스터디룸 신촌역6번 (3분 거리) 온, 오프라인 가능 자신 수준에 맞는 교육 상담 후 결정 / 출장 가능
★★★★★ ✔ 특급 혜택	교육 후 150년 A/S 관리, 피드백

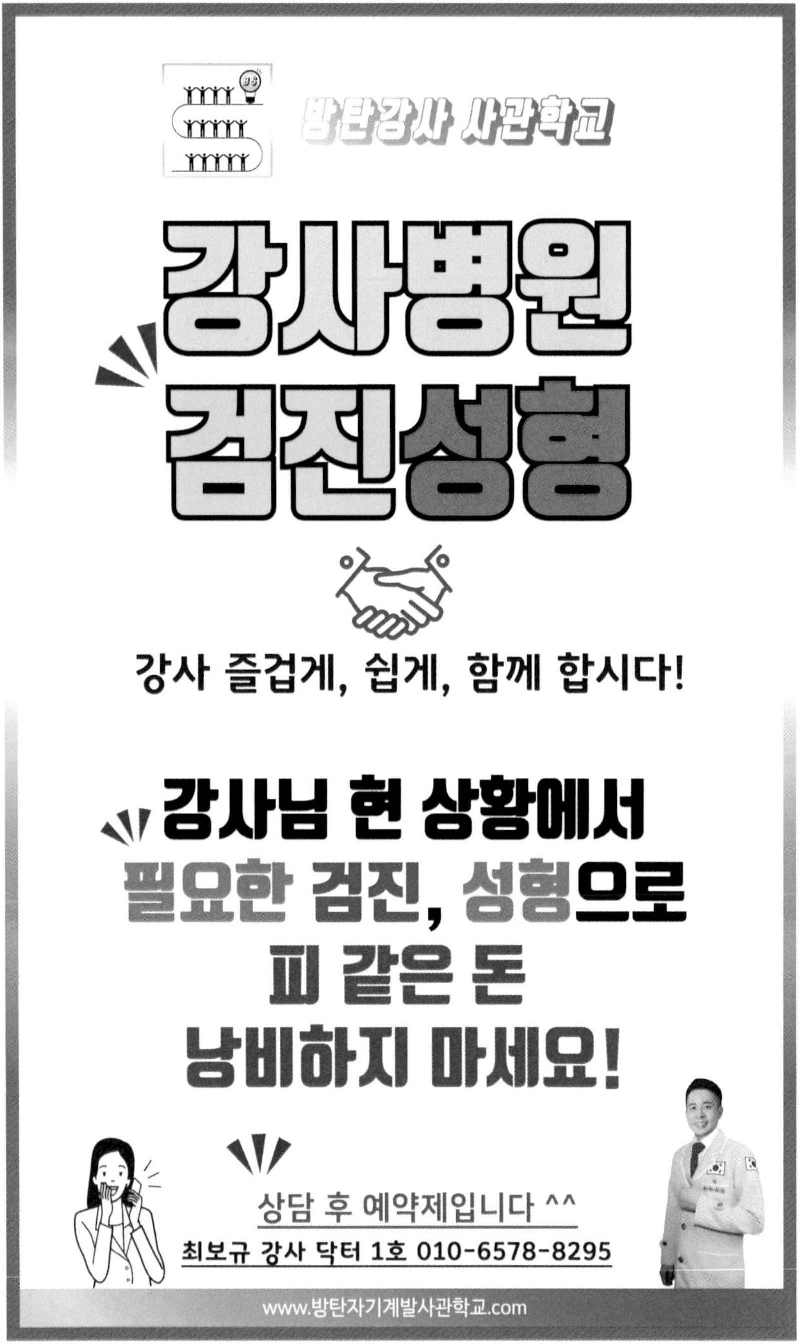
방탄강사 사관학교
강사병원
검진성형
강사 즐겁게, 쉽게, 함께 합시다!
강사님 현 상황에서
필요한 검진, 성형으로
피 같은 돈
낭비하지 마세요!
상담 후 예약제입니다 ^^
최보규 강사 닥터 1호 010-6578-8295
www.방탄자기계발사관학교.com

강사병원 검진성형

✔ 일시, 시간

▶ 수시 모집 (상담)

▶ 13:00 ~ 18:00 (기본 5시간)
시간 조정 가능!(10H, 15H, 20H)

✔ 내용

1. 강의 시작 집중기법, SPOT 기법, 아이스브레이킹 기법
   SPOT+메시지기법
2. 스토리텔링 기법
3. 엑티비티 팀빌딩 기법 (팀 워크, 조직활성화)
4. "대한민국 최초" 강사 인성, 매너, 개념, 멘탈 교육
   강사 연차 별 준비, 변화 방법!, 강사료 올리는 방법!
5. 3D.4D 강의 기법. 담당자, 청중, 학습자가 원하는 강의기법.

✔ 자기계발 비용, 인원

▶ 비용 상담

▶ 1:1 코칭(온,오프라인)

✔ 장소, 상담

▶ 장소 상담 후 상황에 따라 변동 사항

▶ 한 번의 상담이 인생 터닝포인트
150년 A/S, 관리, 피드백
최보규 원장 010-6578-8295

방탄강사 사관학교
검증된 강의 코칭 찾나요?
검증된 강사 속성 코칭 찾나요?
검증된 강사양성교육 코칭 찾나요?
검증된 강의 스킬UP 코칭 찾나요?
검증된 강사 책 쓰기, 강사 유튜버 코칭 찾나요?
150년 a/s, 관리, 피드백 해주는 코칭 찾나요?

방탄강사 사관학교
지금처럼
강의, 강사 할 것인가
지금부터
강의, 강사 할 것인가

강사는 누구나 되지만
나다운 강사는 아무나 될 수 없다!
방탄강사 사관학교에서
강사의 본질을 학습, 연습, 훈련으로
강사가 아닌 방탄강사 리더(4차 인재 양성)

방탄강사 사관학교
20,000명을 상담, 코칭 하면서 알게 된
강사의 비밀!

방탄강사 사관학교

시스템 사용설명서

시스템 소개

4차 산업 시대에 맞는 4차 강사로 업데이트!

대한민국 강사 250만 명(학원, 소속) 프리랜서 강사 100만 명 그중 90%가 생계형 강사입니다. 수많은 강사를 상담(20,000명)하면서 알게 된 대한민국 강사 업계 현실, 강사양성 문제점, 강의 분야 1,000개, 강사분야 10개를 대한민국 최초로 통합시켜 강사 백과사전을 만든 사람으로서 시작하는 강사부터 100년 차 강사까지 년 차별 준비, 학습, 변화를 코칭하는 '세계 최초' 방탄강사 사관학교! 세계 최초로 150년 A/S, 관리, 피드백! 한번 코칭 받고 끝나는 인스턴트 코칭이 아닌 인연이 되어주는 코칭입니다. 우주 최강 책임감으로 함께 합니다!

01 교육.강의.코칭 목적 및 기대효과

"대한민국 최초" 시스템 강사양성교육을 통해 강사직업에 필요한 모든 것! 강사 인성, 매너까지 강사 리더를 양성하는 교육. 교육에 맞추는 양성교육이 아닌 학습자 상황에 맞춤교육.

강사 상황 검진을 통해 트랜드에 맞는 강의, 강사 성형하는 교육.
늘 그때뿐인 교육, 강의, 코칭이 아닌 150년 a/s, 관리, 피드백으로 꾸준히 변화, 성장하는 기대효과.

02 교육.강의.코칭 항목

- ▶강사 1학년: 목표, 방향 설정반
- ▶강사 2학년: 강사 자신감반
- ▶강사 3학년: 강사 스킬 UP반
- ▶강사 4학년: 강사 트레이닝반
- ▶강사 5학년: 강사 멘탈반
- ▶강사 6학년: 강사 사명감반

학년별 시스템 교육을 통한 검증된 강사가 되어 강사료에 맞는 강사!
강사 직업을 오래 지속할 수 있는 강사로 거듭나는 교육.

03 교육.강의.코칭 내용

전문 상담사의 상담을 통해 자신이 듣고 싶은 과정이 아닌 자신 상황에 맞는 맞춤 교육을 통해 교육 효과를 극대화합니다.

01 강사 학사	02 강사 석사1	03 강사 석사2	04 강사 박사
강의, 강사의 모든 것. 강사 1,2,3,4,5,6학년 체계적인 시스템을 통한 학습, 연습, 훈련. ※신청조건 : 누구나	강의, 강사 속성교육. 강의, 강사 스킬UP. 강의, 강사 트레이닝. ※신청조건 : 강사 1년 차 이상	강사 1,2,3,4,5,6학년 체계적인 시스템을 통한 속성교육. ※신청조건 : 강사 1년 ~ 5년 차	강사 퍼스널브랜딩. (저서 , 유튜브, SNS 코칭) 강사 1:1 상담 코칭. 강사양성과정 상담, 커리큘럼, 운영 코칭. ※신청조건 : 3년 차 이상
3개월 과정 (42H)	1개월 과정 (30H)	하루 과정 (8H)	2일 과정 (16H)

04 강사 학사 신청 대상 세부 내용

강사 학사

- 강사직업을 시작하고 싶은 분.
- 자존감, 자신감, 자기계발, 자기관리, 멘탈, 습관, 긍정을 배워 새로운 인생을 살며 삶의 질을 높이고 싶은 분.
- 민간자격증은 많이 취득했는데 강의 1시간도 못해 기초부터 제대로 강의를 배워서 사명감 있는 강사가 되고 싶은 분.
- 많은 강사양성교육에 지쳐 이제는 돈 낭비 안 하고 싶은 분.
- 강사양성교육 후 꾸준한 관리, 도움, 함께 하고 싶으 분.

05 강사 석사1 신청 대상 세부 내용

강사 석사 1

- 스팟기법, 아이스브레이킹기법, 집중기법, 강의기법을 자신 강의에 접목하는 스킬을 배우고 싶은 강사.
- 즐거운 강의, 메시지, 스토리텔링 기법을 배우고 싶은 강사.
- 강의 내공, 강의력을 키우고 싶은 강사.
- 자신 강의 스타일을 점검받고 다듬고 싶은 강사.
- 트렌드에 맞는 강의 스타일, 강사 스타일을 만들어 강사료를 올리고 싶은 강사.

06 강사 석사2 신청 대상 세부 내용

강사 석사 2

- 강의, 강사 기본기를 제대로 시작부터 다듬고, 배우고 싶은 강사.
- 강사 1,2,3,4,5,6 학년 체계적인 시스템을 통해 강의 정석 강사의 정석을 속성으로 배우고 싶은 강사.
- 강의 트렌드를 속성으로 배우고 싶은 강사.
- 강사 트렌드를 속성으로 배우고 싶은 강사.
- 속성으로 강의, 강사의 모든 것을 배우고 싶은 강사.

07 강사 박사 신청 대상 세부 내용

강사 박사

- 자신 분야 책 집필을 통해 강사료를 올리고 싶은 강사.
- 강사 방향을 잡아 강사 퍼스널브랜딩을 만들고 싶은 강사.
- 강사 영업, 홍보(유튜브,블로그,SNS) 전략을 배워 비수기 5개월을 극복하고 싶은 강사.
- 강사1:1 코칭, 상담 기법을 배워 비수기 5개월을 극복하고 싶은 강사.
- 자신 분야를 디지털 콘텐츠 제작해서 온라인 건물주가 되어 월세, 연금성 수입으로 경제적 자유 시스템을 만들고 싶은 분

특 특별 교육.코칭

- 강사 평균 1년 동안 강사양성교육, 자격증 비용 300 ~ 600만 원 - 강사 10,000명 조사 -
- 1:1 특별 맞춤 코칭! 강의, 강사 속성으로 마스터! (상담 후 날짜, 시간 예약제)

특1 이코노미석 코칭	특2 비즈니스석 코칭	특3 퍼스트클래스석 코칭
자기계발 비용 상담 강의 시작, 강의 준비의 모든 것 함께 작업 코칭. 강의 스킬 UP. 강의 트레이닝. 원하는 부분 특별 코칭	자기계발 비용 상담 배우고 싶은 강의. 강의 교안, 강의 트레이닝 트렌드에 맞는 강의 코칭 트렌드에 맞는 강사 코칭 특별 코칭.	자기계발 비용 상담 수요 많은 강의. 강의 교안, 강의 트레이닝 ※풀세트 : 교안, 강의 대본 기본서류 코칭. 자신스트일에 맞게 코칭.
1회(5H) ~ 3회(15H)	1회(5H) = 총 : 5회(25H)	1회(5H) = 총 : 7회(35H)

08 강사 학사 교육 커리큘럼

교육 시간은 변동사항 있을 수 있습니다!

구분	주제	강의내용	시간
강사 학사	강사 1학년 : 목표, 방향 설정반	명강사! 스타 강사! 1억 연봉 프로 강사는 잊어라? 왜? why?	H
	강사 2학년 : 자신감반	강사 개나 소나 시작합니다!	H
	강사 3학년 : 강사 스킬 UP반	변화 없는 강의, 강사 스킬은 강사 암 초기 증상	H
	강사 4학년 : 강사 트레이닝반	세계인구 75억 명 강의, 강사 스타일 75억 개	H
	강사 5학년 : 강사 멘탈반	강사 직업 수명은 강사료(돈)로 결정된다? NO!단언컨대 말씀드립니다! 멘탈 때문에 결정됩니다! 왜? why?	H
	강사 6학년 : 강사 사명감반	사명감은 만들어지는 것이 아니라 만들어 가는 것!	H

09 강사 석사1 교육 커리큘럼

교육 시간은 변동사항 있을 수 있습니다!

구분	주제	강의내용	시간
강사 학사 1	강사 인성, 매너, 영업	강사 인성, 매너 학습 / 강사료 올리는 방법 / 강사 영업 노하우	H
	강사 스킬 UP 1	파워포인트 우주 초보 탈출 / 지금 실력 업그레이드	H
	강사 스킬 UP 2	강의 기법, 스팟 기법, 메시지기법, 스토리텔링기법, 피크앤드기법	H
	강사 스킬 UP 3	교육 담당자, 청중, 학습자가 원하는 강의 스타일 스킬 UP	H
	강사 트레이닝 1	교육 담당자, 청중, 학습자가 원하는 강의 스타일 트레이닝	H
	강사 트레이닝 2	트렌드인 3D 강의! 4D 강의! 강의 스타일 트레이닝	H

10 강사 석사2 교육 커리큘럼

교육 시간은 변동사항 있을 수 있습니다!

구분	주제	강의내용	시간
강사 학사 2	강사 인성, 매너, 영업 1	강사 인성, 매너 학습 / 강사료 올리는 방법 / 강사 영업 노하우 1	H
	강사 인성, 매너, 영업 2	강사 인성, 매너 학습 / 강사료 올리는 방법 / 강사 영업 노하우 2	H
	파워포인트 스킬 UP	파워포인트 실력 중, 상급으로 업그레이드	H
	강사 스킬 UP 3	강의 기법, 스팟 기법, 메시지기법,스토리텔링기법, 피크앤드기법	H
	강사 스킬 UP 4	교육 담당자, 청중, 학습자가 원하는 강의 스타일 스킬 UP 1	H
	강사 스킬 UP 5	교육 담당자, 청중, 학습자가 원하는 강의 스타일 스킬 UP 2	H
	강사 트레이닝 1	교육 담당자, 청중, 학습자가 원하는 강의 스타일 트레이닝	H
	강사 트레이닝 2	트렌드인 3D 강의! 4D 강의! 강의 스타일 트레이닝	H

11 강사 박사 교육 커리큘럼

교육 시간은 변동사항 있을 수 있습니다!

구분	코칭주제	코칭내용	시간
강사 박사	강사 퍼스널브랜딩 1	책 쓰기 7G(초고, 원고, 퇴고, 탈고, 투고, 강의, 강사) 홀인원 1	H
	강사 퍼스널브랜딩 2	책 쓰기 7G(초고, 원고, 퇴고, 탈고, 투고, 강의, 강사) 홀인원 2	H
	강사 퍼스널브랜딩 3	유튜브, 블로그, SNS 활용, 강사 방향 잡기 1	H
	강사 퍼스널브랜딩 4	유튜브, 블로그, SNS 활용, 강사 방향 잡기 2	H
	강사양성과정 상담, 커리큘럼 운영 코칭 1	강사양성 기본 커리큘럼 배우기, 강사양성 과정 상담 코칭 자신 전문분야 강사양성 과정 커리큘럼 틀 배우기 1	H
	자신 분야 디지털 콘텐츠 제작	온라인 건물주가 되기 위한 디지털 콘텐츠 기획, 제작, 홍보 시스템 방향 잡고 만들기	H
	강사 1:1 코칭	강사 비수기 5개월 극복을 위한 강사 상담기법을 통해 강사 스킬UP 코칭법	H

방탄강사 사관학교
강사 양성과정!
강사가 원하는 양성과정 베스트 8
강사 10,000명 데이터

1

114처럼 피드백!

114가 뭐죠? 언제든지 물어 볼 수 있는 곳 힘들 때, 지칠 때, 시행착오 겪을 때, 포기하고 싶을 때 **상담받을 수 있는 양성과정!**

2

꾸준한 a/s, 관리, 피드백

양성과정 후 변화, 성장 동기부여를 해주는 곳 **자리 잡 때까지 관리를 해주는 양성과정!**

3

교육, 코칭 원본 자료 제공!

준다고 말만 하고 안 주는 게 아닌 PDF 파일이 아닌 핵심 자료 빼는 게 아닌 파워포인트 그대로 글씨만 수정해서 바로 강의할 때 쓸 수 있는 **원본 강의 자료 그대로 주는 양성과정**

4

교육, 코칭 영상 시청!

교육을 듣고 강의 자료를 받더라도 그때뿐 기억이 안 납니다! 가장 좋은 방법은 교육 촬영한 영상을 보고 다시 해보는 것이 가장 좋은 방법 **코칭 영상 다시 볼 수 있는 양성과정!**

⑤

강의 연계되는가!

양성과정 후 트레이닝을 받고 강의까지 할 수 있도록 연결이 되어 있는 시스템이 있는 양성과정!

⑥

스킬UP, 트레이닝 시스템!

강의, 강사 트렌드에 맞게 스킬 UP하고 트레이닝을 할 수 있는 시스템이 있는 양성과정

7

함께하는 분위기!

양성과정 후 혼자 하는 분위기가 아닌 **함께 잘 되기 위해 서로 도와주며 공부하는 양성과정**

8

청강 기회 제공!

현장에서 오감을 느낄 수 있는 **청강이 세상에서 가장 단시간 안에 강의를 습득할 수 있는 방법** 청강 기회 제공 양성과정!

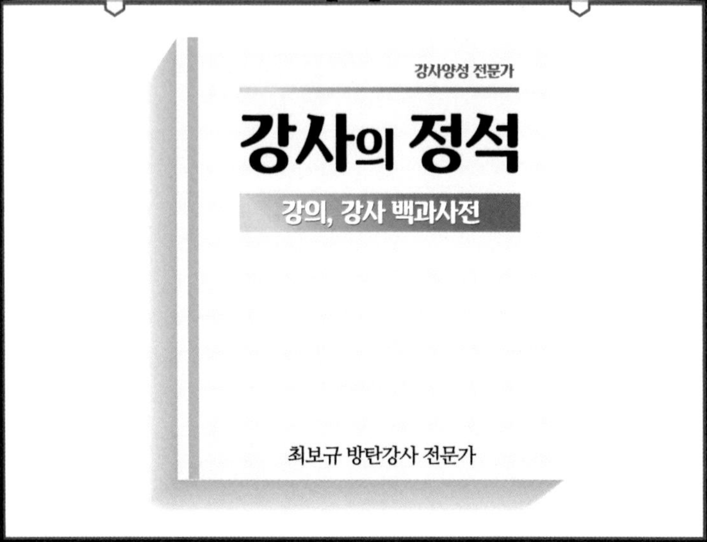
강사양성 전문가
강사의 정석
강의, 강사 백과사전
최보규 방탄강사 전문가

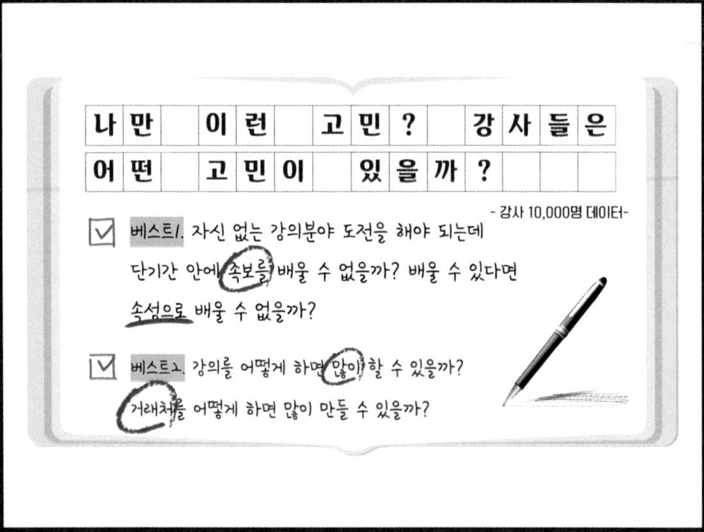
나만 이런 고민? 강사들은
어떤 고민이 있을까?
- 강사 10,000명 데이터-
베스트1. 자신 없는 강의분야 도전을 해야 되는데
단기간 안에 속보를 배울 수 없을까? 배울 수 있다면
속성으로 배울 수 없을까?
베스트2. 강의를 어떻게 하면 많이 할 수 있을까?
거래처를 어떻게 하면 많이 만들 수 있을까?

나	만		이	런		고	민	?		강	사	들	은
어	떤		고	민	이		있	을	까	?			

☑ 베스트3. 돈을 못 벌어 멘자 저하. 강의가 없어 멘자 저하. 나보다 못하는 거 같은데 상대방 잘 나가는 모습 멘자 저하. 이렇게 까지 강사 일 해야 되나? 전에 하던 거 다시 할까? 멘자를 강하게 키우고 싶어요~

☑ 베스트4. 혼자 너무 외로워요. 공동체에 소속돼서 함께 공부하고 배우고 서로 도와주며 편하게 물어볼 수 있는 강사님들과 함께라면 힘들고 어려워도 이겨낼 수 있을 거 같은데 그런 공동체 없나요?

[멘자 : 멘탈, 자존감]

그 분야 전문가들은 기본을 충실합니다. 강의, 강사의
기본기부터 시작하세요!
기본기는 선택이 아닙니다! 필수입니다!

★ 강사의 정석 1 = 방탄강사사관학교

강의, 강사 기본기를 배우고 목표·방향설정!
강의, 강사 전체적인 흐름 파악! 아하!
강의, 강사가 이런 거구나! 감잡았어!

최보규 방탄강사 전문가

강의, 강사의 필수 스킬? 파워포인트! 하지만
자신 수준에 맞춰 배울 수 있는 곳? 드물 다는 것!
★ 강사의 정석 2 = 파워포인트
우주초보 탈출 파워포인트 마우스만 움직일 줄 알면 끝!
1,000개 기능에서 10개 기능만 알면 끝! 기본은 한다고요?
전문학원가야 배울 수 있는 파워포인트 전문디자인을
기본실력만 있음! 할 수 있는 방법으로 코칭해드립니다!
최보규 방탄강사 전문가

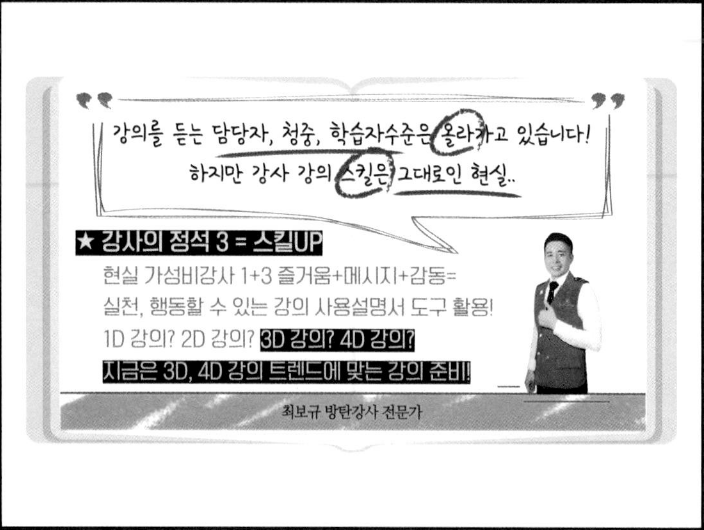
강의를 듣는 담당자, 청중, 학습자수준은 올라가고 있습니다!
하지만 강사 강의 스킬은 그대로인 현실..
★ 강사의 정석 3 = 스킬UP
현실 가성비강사 1+3 즐거움+메시지+감동=
실천, 행동할 수 있는 강의 사용설명서 도구 활용!
1D 강의? 2D 강의? 3D 강의? 4D 강의?
지금은 3D, 4D 강의 트렌드에 맞는 강의 준비!
최보규 방탄강사 전문가

명강사? 스타 강사? 1억 프로 강사? 강의 스타일은 잊으세요!
나다운 스타일
가장 강력한 스피치는 나다운스피치
★ 강사의 정석 4 = 트레이닝
나다운 강의 스타일 잡기! 강의 스타일 잘 잡아야!
3개월 강사 할 걸 80년 한다!
최보규 방탄강사 전문가

나무에 뿌리가 가장 중요하듯! 사람의 뿌리는 멘탈
강사수명을 좌우하는 것 강사료가 아닌 멘탈
★ 강사의 정석 5 = 멘탈
담당자, 청중, 학습자, 지인강사, 강사현실...
들로 인한 자존감, 멘탈 저하
이제는 멘탈도 스펙입니다!
최보규 방탄강사 전문가

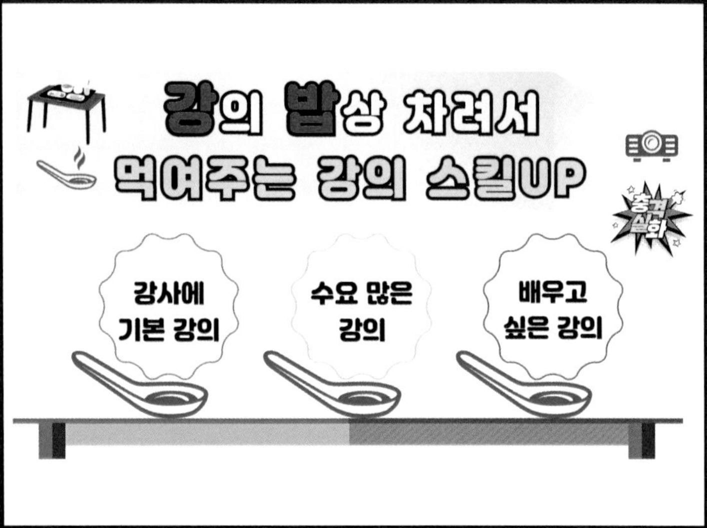
강의 밥상 차려서
먹여주는 강의 스킬UP
충격 실화
강사에
기본 강의
수요 많은
강의
배우고
싶은 강의

YouTube 방탄자기계발최보규
강의 밥상 차려서
강의 밥상 차려서
먹여주는 강의 스킬UP
강사에
기본 강의
수요 많은
강의
배우고
싶은 강의
29:01
강밥/강의 밥상 차려서 먹여주는 강의
스킬UP[강사코칭 전문가]

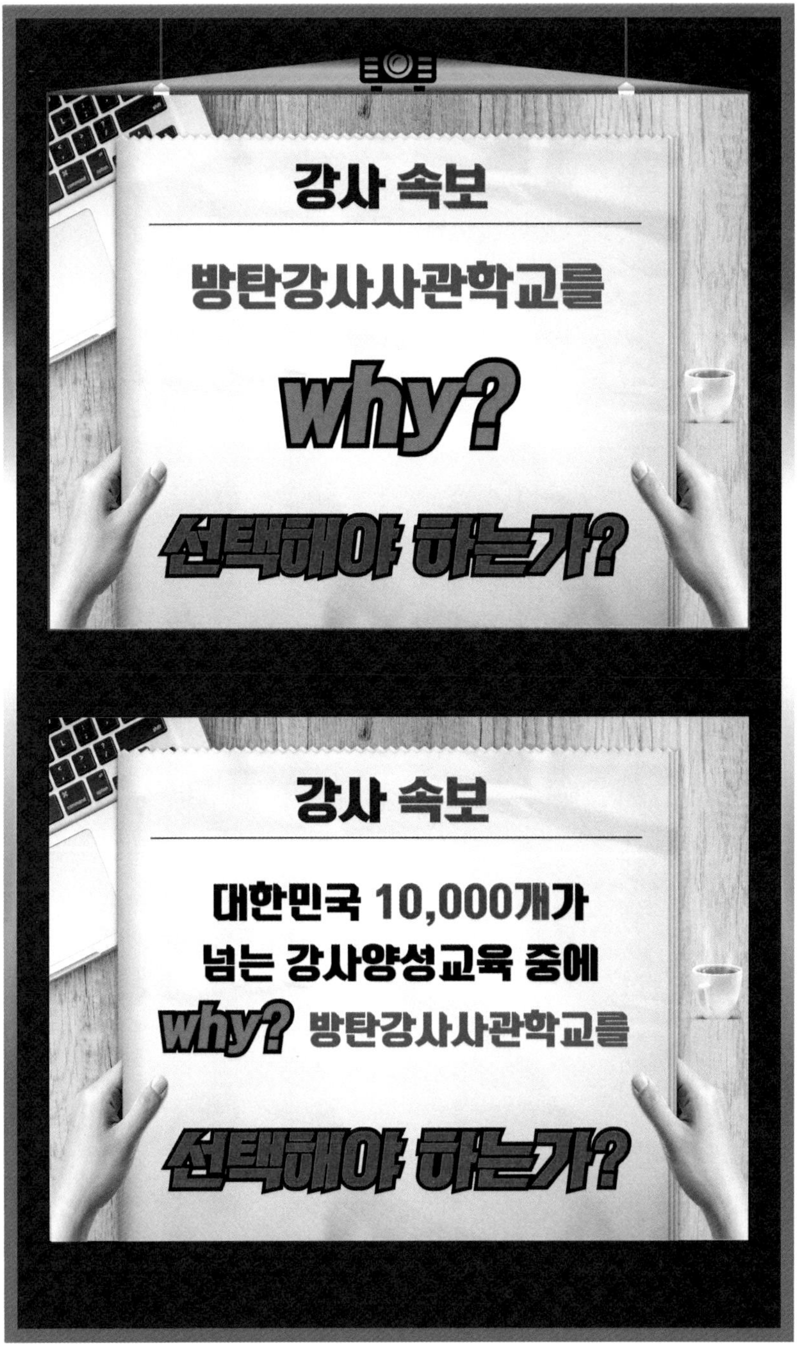
강사 속보
방탄강사사관학교를
why?
선택해야 하는가?
강사 속보
대한민국 10,000개가
넘는 강사양성교육 중에
why? 방탄강사사관학교를
선택해야 하는가?

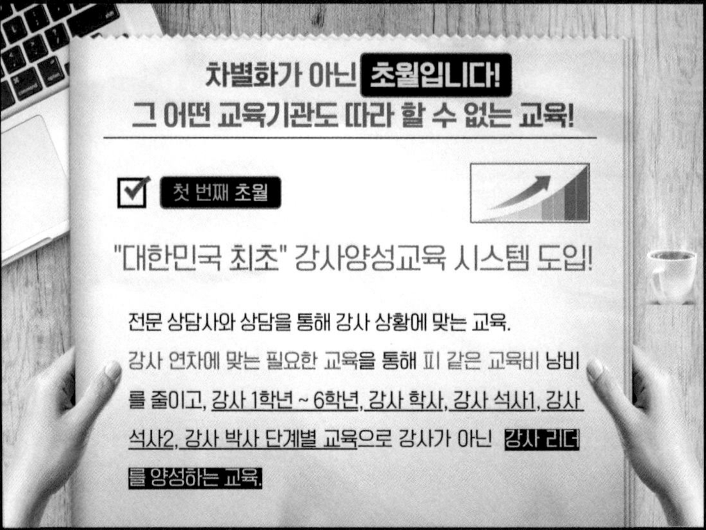
차별화가 아닌 초월입니다!
그 어떤 교육기관도 따라 할 수 없는 교육!
첫 번째 초월
"대한민국 최초" 강사양성교육 시스템 도입!
전문 상담사와 상담을 통해 강사 상황에 맞는 교육.
강사 연차에 맞는 필요한 교육을 통해 피 같은 교육비 낭비를 줄이고, 강사 1학년 ~ 6학년, 강사 학사, 강사 석사1, 강사 석사2, 강사 박사 단계별 교육으로 강사가 아닌 강사 리더를 양성하는 교육.

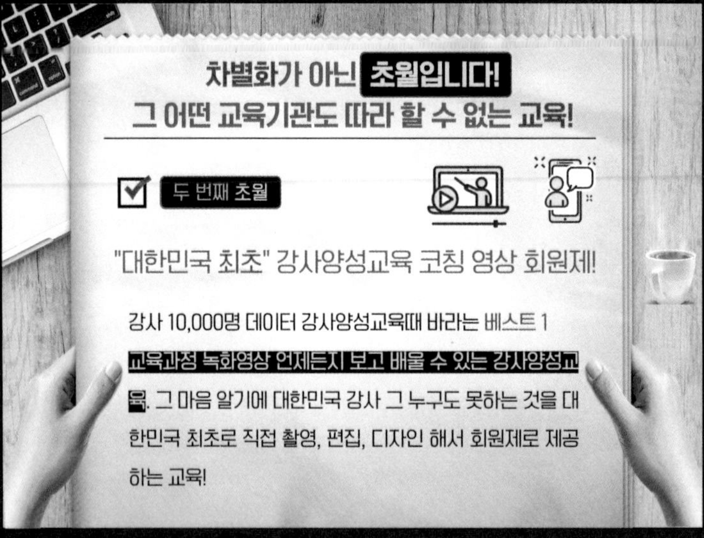
차별화가 아닌 초월입니다!
그 어떤 교육기관도 따라 할 수 없는 교육!
두 번째 초월
"대한민국 최초" 강사양성교육 코칭 영상 회원제!
강사 10,000명 데이터 강사양성교육때 바라는 베스트 1 교육과정 녹화영상 언제든지 보고 배울 수 있는 강사양성교육. 그 마음 알기에 대한민국 강사 그 누구도 못하는 것을 대한민국 최초로 직접 촬영, 편집, 디자인 해서 회원제로 제공하는 교육!

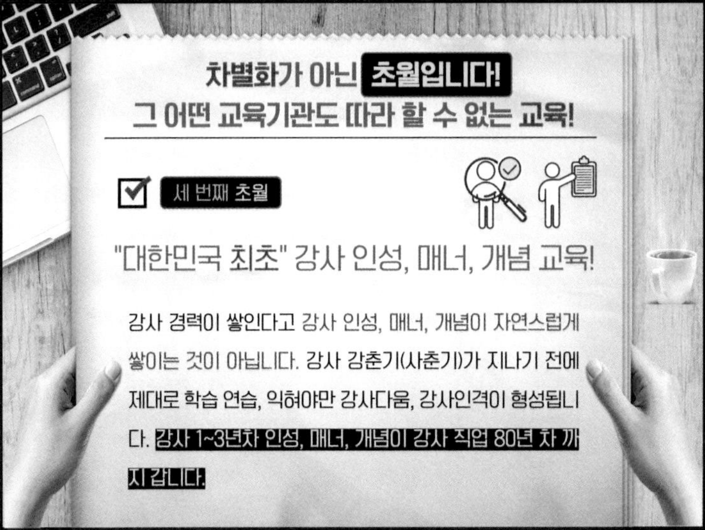
차별화가 아닌 초월입니다!
그 어떤 교육기관도 따라 할 수 없는 교육!
세 번째 초월
"대한민국 최초" 강사 인성, 매너, 개념 교육!
강사 경력이 쌓인다고 강사 인성, 매너, 개념이 자연스럽게 쌓이는 것이 아닙니다. 강사 강춘기(사춘기)가 지나기 전에 제대로 학습 연습, 익혀야만 강사다움, 강사인격이 형성됩니다. 강사 1~3년차 인성, 매너, 개념이 강사 직업 80년 차 까지 갑니다.

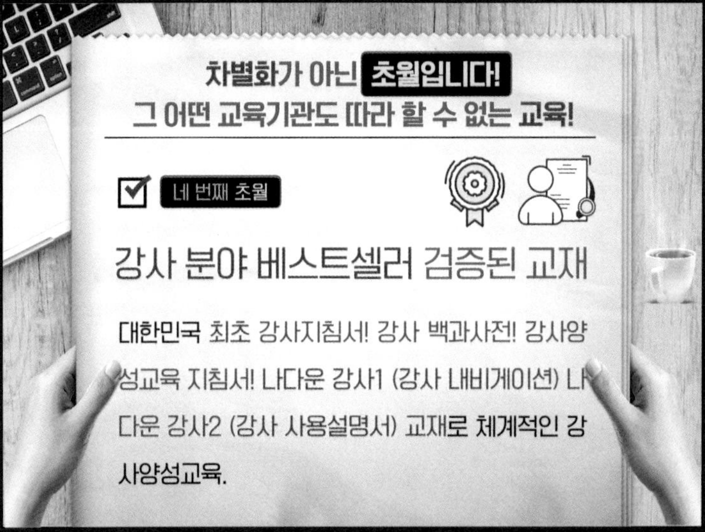
차별화가 아닌 초월입니다!
그 어떤 교육기관도 따라 할 수 없는 교육!
네 번째 초월
강사 분야 베스트셀러 검증된 교재
대한민국 최초 강사지침서! 강사 백과사전! 강사양성교육 지침서! 나다운 강사1 (강사 내비게이션) 나다운 강사2 (강사 사용설명서) 교재로 체계적인 강사양성교육.

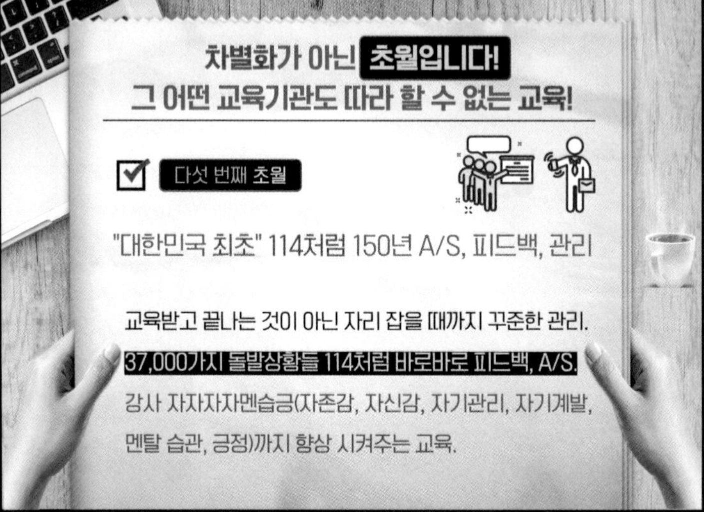
차별화가 아닌 초월입니다!
그 어떤 교육기관도 따라 할 수 없는 교육!
다섯 번째 초월
"대한민국 최초" 114처럼 150년 A/S, 피드백, 관리
교육받고 끝나는 것이 아닌 자리 잡을 때까지 꾸준한 관리.
37,000가지 돌발상황들 114처럼 바로바로 피드백, A/S.
강사 자자자자멘습긍(자존감, 자신감, 자기관리, 자기계발, 멘탈 습관, 긍정)까지 향상 시켜주는 교육.

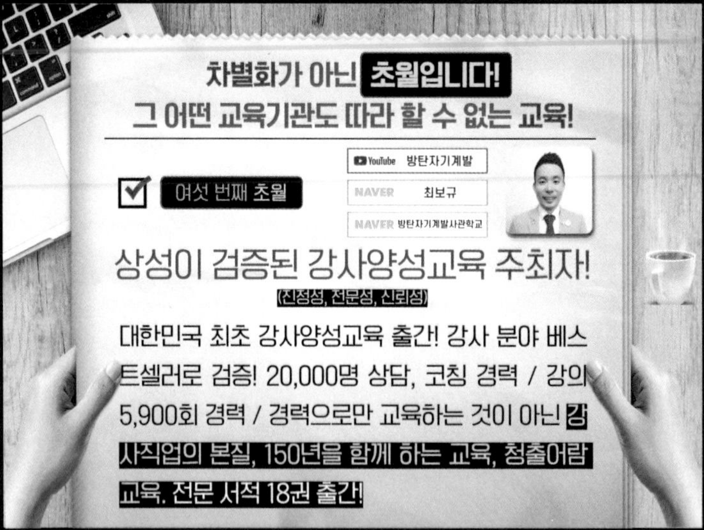
차별화가 아닌 초월입니다!
그 어떤 교육기관도 따라 할 수 없는 교육!
여섯 번째 초월
YouTube 방탄자기계발
NAVER 최보규
NAVER 방탄자기계발사관학교
상성이 검증된 강사양성교육 주최자!
(진정성, 전문성, 신뢰성)
대한민국 최초 강사양성교육 출간! 강사 분야 베스트셀러로 검증! 20,000명 상담, 코칭 경력 / 강의 5,900회 경력 / 경력으로만 교육하는 것이 아닌 강사직업의 본질, 150년을 함께 하는 교육, 청출어람 교육. 전문 서적 18권 출간!

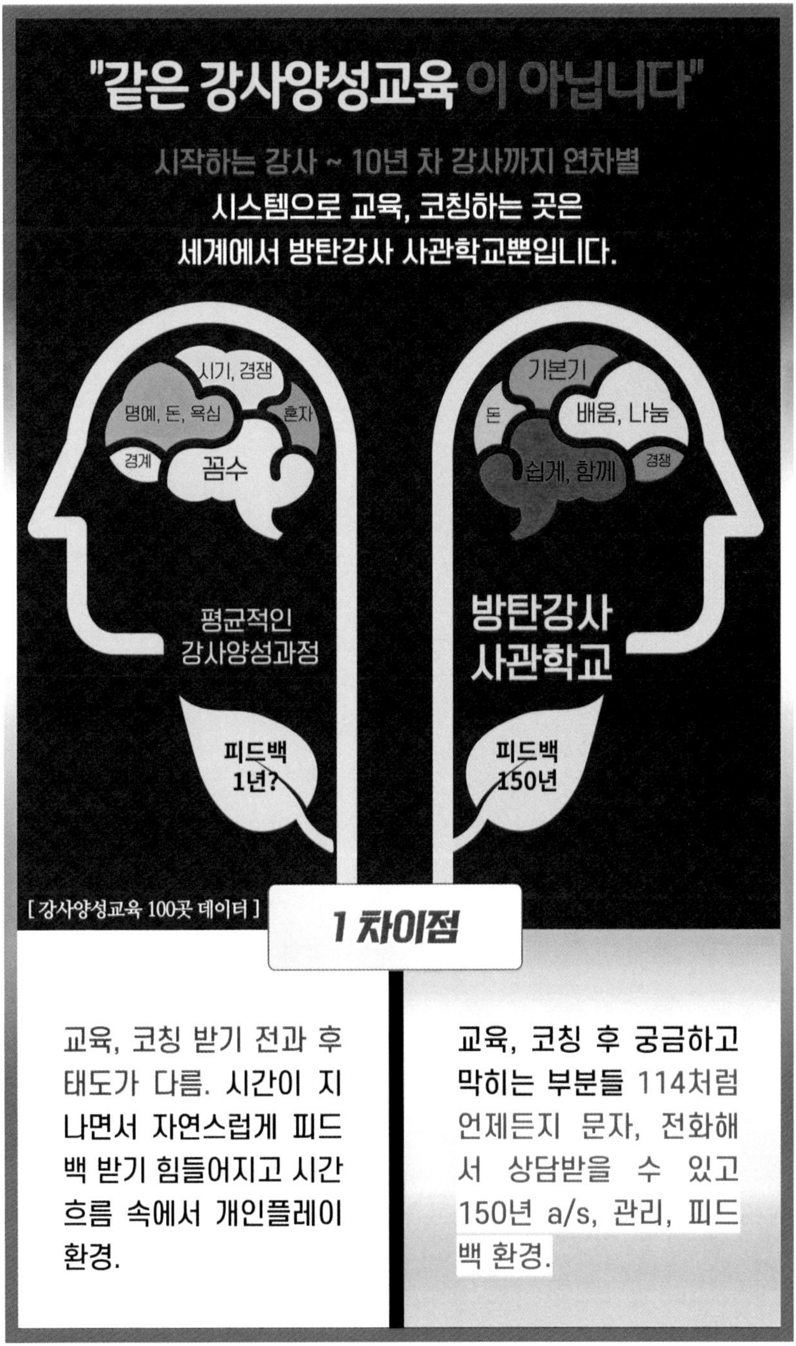
"같은 강사양성교육이 아닙니다"
시작하는 강사 ~ 10년 차 강사까지 연차별
시스템으로 교육, 코칭하는 곳은
세계에서 방탄강사 사관학교뿐입니다.
시기, 경쟁
명예, 돈, 욕심
혼자
경계
꼼수
평균적인
강사양성과정
피드백
1년?
기본기
돈
배움, 나눔
쉽게, 함께
경쟁
방탄강사
사관학교
피드백
150년
[강사양성교육 100곳 데이터]
1 차이점
교육, 코칭 받기 전과 후 태도가 다름. 시간이 지나면서 자연스럽게 피드백 받기 힘들어지고 시간 흐름 속에서 개인플레이 환경.
교육, 코칭 후 궁금하고 막히는 부분들 114처럼 언제든지 문자, 전화해서 상담받을 수 있고 150년 a/s, 관리, 피드백 환경.

평균적인 강사양성과정	방탄강사 사관학교
[강사양성교육 100곳 데이터]	

2 차이점

평균적인 강사양성과정	방탄강사 사관학교
화려한 프로필, 스펙에 비해 강의력, 강의 내공, 전문성이 느껴지지 않고 '나도 당신만큼 강의 하겠다.' 라는 마음이 들게 하는 강의, 강사 수준이 낮다.	화려한 프로필, 스펙을 뒷받침해줄 수 있는 강의력, 강의 내공, 전문성을 느껴지게 하기 위해 전문 서적 18권 출간, 유튜버 활동, 한 달 책 15권 독서를 통해 강의 학습, 연습, 훈련.

[강사양성교육 100곳 데이터]

3 차이점

평균적인 강사양성과정	방탄강사 사관학교
강의, 강사 수준에 비해 교육, 코칭비가 고가에 책정돼 있어 교육, 코칭비 값어치를 못해 돈을 낭비하는 상황이 벌어져 다른 교육, 코칭을 받아야 돼서 이중으로 돈이 들어간다.	2,000권 독서. 20,000명 상담, 코칭. 전문 서적 18권 출간, 유튜버 활동, 한 달 15권 독서에서 나오는 강의, 강사 수준은 세계 최고라고 자부하는 가치와 값어치는 하는 교육, 코칭!

평균적인 강사양성과정	방탄강사 사관학교

[강사양성교육 100곳 데이터]

4 차이점

평균적인 강사양성과정	방탄강사 사관학교
교육, 코칭 후 스킬UP, 레벨 없을 할 수 있는 시스템이 없어 변화, 성장이 멈추게 되고 시대에 뒤떨어지게 되어 다른 교육기관에서 처음부터 다시 시작해야 되는 악순환.	시작 강사부터 10년 차까지 연차별 업그레이드 시스템과 트렌드에 맞게 변화, 성장 하기 위해 함께 학습, 연습, 훈련할 수 있는 세계 최초 강의, 강사 시스템이 있는 교육, 코칭.

[강사양성교육 100곳 데이터]

5 차이점

평균적인 강사양성과정	방탄강사 사관학교
자신 분야, 강의 분야 외에는 다른 분야 강사 현실감이 부족해서 강의, 강사 방향 제시를 제대로 하지 못하고 주최자 강의력이 부족한데도 배움, 변화, 성장하려 하지 않고 했던 것만 한다.	10개가 넘는 강사 분야, 1,000개가 넘는 강의 분야를 대한민국 최초로 통합해서 강사 백과사전을 만들었기에 분야별 장단점을 제대로 파악하여 트렌드에 맞게 교육, 코칭.

평균적인 강사양성과정

[강사양성교육 100곳 데이터]

방탄강사 사관학교

6 차이점

강의, 강사 경력만큼 강의, 강사 인성, 매너, 개념이 있어야 되는데 경력만 있고 강사 인성, 매너, 개념이 없어 초보 강사, 후배 강사에게 갑질 하는 주최자. 강사 직업에 대해 회의감을 느끼게 하는 주최자!

'경력은 스펙이 아니다.' 신념으로 '최보규 강사님은 제가 좋은 강사가 되고 싶도록 만들어요.' 말을 들 을 수 있도록 먼저 솔선수범으로 보여주는 주최자! 204가지 강의, 강사 습관을 통해 행동으로 보여주는 주최자!

나쁜 자녀는 없다! 나쁜 부모만 있다!
나쁜 직원은 없다! 나쁜 리더만 있다!
나쁜 개는 없다! 나쁜 견주만 있다!

나쁜 강사는 없다!
나쁜 강사양성교육 주최자만 있다!
방탄강사 사관학교에서는
강사를 양성하는 교육, 코칭이 아닌
방탄강사 리더를 교육, 코칭합니다.
강사는 누구나 된다! 방탄강사 리더는 아무나 될 수 없다!

최보규 방탄강사 11계명

1. 학습자에게 섬김을 받으려는 강의가 아닌 학습자를 섬길 수 있는 강의를 하겠습니다.
2. 오늘이 마지막 날인 것처럼 강의하고 영원히 살 것처럼 학습자에게 배우겠습니다.
3. 강의 있는 전날에는 최상의 컨디션을 유지하기 위해 건강 관리, 목 관리, 자기관리하겠습니다.
4. 강의장 1시간 전에 도착해서 강의 마음가짐 준비 하겠습니다.
5. 강의장 가장 먼저 도착 강의 끝난 후 가장 늦게 나오겠습니다.
6. 내 삶이 강의고 강의가 내 삶이 되도록 행동 하겠습니다.
7. 힘들게 배운 강의 노하우들 아낌없이 주겠습니다.
8. 어떻게 하면 학습자에게 즐거움? 행복? 메시지? 감동? 희망? 사랑? 을 줄 것인가에 항상 생각하며 공 부하겠습니다.
9. TV보다 책을 더 보겠습니다.
10. 공인이라는 마음으로 솔선수범하겠습니다.
11. 강사의 자존심 아침에 나올 때 신발장에 넣고 나오겠습니다.

방탄강사 사관학교

방탄강사 자격증

"국가등록 민간자격"

★ 자격증명: 강사코칭전문가

★ 등록번호: 2022-001741

★ 주무부처: 교육부

★ 자격증 종류: 모바일 자격증

※ 등록하지 않은 민간자격을 운영하거나 민간자격증을 발급할 때에는 [자격기본법]에 의해 3년 이하의 징역 또는 3천만 원 이하의 벌금에 처해진다.

"국가등록 민간자격증"

★ 자격증명: 강사코칭전문가

★ 등록번호: 2022-001741

★ 주무부처: 교육부

★ 자격증 종류: 모바일 자격증

※ 등록하지 않은 민간자격을 운영하거나 민간자격증을 발급할 때에는 [자격기본법]에 의해 3년 이하의 징역 또는 3천만 원 이하의 벌금에 처해진다.

3. 포트폴리오 커리어 리더는 왜! 유튜버 자기계발을 해야 하는가?

이제 유튜버는 개나, 소나, 닭이나 하지 못한다. 각 분야 전문가들이 자신 분야를 홍보하고 전문성을 어필하는 플랫폼이 되었다. 리더의 전문 분야를 불특정 다수와 연결이 되어 기회를 만들 수 있다. 리더의 전문 분야 삼성(진정성, 전문성, 신뢰성)을 높이는 최고의 플랫폼이다. 조직체 원들에게 리더 노하우를 영상으로 제작하여 무한으로 활용할 수 있는 도구가 되어 준다!

★ 리더는 유튜브가 아닌 나튜브

리더 자신 분야 책 쓰기, 책 출간이 자기계발에 0순위라면 유튜버는 1순위다. 리더 자신 분야 최고의 수입 플랫폼 연결 고리가 되어 자신 분야를 무한대로 연결시켜준다.

필자가 유튜브로 수입을 창출하고 자신 분야 삼성(진정성, 전문성, 신뢰성)을 올리고 자기계발을 했던 것을 참고하길 바란다! 강의, 강사 섭외, 1:1코칭, 자기계발 코칭을 기획한 영상으로 책을 출간해서 인세(사후 70년까지 보장되어 유산 상속도 가능)가 발생했다. 불특정 다수 사람들과의 연결로 인해 기회, 홍보, 가능성이 무한대로 발생. 필자가 자기계발을 폭팔시켰던 계기가 유튜버를 시작해서다.

유튜브 하기 전에는 컴맹이었다. 영상 편집 1도 몰랐던 사람이었다. 영상 편집, 디자인 제작을 독학으로 마스터하고 2023년 기준 유튜브 5년 차, 유튜브 5년 동안 유튜브 자체로는 수익 창출을 못해서 광고 수입은 0원이다. 5년 동안 영상 300~400개 올렸는데 수익 창출이 없었다. 이런 상황이라면 10,000명 중에 10,000명은 셔터문을 내렸을 것이다.

필자는 어떻게 버텼을까? 어떻게 지금도 하고 있을까? 수입 발생 연결 고리, 동기부여, 의미부여, 목표, 방향 설정을 다르게 했기에 살아남을 수 있었다는 것이다. 앞에서 말했던 의미부여, 목표, 방향이 중요하다고 강조! 강조! 하는 것이다.

유튜브 5년 하면서 100권의 책을 출간 했다. 유튜브를 했기에 100권의 책을 출간 할 수 있었다.

350만, 250만, 200만, 100만, 50만, 10만, 5만... 등 구독자를 가지고 있었던 유튜버들이 유튜브를 떠난 이유? 일반 사람들 상식으로는 이해가 되지 않을 것이다. "구독자가 그렇게 많은데 돈을 많이 벌 텐데 왜? 그만두지?" 유튜브를 그만두는 이유가 많겠지만 20,000명을 심리 상담, 코칭 하면서 알게 된 것은 나튜버가 아닌 유튜버를 했기 때문에 그만두는 경우가 더 많다는 것을 알게 되었다. 필자도 5전 전에 유튜브를 시작하면서 유튜브 자체로는 힘들다는 것을 알고 시행착오, 대가 지불, 인고의 시간을 거쳐서 나튜브 개념을 깨달게 되었다. 구독자 100만 명, 구독자 200만 명, 구독자 1,000만 명을 가지고 있는 유튜버들도 말하지 못하고 쓰지 못하는 책을 필자가 쓰는 것이다.

지금 바로 필자의 구독자가 몇 명인지 <방탄자기계발> 직접 가서 확인하고 오라. 필자의 구독자가 몇 명인지 보고 오신 분들은 이런 의문점이 들것이다.

"엥? 유튜브 책을 쓰려면 못해도 구독자가 100만 명은 되어야지 어필 할 수 있는 거 아닌가요? 보여줄 것이 있어야 되는거 아닌가요? 증명 할 것이 없으면 책 내용들 신빙성이 떨어지는 거 아닌가요? 구독자가 많지 않은데 어떻게 100만 명, 200만 명, 1,000만 명 구독자를 가지고 있는 유튜버도 쓰지 못하는 것을 쓸 수가 있죠? 어떤 근거로 유튜브 사용설명서라고 말을 하는 거죠? 당신의 근자감(근거없는 자신감)은 어디서 나오는 거죠?"

위 내용이 지금 보고 있는 당신의 속마음 200% 일 것이다. "헉 어떻게 알았지?" 필자가 사람 속마음을 읽는 기술이 있는 것이 아니라 20,000명 심리 상담, 코칭 경력이 있기에 가능하다는 것이다. 당연히 유튜브 책을 쓸 수 있는 자격에 대한 의문점이 들 수밖에 없다.

어떤 분야든 검증이 되고 보여줄 것이 있고 대단해 보이는 결과가 있어야만 전문가라고 할 수 있고 신빙성이 올라가서 말을 할 수 있을 것이다.

필자의 채널 구독자 수만 보면 유튜브에 대해서 말 할 수 가 없다. 어떤 말을 하더라도 신빙성이 떨어질 것이다. 하지만 유튜브 자체로는 보여 줄 것이 없지만 유튜브라는 도구를 어떻게 활용하냐에 따라 580도 달라진다는 것을 말하고 싶은 것이다. 결과를 만들었기에 말을 하는 것이다.

예를 들겠다. 누구나 가지고 있는 스마트폰을 활용해서 누군가는 시간 때우는 도구밖에 되지 않는데 누군가는 스마트폰 속에 있는 인스타그램, SNS... 등을 활용해 돈을 벌고 있다. 다른 예시를 하나 더 들면 누군가는 자동차를 출퇴근용, 악세사리 개념으로 활용하고 누군가는 자동차를 돈을 버는 도구로 활용한다.

필자가 유튜브라는 도구를 활용해서 어떤 결과를 만들고 있는지 확인하고 나서 책을 덮고 "최보규 1818 책값 날렸네. 자격도 안 되는데 유튜브 책을 쓰고 ㅈ ㄹ이야! 시간 아까워!"라는 쌍욕을 하던지 하라.

★ 필자가 유튜브라는 도구를 활용해서 결과를 만들고 앞으로 100년 결과를 만들어 갈 것들 참고하자.

1. 유튜브에서 200개~300개 제작한 영상으로 100권의 책을 출간 했다.
2. 유튜브에서 200개~300개 제작한 영상으로 온라인, 디지털 콘텐츠 제작해서 재능마켓에서(크몽, 탈잉, 클래스101, 클래스유, 인클, 유페이터)월세, 연금성 수입을 올리고 있다.
3. 유튜브에서 200개~300개 제작한 영상으로 50층 온라인 건물을(온라인 건물주) 만들어 앞으로 100년 월세, 연금성 수입이 발생하는 시스템을 만들었다.
4. 유튜브에서 200개~300개 제작한 영상으로 무인 시스템 홈페이지를 만들어 움직이지 않아도 돈을 벌 수

있는 시스템을 만들었다. (www.자기계발아마존.com / 네이버에서 자기계발아마존 검색해도 나온다.)

5. 유튜브에서 200개~300개 제작한 영상으로 책 100권을 출간해서 검증된 강사가 되어 강사료가 10배 상승했다.

6. 유튜브에서 200개~300개 제작한 영상으로 책 100권을 출간해서 전문 분야 몸값, 가치, 값어치가 1,000배 상승했다.

이미지로 보면 유튜브 책을 쓸 자격이 있는지 더 신빙성이 갈 것이다. 이미지를 보고도 유튜브 책을 쓸 자격이 의심스럽다면 더 이상 할 말이 없다. 그냥 책 덮고 전화해라. 책값에 10배를 주겠다. 단 타당한 이유 설명이 되어야 한다.

필자가 유튜브를 활용한 시스템을 자신 분야에서도 활용하고 싶다면 코칭 상담 받길 바란다.

★ 최보규 리더유튜브 코칭전문가 010-6578-8295

유튜브 영상 200 ~ 300개
제작으로 책 100권 출간!

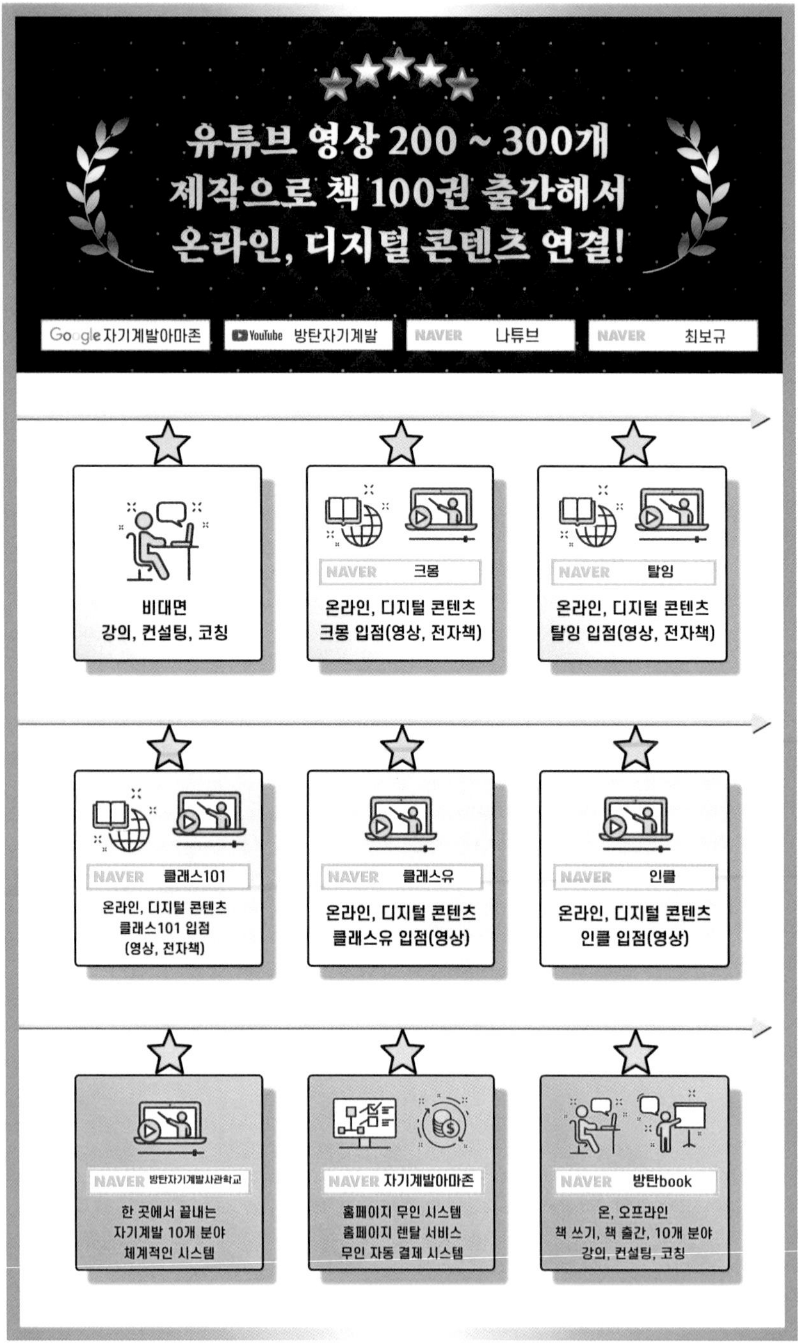

유튜브 영상 200 ~ 300개
제작으로 책 100권 출간해서
온라인, 디지털 콘텐츠 연결!
Google 자기계발아마존
YouTube 방탄자기계발
NAVER 나튜브
NAVER 최보규
비대면
강의, 컨설팅, 코칭
NAVER 크몽
온라인, 디지털 콘텐츠
크몽 입점(영상, 전자책)
NAVER 탈잉
온라인, 디지털 콘텐츠
탈잉 입점(영상, 전자책)
NAVER 클래스101
온라인, 디지털 콘텐츠
클래스101 입점
(영상, 전자책)
NAVER 클래스유
온라인, 디지털 콘텐츠
클래스유 입점(영상)
NAVER 인클
온라인, 디지털 콘텐츠
인클 입점(영상)
NAVER 방탄자기계발사관학교
한 곳에서 끝내는
자기계발 10개 분야
체계적인 시스템
NAVER 자기계발아마존
홈페이지 무인 시스템
홈페이지 렌탈 서비스
무인 자동 결제 시스템
NAVER 방탄book
온, 오프라인
책 쓰기, 책 출간, 10개 분야
강의, 컨설팅, 코칭

온라인 플렛폼 디지털 플렛폼	온라인, 디지털 콘텐츠 수입 발생 (무인 시스템)	100년 월세, 연금 발생
자기계발아마존 1층 ~ 3층	온라인 건물주 되는 자격증 교육! 온라인 강사코칭전문가2급 온라인 자기계발코칭전문가2급 / 리더십코칭전문가2급 자존감, 멘탈, 습관, 행복, 사랑, 웃음, 강사, 책쓰기, 유튜버, 리더십 10개 분야 코칭 / 영상 / 전자책	자격증, 재교육, 강사섭외 코칭, 종이책 전자책 수입 발생
클래스유 4층	자신 분야 삼성(진정성, 전문성, 신뢰성)을 높여 제2수입, 3수입 올리는 방탄자기계발 재태크 / 영상	영상, 자격증, 강사섭외, 코칭 종이책, 전자책 수입 발생
클래스101 5층 ~ 15층	강사 분야, 사랑 분야, 습관 분야, 자존감 분야 행복 분야, 자기계발 분야 영상 원포인트 클래스 / 전자책	영상, 강사섭외, 코칭 종이책, 전자책 수입 발생
크몽 16층 ~ 22층	강사 분야, 사랑 분야, 습관 분야 자존감 분야, 행복 분야, 자기계발 분야 영상 / 코칭 / 전자책	영상, 자격증, 강사섭외, 코칭 종이책, 전자책 수입 발생
탈잉 23층 ~ 25층	자존감 분야, 습관 분야, 행복 분야 영상 / 전자책	강사섭외, 코칭 종이책, 전자책 수입 발생
인클 26층	4차 산업시대는 4차 자기계발인 방탄자기계발 재테크 / 영상	영상, 자격증, 강사섭외, 코칭 종이책, 전자책 수입 발생
온라인 서점 디지털 서점 27층 ~ 50층	출간 한 31권 자기계발서 종이책 , 전자책	검증된 전문가 강사료 10배 상승

YouTube ITube
"세계 최초"
리더 유튜버 동기부여 책!
Google 자기계발아마존
YouTube 방탄자기계발
NAVER 나튜브
NAVER 최보규
유튜브 하면 1년 안에 그만두지만
나튜브 하면 150세까지 한다!
"최초" 리더 유튜브 자기계발서
"최초" 나튜브 자기계발서
"최초" 리더 유튜브 사용 설명서
"최초" 리더 유튜버 지침서

해보자! 해보자!
리더 가능성을 믿고!
해보자!
해보자!
리더의
사과 씨, 도토리, 포도 씨 믿으세요!
사과 씨 안에 얼마나 많은 사과가 있는지 모른다!
도토리 안에 얼마나 많은 도토리가 있는지 모른다!
포도 씨 안에 얼마나 많은 포도가 있는지 모른다!

리더가 하는 유튜버는 일반 사람이 하는 유튜버와 달라야 하고 다르게 해야 한다. 리더 유튜버는 책임감을 가지고 해야지 “해도 그만 안 해도 그만”이런 태도로 하면 안 된다. 리더다운 유튜버를 해야 하는데 일반 사람처럼 유튜버를 하니 오래 지속 못하는 것은 당연한 결과다.

4차 산업 시대, AI 시대, 5G 시대, 챗GPT시대... 등 빠르게 변하는 시대 속에서 리더 자신과 리더 자신 분야, 가족, 팀원, 조직체원들의 배움, 비전, 변화, 성장, 가치, 수입을 위해 리더는 유튜브가 아니라 나튜브는 선택이 아닌 필수다.

리더에게 가장 중요한 인재 양성 스펙을 학습, 인습, 훈련을 잘하기 위한 리더 유튜브 자기개발 4가지와 리더 유튜버 코칭 10개명(품위유지의무)을 배울 것이다.

리더는 4차 산업 시대에 4차 인재 양성 스펙은 선택이 아닌 필수다.

★ 누구에게나 주어진 유튜브 도구를 어떻게 활용하고 있는가?

누구에게나 주어진 유튜브라는 도구를 누군가는 비교, 불만, 시간 때우는 도구로 사용하여 정신, 멘탈, 자존감을 배터리를 깎아 먹는지도, 방전되는지도 모르고 계속 시청하고 있다.

누군가는 언택트 시대, 비대면 시대, 빠르게 변하는 시대를 극복하기 위해 “더 이상 미루면 안 돼! 어떻게 하면 할 수 있을까?” 라는 태도로 “컴맹이지만, 마우스만 움직일 줄 알지만” 그럼에도 불구하고 행동하고 배우려 한다.

누군가는 유튜브를 자신 분야와 연결해 수익 10배 올리는 도구로 사용을 하고 있다. 더 나아가 리더 자신 분야 삼성(진정성, 전문성, 신뢰성)을 높이고 월세, 연금성 수입까지 발생시키는 온라인 건물주가 되어 은퇴, 노후 준비까지 한다.

리더여 당신은 유튜브라는 도구를 어떻게 사용하고 있는가?

시행착오, 리스크을 줄이려면 도구 사용 설명서를 봐야 한다. 사용 설명서가 없다면 독학, 시행착오, 대가 지불, 인고의 시간, 돈, 시간들이 어마어마하게 들어간다.

필자가 독학, 시행착오, 대가 지불, 인고의 시간, 돈, 시간... 등을 미리 어마어마하게 겪고 나서 "세계 최초" 리더 유튜브 사용 설명서인 《리더는 유튜브가 아닌 나튜브 1, 2, 3》를 만들었다. 리더에게 선택이 아닌 필수인 유튜브 설명 시작한다!

★ 20,000명 심리 상담, 코칭 하면서 알게 된 유튜브 비밀!

20,000명 심리 상담, 코칭 하면서 알게 된 것은 3~4년 전만 해도 유튜브 개나 소나 닭이나 아무나 시작 할 수 있었다. “아무나 한다.”라는 인식이 강했다. 그래서 만나는 사람들끼리 하는 말 “직장 때려 치고 유튜브나 할까? 유튜브 개나 소나 닭이나 아무나 하는데 내가 못 할까? 할 거 없으면 유튜브나 할까?”라는 말을 많이 했다. 하지만 유튜버는 개나 소나 닭이나 아무나 한다고 말하면서 정작 그런 말을 하는 사람이 유튜버를 하고 있지 않다면 개나 소나 닭보다 못한다는 존재가 된다는 것을 알아야 한다. 리더라면 함부로 말을 하면 안 된다.

지금 유튜브 개나 소나 닭이나 못한다. 아무나 못 하는 트랜드로 가고 있다. 공영 방송보다 유튜브 시청 시간이 더 많다 보니 전문 분야 사람들, 인지도 있는 사람들, 연예인들, 공영 방송들조차도 유튜브를 하고 있는 상황이다. 아무나 하면 기회가 적다. 아무나 못 하기에 이제는 더욱 더 기회가 있는 것이다. 유튜브는 누구나 할 수 있지만 아무나 오래 지속은 하지 못한다.
다음은 태진아 가수의 “사랑은 아무나 하나” 노래를 개사한 것이다.

1절

유튜브 아무나 하나

유튜브 아무나 하나

유튜브 아무나 하나

스마트폰만 있음 누구나 시작하지

지인들의 피드백 구독자의 악성 댓글들

못 견디면 그만두는 지름길

어느 세월에 한 달 평균 300 받아

여유롭게 유튜브 하나

유튜브 아무나 하나

어느 누가 쉽다고 했나?

2절

유튜브 개나 소나 한다.

유튜브 개나 소나 한다.

유튜브 개나 소나 한다.

스마트폰만 있음 누구나 시작하지

시작은 쉬운데 하다 보니 장난 아니네

유튜브에 지옥문이 열리네

100명 시작하면 99명 그만두는 환경

어떻게 꾸준히 할까.

유튜브 개나 소나 한다.

오래 지속은 아무나 못 한다.

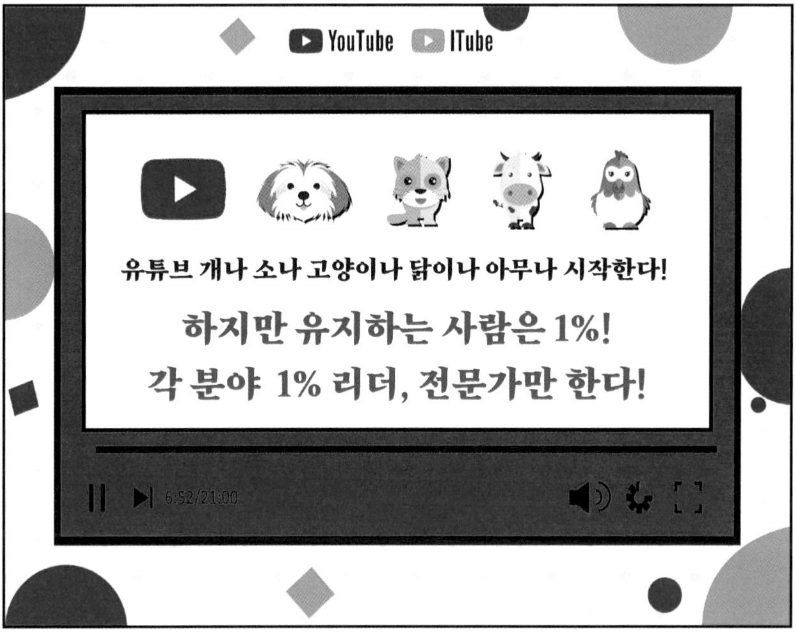
YouTube
ITube
유튜브 개나 소나 고양이나 닭이나 아무나 시작한다!
하지만 유지하는 사람은 1%!
각 분야 1% 리더, 전문가만 한다!
6:52/21:00

★ 리더 자신 분야 최고의 수입 플랫폼 연결 고리가 되어 자신 분야를 무한대로 연결해 준다.

필자가 유튜브로 수입을 창출하고 자신 분야 삼성(진정성, 전문성, 신뢰성)을 올려 제2수입, 제3수입을 발생시켜 50층 온라인 건물주가 될 수 있었던 설명을 시작 한다. 강의, 강사 섭외, 1:1코칭, 자기계발 코칭을 기획한 영상으로 책을 출간해서 인세(사후 70년까지 보장되어 유산 상속도 가능)가 발생했다. 불특정 다수 사람과의 연결로 인해 기회, 홍보, 가능성이 무한대로 발생했다. 필자가 자기계발을 폭발시켰던 계기가 유튜버를 시작해서다.

유튜브 하기 전에는 컴맹이었다. 영상 편집 1도 몰랐던 사람이었다. 영상 편집, 디자인 제작을 독학으로 마스터하고 2023년 기준 유튜브 5년 차, 유튜브 5년 동안 유튜브 자체로는 수익 창출을 못해서 광고 수입은 0원이다. 5년 동안 영상 300~400개(비공개, 삭제 영상 포함) 올렸는데 수익 창출이 없었다. 이런 상황이라면 10,000명 중에 10,000명은 셔터문을 내렸을 것이다.

"필자는 어떻게 버텼을까? 어떻게 버텼을까가 아니라 어떻게 극복 했을까"가 맞다! "어떻게 지금도 하고 있을까?" 수입 발생 연결 고리, 동기부여, 의미부여, 목표, 방향 설정을 다르게 했기에 살아남을 수 있었다는 것이다.

20,000명 심리 상담, 코칭 하면서 알게 된 것은 유튜브를 그만두는 이유 첫 번째는 돈을 벌지 못해서다. 유튜브로 돈을 벌 수 있는 방법이 여러 가지가 있다. 그런데 유튜브로 수익창출 할 수 있는 가장 기본 조건인 첫 번째 구독자 1,000명. 두 번째 시청 시간 4,000시간(1년 동안)이다. 그런데 수익 창출 조건 2가지를 달성했더라도 달달이 돈이 나오는 것이 아니다. 그래서 필자처럼 유튜브 자체적으로 수익 창출이 되지 않아 수입이 발생하지 않더라도 유튜브라는 홍보 플랫폼을 자신 분야와 연결을 시켜 다른 수입을 올려야만 오래 지속 할 수 있는 것이다. 다음은 유튜버 현실을 뼈저리게 깨닫게 해주는 내용이다.

12년 동안 구독자 2만 명인 유튜버도 있다! 3년 동안 꾸준히 영상을 올리는데도 구독자가 500명뿐인 채널이 분명 존재한다.
유튜버들이 말하는 전업 투자의 기준은 최소 구독자 10만 명이다. 영상을 기다리고 업로드 때마다 봐주는 구독자가 적어도 10만 명은 있어야 유튜브로 생계를 걸어볼

만하다는 것이다. 그런데 일반인들은 잘 모르는 유튜브 수익 구조의 비밀이 있다. 구독자와 수입은 정비례하지 않는다는 것이다.

《친절한 성 기자의 유튜브 재테크》

기사, TV, 유튜브 영상... 등에서 유튜버 억대 연봉 말만 듣다가 위에 말을 들으니 현실감이 오는가? 어떤 직업이든 기사, TV, 유튜브 영상... 등에서 말하는 것에 3혹(유혹, 현혹, 화혹: 화려함에 혹하는 것)되면 안 되는 것이다. 다음 이미지에 나오는 유튜브 광고수입 외에 유튜브로 돈 버는 방법을 참고하자.

유튜브로 돈 버는 방법이 이렇게 많은데도 유튜브라는 것이 쉽지 않다. 돈 벌기가 쉽지 않다. 당연한 것이다. 15가지 돈 버는 방법이 있지만 현실은 정작 자신 분야 콘텐츠로 돈 벌기가 쉽지 않다는 것이다.
뒤에서 자세히 설명하겠지만 구독자가 많은 유튜버 콘텐츠, 인기 있는 분야 콘텐츠, 대중들이 좋아하는 콘텐츠를 따라 한다는 것은 가장 빠르게 유튜브를 그만두는 지름길이다.

순간 이런 의문점이 들것이다. “왜 그만두는 지름길일까? 수많은 유튜버들이 대세 콘텐츠를 따라 하라고 하는데 최보규 리더유튜버 코칭전문가는 왜 따라하지 말라고 하는 거지?”

20,000명 심리 상담, 코칭 하면서 알게 된 이유를 결론부터 말을 하면 일반 사람이라면 대세를 따르는 건 상관없다.(유튜브를 그만두는 사람 100명 중 99명이 인기 있는 채널 콘텐츠 따라 해서다.)

리더가 유튜버를 한다면 유튜브 채널 목표, 방향을 자신 분야 콘텐츠로 해야지만 유튜브 자체에서 수입이 발생하지 않아도 자신 분야 자체에서 수입이 발생하는 것이 있기에 멘탈이 크게 좌지우지되지 않는다는 것이다.

리더라면 본 캐릭터 수입이 발생하는 상황에서 부캐릭(자신 분야와 연결되는 캐릭터)으로 유튜버를 해야 한다.

일반 사람들처럼 "순간 돈 되면 하고 안 되면 안 해" 태도가 아니라 리더라면 대부분 한 분야 전문가이고 전문성이 있기 때문에 "해도 그만 안 해도 그만이 아니다. 유튜브 플랫폼을 내 분야와 연결시키면 평생 도움 되는 것이다."라는 태도로 해야 되는 것이다.
그래서 리더 유튜버는 유튜브 트랜드를 공부하면서 자신 분야 콘텐츠로 수입과 연결 될 수 있는 방법을 만들어야 한다. 그 방법들을 이 책에서 세계 최초로 오픈하는 것이다.

앞에서도 언급했듯이 필자가 유튜브 자체 수익 창출 2가지 조건(구독자 1,000명. 1년 동안 4,000시간)이 되지 않아서 5년 동안 유튜브 자체에서는 0원이었지만 필자 분야 7G 직업(출판사 대표, 작가, 심리 상담사, 코칭, 강사, 유튜버, 한집의 가장)연결을 통해 수입을 발생 시켰던 방법 참고하길 바란다.

유튜브 도구를
어떻게 활용 할 수 있을까?
자신
분야
You
Tube
어떻게 하면 유튜브를
내 분야와 연결할 수 있을까?

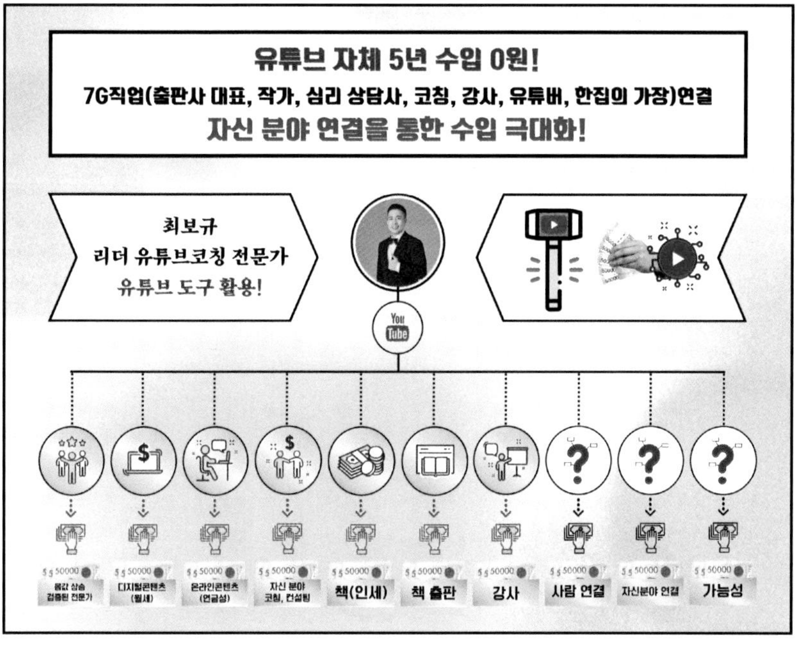
유튜브 자체 5년 수입 0원!
7G직업(출판사 대표, 작가, 심리 상담사, 코칭, 강사, 유튜버, 한집의 가장)연결
자신 분야 연결을 통한 수입 극대화!
최보규
리더 유튜브코칭 전문가
유튜브 도구 활용!
You
Tube
몸값 상승
검증된 전문가
디지털콘텐츠
(월세)
온라인콘텐츠
(연금성)
자신 분야
코칭, 컨설팅
책(인세)
책 출판
강사
사람 연결
자신분야 연결
가능성

유튜브 영상 200 ~ 300개 제작으로 책 100권 출간!

유튜브 영상 200 ~ 300개 제작으로 책 100권 출간해서 온라인, 디지털 콘텐츠 연결!

Google 자기계발아마존 | YouTube 방탄자기계발 | NAVER 나튜브 | NAVER 최보규

비대면
강의, 컨설팅, 코칭

NAVER 크몽
온라인, 디지털 콘텐츠
크몽 입점(영상, 전자책)

NAVER 탈잉
온라인, 디지털 콘텐츠
탈잉 입점(영상, 전자책)

NAVER 클래스101
온라인, 디지털 콘텐츠
클래스101 입점
(영상, 전자책)

NAVER 클래스유
온라인, 디지털 콘텐츠
클래스유 입점(영상)

NAVER 인클
온라인, 디지털 콘텐츠
인클 입점(영상)

NAVER 방탄자기계발사관학교
한 곳에서 끝내는
자기계발 10개 분야
체계적인 시스템

NAVER 자기계발아마존
홈페이지 무인 시스템
홈페이지 렌탈 서비스
무인 자동 결제 시스템

NAVER 방탄book
온, 오프라인
책 쓰기, 책 출간, 10개 분야
강의, 컨설팅, 코칭

온라인 플렛폼 디지털 플렛폼	온라인, 디지털 콘텐츠 수입 발생 (무인 시스템)	100년 월세, 연금 발생
자기계발아마존 1층 ~ 3층	온라인 건물주 되는 자격증 교육! 온라인 강사코칭전문가2급 온라인 자기계발코칭전문가2급 / 리더십코칭전문가2급 자존감, 멘탈, 습관, 행복, 사랑, 웃음, 강사, 책쓰기, 유튜버, 리더십 10개 분야 코칭 / 영상 / 전자책	자격증, 재교육, 강사섭외 코칭, 종이책 전자책 수입 발생
클래스유 4층	자신 분야 삼성(진정성, 전문성, 신뢰성)을 높여 제2수입, 3수입 올리는 방탄자기계발 재태크 / 영상	영상, 자격증, 강사섭외, 코칭 종이책, 전자책 수입 발생
클래스101 5층 ~ 15층	강사 분야, 사랑 분야, 습관 분야, 자존감 분야 행복 분야, 자기계발 분야 영상 원포인트 클래스 / 전자책	영상, 강사섭외, 코칭 종이책, 전자책 수입 발생
크몽 16층 ~ 22층	강사 분야, 사랑 분야, 습관 분야 자존감 분야, 행복 분야, 자기계발 분야 영상 / 코칭 / 전자책	영상, 자격증, 강사섭외, 코칭 종이책, 전자책 수입 발생
탈잉 23층 ~ 25층	자존감 분야, 습관 분야, 행복 분야 영상 / 전자책	강사섭외, 코칭 종이책, 전자책 수입 발생
인클 26층	4차 산업시대는 4차 자기계발인 방탄자기계발 재테크 / 영상	영상, 자격증, 강사섭외, 코칭 종이책, 전자책 수입 발생
온라인 서점 디지털 서점 27층 ~ 50층	출간 한 31권 자기계발서 종이책 , 전자책	검증된 전문가 강사료 10배 상승

리더는 유튜브가 아닌 나튜브!
자신 분야
삼성(진정성, 전문성, 신뢰성)을 높여
온라인 건물주!
유튜브는 자신 100년 인생 파이프라인!
파이프라인: 시간, 환경 제약 없이 지속적인 소득이 일어난다!
지금 시대 유튜브
선택이 아닌 필수
자신 분야를 무한으로 연결시켜 준다!
최보규
리더 유튜브코칭 전문가
유튜브 도구 활용!
몸값 상승 검증된 전문가
디지털콘텐츠 (월세)
온라인콘텐츠 (연금성)
자신 분야 코칭, 컨설팅
책(인세)
책 출판
강사
사람 연결
자신분야 연결
가능성

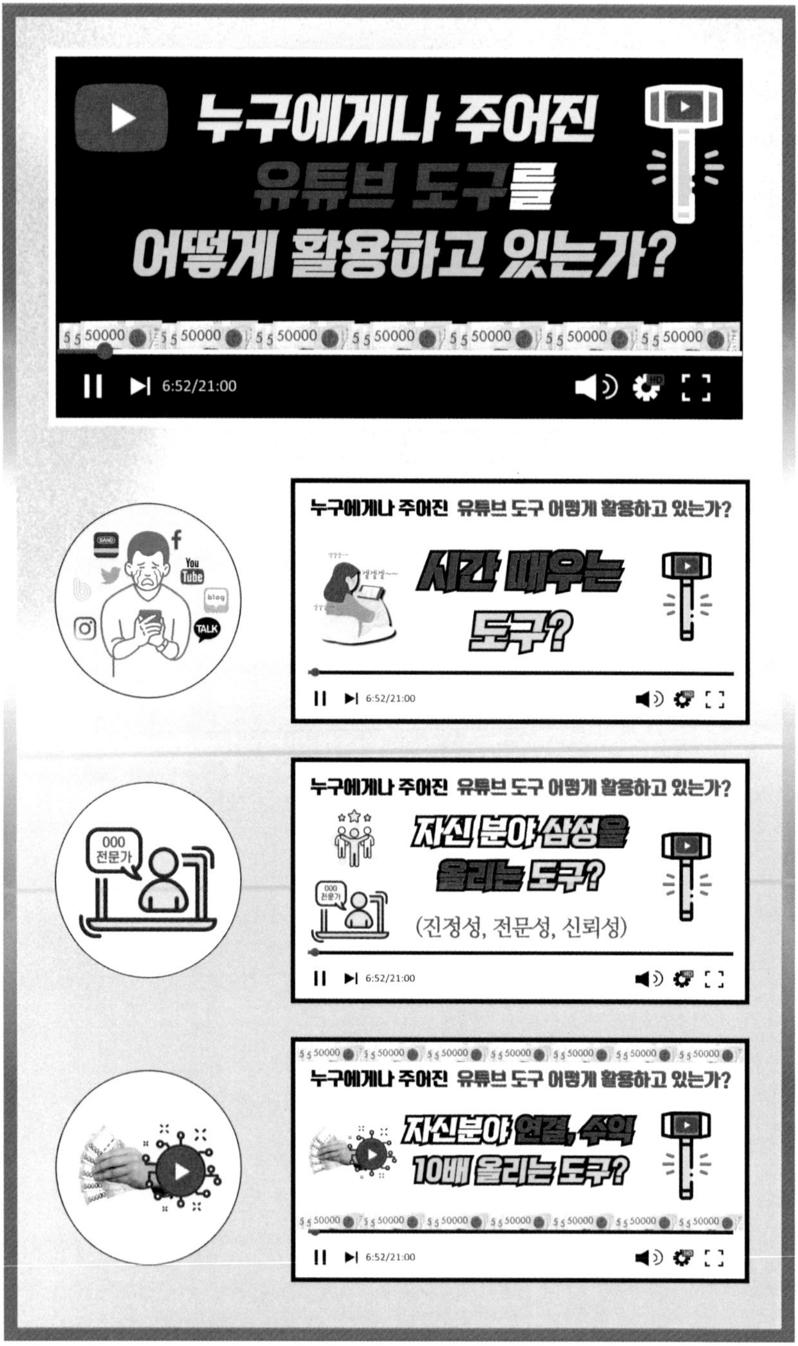
누구에게나 주어진
유튜브 도구를
어떻게 활용하고 있는가?
6:52/21:00
SAND
You Tube
blog
TALK
누구에게나 주어진 유튜브 도구 어떻게 활용하고 있는가?
시간 때우는 도구?
6:52/21:00
000 전문가
누구에게나 주어진 유튜브 도구 어떻게 활용하고 있는가?
자신 분야 삼성을 올리는 도구?
(진정성, 전문성, 신뢰성)
6:52/21:00
누구에게나 주어진 유튜브 도구 어떻게 활용하고 있는가?
자신분야 연결, 수익 10배 올리는 도구?
6:52/21:00

★ 4차 산업 시대, 디지털 시대에 맞는 리더의 필수 3가지 스펙!

앞으로 디지털 시대, 비대면 시대가 더 활성화되면 되었지 덜 하지는 않는다. 자신 분야 영상 촬영 편집 기술력, 홍보디자인 제작 기술력, 온라인, 디지털 콘텐츠 제작 기술력은 스펙이며 필수 스펙이 되었다.

전문 분야가 있는데 영상 편집, 홍보 디자인을 못한다? 영상 콘텐츠 제작을 못한다? 전문가라고 말을 하면 안 된다. 쪽팔리고 자존심 상해야 하며 위기의식을 가져야 한다.

리더라면 지금 트랜를 잘 봐야 한다. 유튜브, 페이스북, 인스타그램, 네이버 블로그, SNS, 자신 분야 홍보 디자인 제작, 재능마켓, 홍보 디자인, 광고 디자인, 영상, 화려한 디자인들, 화려한 사진들, 화려한 이미지들이 하루만해도 어마어마하게 쏟아지고 있다.

지금 대부분 사람들이 화려한 이미지에 노출이 많이 되어 있어서 이미지 없이 텍스트만 있는 것은 무시하고 쳐다보지도 않는 트랜드다. 쳐다보지도 않는다는 게 뭔지 아는가? 쓰레기 취급한다는 것이다.

이런 상황에서 언제까지 돈 주고 전문가에게 의뢰할 것인가? 제작 의뢰하는 것도 한계가 있는 것이다. 전문 분야가 있고 프리랜서라면 자신 분야 디자인 작업과 홍보 디자인 작업을 계속 해야 한다.

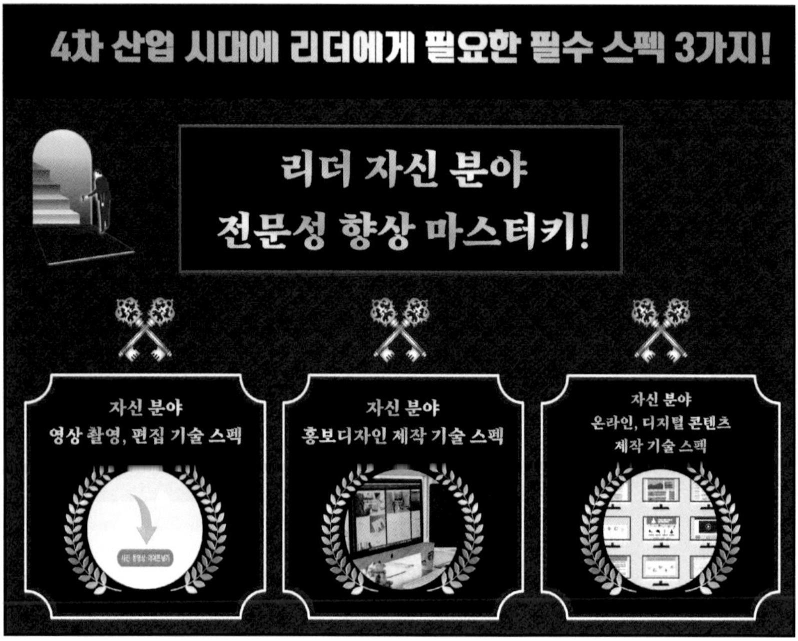

다시 한 번 강조 한다! 디지털 시대를 살아남기 위한 필수 스펙은 자신 분야 영상 촬영 편집 기술력, 홍보디자인 제작 기술력, 온라인, 디지털 콘텐츠 제작 기술력은 스펙이며 필수 스펙이다.
리더 자신 분야 삼성(진정성, 전문성, 신뢰성)을 올리기 위한 필수 스펙 3가지 1:1 코칭 상담 받길 바란다.

해보자! 해보자!
때를 기다릴 것인가?
때를 만들어 갈 것인가!

★ 유튜브 하면 1년 안에 그만두지만 나튜브 하면 150세까지 한다!

나튜브? 유튜브(구독자 주체 70%, 자신 주체 30%)가치관, 방향, 목표로 하면 1년도 못 가지만 나튜브(구독자 주체 30%, 자신 주체 70%)가치관, 방향, 목표로 하면 150년을 한다.

350만, 250만, 200만, 100만, 50만, 10만, 5만... 구독자를 가지고 있었던 유튜버들이 유튜브를 떠난 이유? 일반 사람들 상식으로는 이해가 되지 않을 것이다. “구독자가 그렇게 많은데 돈을 많이 벌텐데 왜? 그만두지?” 유튜브를 그만두는 이유는 많겠지만 20,000명을 심리 상담, 코칭 하면서 알게 된 것은 나튜버가 아닌 유튜버를 했기 때문에 그만두는 경우가 더 많다.

자신을 위해서 유튜브를 해야 하는데 구독자를 위해서 하고 있다는 것이다. 유튜브를 나를 위해서 무조건 100% 하라는 말은 아니다. 나튜브의 개념을 잘 알아야 한다.

나튜브는 자신이 주최가 되는 것이고 유튜브는 보는 사람들이(구독자) 주최가 되는 것이다. 나튜브 뜻은 유튜브 구독자들, 시청자들을 무시하라고 말하는 게 아니다.

자신이 추구하는 가치관 방향성이 70%라면 시청자가 구독자가 바라는 피드백, 요구사항은 30%만 생각을 해야 한다. 하지만 유튜버를 힘들고, 어렵게 하는 사람들은 반대로 하고 있다.

신청자, 구독자들이 말하는 거에 70% 휘둘리니 당연히 멘탈이 깨지는 게 정상이라는 것이다.

나다움의 본질이 뭔지 아는가? 대부분 사람들이 잘못 알고 있다. 내 멋대로 하는 거, 주위 사람 의식 안 하고 내 성격대로 하는 게 나다움이라고 잘못 알고 있다.

나다움 본질의 기본은 사람의 도리(인성, 매너, 개념, 함께 잘 살기 위한 행동)를 지킬 때 시작되는 것이다.
나튜브의 본질은 사람의 도리(인성, 매너, 개념, 함께 잘 살기 위한 콘텐츠)를 지키며 자신이 추구하는 방향, 목표를 잃지 않고 하는 것이다.
유튜브를 하면 1년 안에 90%는 그만둔다. 나튜브를 하면 150년 지속 할 수 있다. 방탄유튜버 사관학교에서는 유튜버가 아닌 150년을 지속 할 수 있는 나튜버! 교육, 코칭을 한다.

유튜브 하면 1년안에 그만두지만
나튜브 하면 150세까지 한다!
6:52/21:00
YouTube
ITube

YouTube
구독자 주체 70%
자신 주체 30%
(채널 목표, 방향, 의미 부여 30%)
6:52/21:00
ITube
구독자 주체 30%
자신 주체 70%
(채널 목표, 방향, 의미 부여 70%)
6:52/21:00

나튜버 20가지 시스템
YouTube
ITube
리더는 유튜브가 아닌
나튜브! 1
나튜브로 월세, 연금성 수입 창출!
온라인 건물주!
BOOKK
자신 분야를 무한으로 연결시켜 준다!
때를 기다리는 사람이 아닌
때를 만들어 주는
나튜브
지금처럼이 아닌
지금부터 살게 해주는
나튜브
You
Tube
몸값 상승
검증된 전문가
디지털콘텐츠
(월세)
온라인콘텐츠
(연금성)
자신 분야
코칭, 컨설팅
책(인세)
책 출판
강사
사람 연결
자신분야 연결
가능성

나튜버 20가지 시스템!

0. 나사(나튜브 사명감), 목표, 방향 정하기
1. 유튜브 계정 만들기
2. 채널 이름 정하기
3. 채널 만들기 (개인 계정, 브랜드 계정)
4. 채널 아트, 프로필 사진, 로고
   (집 외부 인테리어, 현관문, 사람 얼굴)
5. 영상 콘셉트, 기획 1
6. 영상 콘셉트, 기획 2
7. 촬영
8. 편집 프로그램
9. 편집
10. 영상 업로드
11. 영상 업로드 1년 목표 50개 / 100개
12. 홍보
13. 시청 시간 늘리기, 구독자 늘리기, 조회 수 늘리기 채널 성장
14. 돈은 무조건 번다. 연결하는 방법을 모를 뿐! 유튜브 멘탈 1
15. 돈은 무조건 번다. 연결하는 방법을 모를 뿐! 유튜브 멘탈 2
16. 왕관을 쓰려는 자 그 무게를 견뎌라! 유튜브 멘탈 3
17. 악성 댓글 차단 활용!
18. 유튜브 슬럼프, 유튜브 권태기 변화하지 않는 신의 벌칙!
19. 자신 분야 최소의 비용으로 최고의 효과 유튜브 플랫폼
20. 유튜브는 내 인생의 천재일우

리더는 유튜브가 아닌 나튜브!
자신 분야
삼성(진정성, 전문성, 신뢰성)을 높여
온라인 건물주!
유튜브는 자신 100년 인생 파이프라인!
파이프라인: 시간, 환경 제약 없이 지속적인 소득이 일어난다!
지금 시대 유튜브
You Tube
선택이 아닌 필수
자신 분야를 무한으로 연결시켜 준다!
최보규
리더 유튜브코칭 전문가
유튜브 도구 활용!
You Tube
몸값 상승 검증된 전문가
디지털콘텐츠 (월세)
온라인콘텐츠 (연금성)
자신 분야 코칭, 컨설팅
책(인세)
책 출판
강사
사람 연결
자신분야 연결
가능성

리더는 유튜브가 아닌 나튜브!
3단계 매뉴얼, 시스템!
YouTube ITube
리더는 유튜브가 아닌
나튜브! 1
나튜브로 월세, 연금성 수입 창출!
온라인 건물주!
BOOKK
YouTube ITube
리더는 유튜브가 아닌
나튜브! 2
나튜브로 월세, 연금성 수입 창출!
온라인 건물주!
BOOKK
YouTube ITube
리더는 유튜브가 아닌
나튜브! 3
나튜브로 월세, 연금성 수입 창출!
온라인 건물주!
BOOKK

유튜브 편집!
마우스만 움직일
줄 알면 끝!

유튜브로 돈 버는 방법!
1. 유튜브 애드센스 광고수입!
2. 유튜브 슈퍼챗(별 풍선과 비슷)
3. 유튜브 멤버십! 구독자 30,000명
(게임 채널은 1,000명 이상!) 가입 버튼!
가입하면 한 달에 얼마씩 내야함.
4. 외부후원(후원계좌노출, 페이팔, 투네이션)
5. PPL(제품 홍보 광고)
6. 브렌드콘텐츠제작(제품 리뷰)
7. 미디어커머스(제품 홍보 광고)
8. 굿즈 판매!(자체적으로 제품제작 판매)
9. 본인 사업과 병행하기!
10. 지식을 토대로 강의/강연
11. 출판을 통한 책 판매
12. 컨설팅/상담/코칭!
13. 2차 콘텐츠 판매(영화, 드라마.웹툰..)
14. 크라우드 펀딩!(투자자 모집)
15. 쇼셜커머스 공동구매
-출처: 유튜브랩-

누구에게나 주어진
유튜브 도구를
어떻게 활용하고 있는가?
6:52/21:00
유밥 1:1 맞춤 코칭
유튜브 밥상 차려서
먹여주는 코칭
6:52/21:00

4. 포트폴리오 커리어 리더는 왜! 오프라인, 온라인, 디지털 콘텐츠 자기계발을 해야 하는가?

10년 후에 올 비대면 시대가 앞당겨져 버린 현실 리더 자신 전문 분야를 온라인 콘텐츠, 디지털 콘텐츠로 만들어 비수기 없이 움직이지 않아도 수입이 발생하는 시스템을 만들 수 있다. 디지털 콘텐츠 영상 한번 제작으로 자신 분야 150년 지속적인 홍보, 월세, 연금성 수입 발생!

★ 10년 뒤에 올 비대면 시대, 디지털 시대가 한순간 10년이 당겨졌다?

전문가들이 10년 후에 비대면 시대가 올 것이라고 예측을 했는데 코로나로 인해서 10년이 당겨졌다고 한다.

한마디로 우리는 2024년이 아니라 2034년을 살고 있다는 것이다. 10년이 당겨진 상황에서 20,000명 심리 상담, 코칭 하면서 알게 된 것은 두부류에 리더들이 나온다는 것이다. 시간, 상황은 같지만 받아들이는 태도, 행동이 다르다.

일반 리더십!
“세상, 현실이 점점 더 힘들어지고 있다. 4차 산업 시대, AI시대, 비대면 시대, 메타버스 시대...앞으로 예측하기도 힘든 시대에 어떻게 살아가야 되는지 막막하네.”

20년 전이 좋았지. 노력만 하면 되는 시대, 경력만 많으면 인정해주는 시대, 한 가지 전문 분야만 있으면 걱정 없던 시대...등 “못해 먹겠네! 될 때로 돼라. 나도 모르겠다. 어떻게 되겠지. 하루하루 상황 맞춰서 하던 방법으로 하자. 산 입에 거미줄 치겠어? 시간이 해결해 주겠지.”

방탄 리더십!

"세상, 현실이 점점 더 힘들어지고 있어. 4차 산업 시대, AI시대, 비대면 시대, 메타버스 시대, 챗GPT 시대... 등 앞으로 예측하기 힘든 시대에 어떻게 살아가야 하는지 막막하네."

전과 완전 다른 상황이 벌어졌고 앞으로 더 힘든 상황이 올거다. 하던 방법으로 했다가는 진짜 큰일 나겠다. 내 분야, 나를 따르는 조직체 원들, 조직체 원들 가족까지 힘들어지겠다. 정신 차리지 않으면 다 죽겠다. "어떻게 하면 할 수 있을까? 좋아지기만을 기다렸다가는 답이 안 나오는 시대다. 회사, 조직체 원들을 위해서라도 내가 더 앞장서서 변화하기 위해 더 뛰고 배워야겠다. 온라인, 디지털콘텐츠 배운적 없지만 더 늦기 전에 배워서 비대면 시대 극복해야겠다."

일반 리더십과 방탄 리더십 차이점이 보이는가? 왜 이런 차이가 날까? 세부적으로 따지면 너무 많기에 단순하게 말을 하면 방탄 리더십의 기둥인 리더 자존감, 리더 멘탈, 리더 습관, 리더 행복, 리더 자기계발이 학습, 연습, 훈련이 되어 있느냐, 안 되어 있느냐 차이다. 그래서 앞으로 4차 산업 시대, 비대면 시대, 디지털 시대에 리더 자신 분야 살아남기 위한 필수 스펙인 3가지(영상 촬영, 편집 기술 스펙, 홍보디자인 제작 기술 스펙, 온라인, 디지털 콘텐츠 제작 기술 스펙)를 강조하는 것이다.

★ 리더 자신 분야 온라인, 디지털 콘텐츠 제작으로 제2 수입, 제3수입 올려 월세, 연금성 수입 발생하는 온라인 건물주 되자!

리더 자신 전문 분야를 커리큘럼으로 만들어서 강의, 교육, 컨설팅, 코칭을 할 수 있다. 리더 자신 분야를 디자인해서 커리큘럼을 만들면 온, 오프라인 강의, 교육, 컨설팅, 코칭을 할 수 있고 커리큘럼으로 전문가로 검증받을 수 있는 전문 책을 출간할 수 있다.

책을 출간하면 목차별로 디지털콘텐츠 영상을 만들어 대표적인 디지털 플랫폼인 크몽, 탈잉, 클래스101, 클래스유, 인클등 월세, 연금성 수입이 발생되는 온라인 건물주가 될 수 있다. 온라인 콘텐츠, 디지털 콘텐츠를 제작하여 수입, 전문성을 극대화 시키는 순서를 알려 주겠다.

1. 리더 전문 분야 5시간~8시간 강의, 교육, 코칭, 컨설팅을 할 수 있는 커리큘럼을 만든다.
2. 전문 분야 커리큘럼으로 책을 출간한다.
3. 출간한 책으로 디지털콘텐츠 영상을 제작한다.
4. 디지털콘텐츠 영상을 디지털플랫폼에 입점을 시킨다. (디지털플랫폼: 크몽, 탈잉, 클래스101, 클래스유, 인클등)

5. 무인시스템이 가능한 홈페이지를 만들어 온라인 건물주가 된다.

한 분야 리더라면 자신 분야는 전문가이다. 전문 분야를 온라인 콘텐츠, 디지털 콘텐츠로 극대화를 시킬 수 있다. 필자의 전문 분야를 온라인 콘텐츠, 디지털 콘텐츠로 만들어서 활용하고 있는 것을 벤치마킹하기를 바란다.

ONLY ONE
"80억 분의 1 검증된 전문가"
특허청 등록
최보규 자기계발코칭 창시자
등록 번호: 제 40-2072344 호
최보규 대표
상담, PT, 코칭, 강의, 컨설팅 문의
010-6578-8295
특허청 등록
최보규 리더동기부여 코칭전문가
등록 번호: 제 40-2128786 호
대한민국 강사 섭외 NO1 '강사야'
'강사야' "대표 일타 강사 최보규"
GANGSAYA 강사섭외 최보규
로그인 회원가입
전체분야 강사프로필 섭외문의 분야별특강 커뮤니티 추천강사
설외문의무료등록
최보규강사
특허청 등록으로 검증된 강사!
방탄 동기부여/리더십/자기계발
동기부여/리더십/자기계발 업데이트!
저서 100권의 내공을 통한 세계 최초 1+4를 주는 가성비 강사!
(강의메세지+즐거움+스토리텔링+실천 사용 설명서 제공)
Google 자기계발아마존
YouTube 방탄자기계발
NAVER 강사야
NAVER 최보규

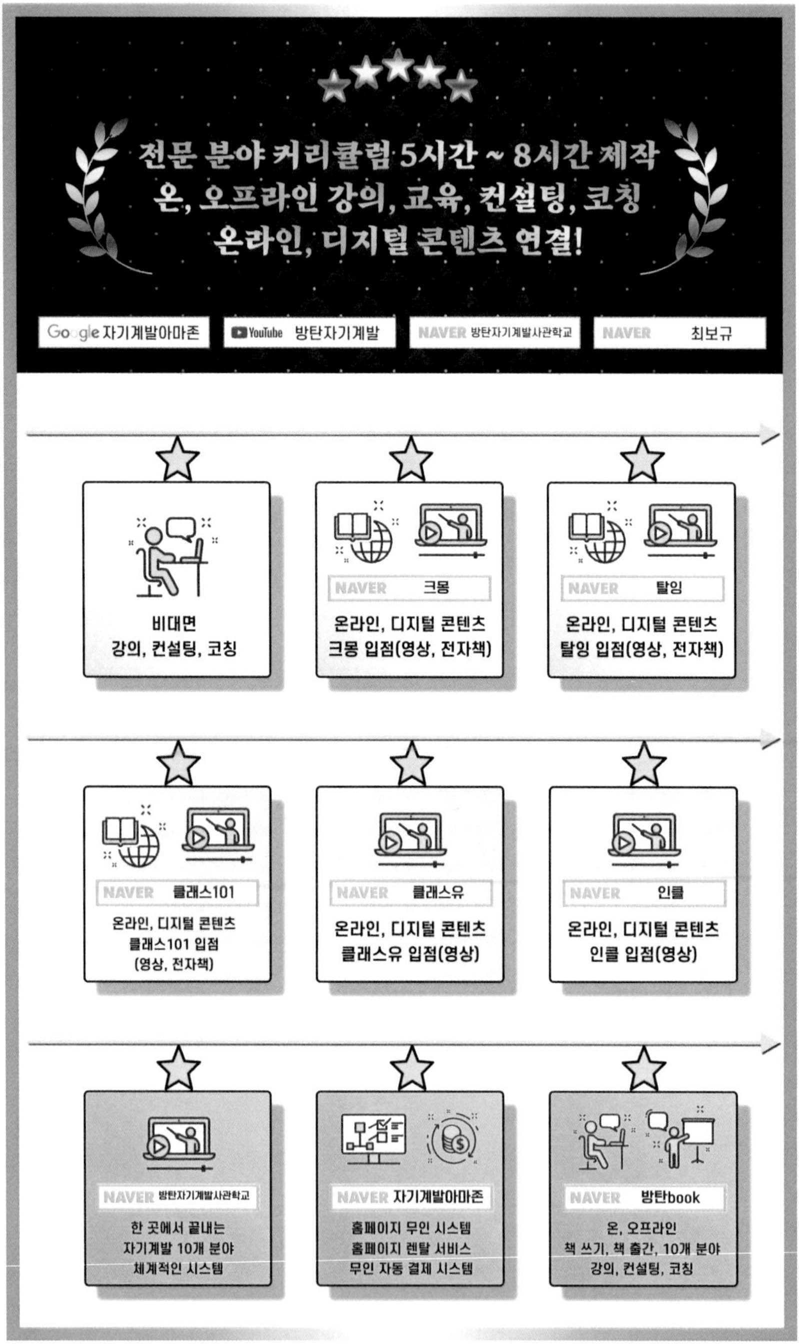

전문 분야 커리큘럼 5시간 ~ 8시간 제작
온, 오프라인 강의, 교육, 컨설팅, 코칭
온라인, 디지털 콘텐츠 연결!
Google 자기계발아마존
YouTube 방탄자기계발
NAVER 방탄자기계발사관학교
NAVER 최보규
비대면
강의, 컨설팅, 코칭
NAVER 크몽
온라인, 디지털 콘텐츠
크몽 입점(영상, 전자책)
NAVER 탈잉
온라인, 디지털 콘텐츠
탈잉 입점(영상, 전자책)
NAVER 클래스101
온라인, 디지털 콘텐츠
클래스101 입점
(영상, 전자책)
NAVER 클래스유
온라인, 디지털 콘텐츠
클래스유 입점(영상)
NAVER 인클
온라인, 디지털 콘텐츠
인클 입점(영상)
NAVER 방탄자기계발사관학교
한 곳에서 끝내는
자기계발 10개 분야
체계적인 시스템
NAVER 자기계발아마존
홈페이지 무인 시스템
홈페이지 렌탈 서비스
무인 자동 결제 시스템
NAVER 방탄book
온, 오프라인
책 쓰기, 책 출간, 10개 분야
강의, 컨설팅, 코칭

온라인 플렛폼 디지털 플렛폼	온라인, 디지털 콘텐츠 수입 발생 (무인 시스템)	100년 월세, 연금 발생
자기계발아마존 1층 ~ 3층	온라인 건물주 되는 자격증 교육! 온라인 강사코칭전문가2급 온라인 자기계발코칭전문가2급 / 리더십코칭전문가2급 자존감, 멘탈, 습관, 행복, 사랑, 웃음, 강사, 책쓰기, 유튜버, 리더십 10개 분야 코칭 / 영상 / 전자책	자격증, 재교육, 강사섭외 코칭, 종이책 전자책 수입 발생
클래스유 4층	자신 분야 삼성(진정성, 전문성, 신뢰성)을 높여 제2수입, 3수입 올리는 방탄자기계발 재태크 / 영상	영상, 자격증, 강사섭외, 코칭 종이책, 전자책 수입 발생
클래스101 5층 ~ 15층	강사 분야, 사랑 분야, 습관 분야, 자존감 분야 행복 분야, 자기계발 분야 영상 원포인트 클래스 / 전자책	영상, 강사섭외, 코칭 종이책, 전자책 수입 발생
크몽 16층 ~ 22층	강사 분야, 사랑 분야, 습관 분야 자존감 분야, 행복 분야, 자기계발 분야 영상 / 코칭 / 전자책	영상, 자격증, 강사섭외, 코칭 종이책, 전자책 수입 발생
탈잉 23층 ~ 25층	자존감 분야, 습관 분야, 행복 분야 영상 / 전자책	강사섭외, 코칭 종이책, 전자책 수입 발생
인클 26층	4차 산업시대는 4차 자기계발인 방탄자기계발 재테크 / 영상	영상, 자격증, 강사섭외, 코칭 종이책, 전자책 수입 발생
온라인 서점 디지털 서점 27층 ~ 50층	출간 한 31권 자기계발서 종이책 , 전자책	검증된 전문가 강사료 10배 상승

최보규 방탄리더십 전문가

방탄자기계발 온, 오프라인 커리큘럼

(진정성, 전문성, 신뢰성) www.방탄자기계발사관학교.com

방탄자존감 자기계발

클래스 1단계	자존감 종합검진
클래스 2단계	방탄자존감 1단계 (자존감 원리 이해)
클래스 3단계	방탄자존감 2단계 (후시딘 자존감)
클래스 4단계	방탄자존감 3단계 (마데카솔 자존감)
클래스 5단계	방탄자존감 실천 동기부여

방탄행복 자기계발

클래스 1단계	행복 초등학생, 행복 중학생, 행복 고등학생 001강 ~ 030강
클래스 2단계	행복 전문학사 = 031강 ~ 050강 행복 학사 = 051강 ~ 080강
클래스 3단계	행복 석사 = 081강 ~ 100강
클래스 4단계	행복 박사 = 101강 ~ 120강
클래스 5단계	행복 히어로 = 120강 ~ 135강

방탄멘탈 자기계발

클래스 1단계	순두부 멘탈 step 01 ~ step 10 실버 멘탈 step 11 ~ step 20
클래스 2단계	골드 멘탈 step 21 ~ step 30 에메랄드 멘탈 step 31 ~ step 40
클래스 3단계	다이아몬드 멘탈 step 41 ~ step 50
클래스 4단계	블루다이아몬드 멘탈 step 51 ~ step 70
클래스 5단계	나다운 방탄멘탈 step 71 ~ step 115

방탄습관 자기계발

클래스 1단계	나다운 방탄습관블록 공식
클래스 2단계	몸 습관 블록 쌓기
클래스 3단계	머리 습관 블록 쌓기
클래스 4단계	마음(방탄멘탈)습관 블록 쌓기
클래스 5단계	자신 습관 종합검진 습관 처방전과 실천 동기부여

최보규 방탄리더십 전문가

방탄자기계발 온, 오프라인 커리큘럼

(진정성, 전문성, 신뢰성) www.방탄자기계발사관학교.com

방탄사랑 자기계발

클래스 1단계	결혼은 한명이 아닌 세명과 한다. 사랑 본질 학습, 연습, 훈련
클래스 2단계	부부 방탄멘탈 업그레이드 1
클래스 3단계	부부 방탄멘탈 업그레이드 2
클래스 4단계	부부행복 (부부서로 행복히어로 되어주기)
클래스 5단계	부부 13계명 학습, 연습, 훈련 1 부부 13계명 학습, 연습, 훈련 2 (화해의 기술)

방탄웃음 자기계발

클래스 1단계	방탄웃음 원리 이해 (학습, 연습, 훈련)
클래스 2단계	방탄웃음 스팟 기법 (학습, 연습, 훈련)
클래스 3단계	방탄웃음 실전 기법 (학습, 연습, 훈련)
클래스 4단계	방탄웃음 습관 사용설명서 (학습, 연습, 훈련)
클래스 5단계	방탄웃음 실전 강의 청강 (강사료 100만 원 실전 강의)

방탄강사 자기계발

클래스 1단계	강의 시작 집중기법, SPOT 기법 아이스브레이킹 기법, SPOT+메시지기법
클래스 2단계	스토리텔링 기법
클래스 3단계	엑티비티 팀빌딩 기법 (팀 워크, 조직활성화)
클래스 4단계	강사 인성, 매너, 개념, 멘탈 교육 강사 연차 별 준비, 변화 방법! 강사료 올리는 방법!
클래스 5단계	3D.4D 강의 기법. 담당자, 청중, 학습자가 원하는 강의기법

방탄책쓰기 자기계발

클래스 1단계	책 쓰기, 책 출간 의미 부여, 목표, 방향 설정 (5가지 책 출판 장단점)
클래스 2단계	7G (원고, 투고, 퇴고, 탈고, 투고, 강의, 강사)
클래스 3단계	온라인 콘텐츠 연결 기획, 제작
클래스 4단계	디지털 콘텐츠 연결 기획, 제작
클래스 5단계	자신 분야 연결 제2수입, 제3수입 발생 무인 시스템 기획, 제작

최보규 방탄리더십 전문가

방탄자기계발 온, 오프라인 커리큘럼

(진정성, 전문성, 신뢰성) www.방탄자기계발사관학교.com

방탄유튜버 자기계발

클래스 1단계	유튜브 시작 준비! (채널 100년 목표, 방향, 자신 분야 연결)
클래스 2단계	영상 촬영 방향! (영상 콘셉트, 기획)
클래스 3단계	촬영 기법! (기본 장비, 촬영 도구, 카메라)
클래스 4단계	영상 업로드! (편집프로그램, 영상 편집 기본 세팅)
클래스 5단계	유튜버 인성, 매너, 멘탈, 홍보전략 (유튜버 태도) 자신 분야 연결 제2수입, 제3수입 발생 무인 시스템 기획, 제작

최보규 방탄리더십 전문가

방탄자기계발 온, 오프라인 커리큘럼

(진정성, 전문성, 신뢰성) www.방탄자기계발사관학교.com

방탄리더십 자기계발

클래스 1단계	리더십의 반대는 꼰대십 리더십의 부모는 은퇴십
클래스 2단계	나다운 리더 자존감 원리, 학습, 연습, 훈련
클래스 3단계	리더 멘탈 보호막 원리, 학습, 연습, 훈련
클래스 4단계	리더 습관 보호막 원리, 학습, 연습, 훈련
클래스 5단계	리더 행복 보호막 원리, 학습, 연습, 훈련
클래스 6단계	리더 자기계발 원리, 학습, 연습, 훈련
클래스 7단계	코칭전문가 10계명 (품위유지의무)

삼성(진정성, 전문성, 신뢰성)이
검증된 전문가
Google 자기계발아마존
YouTube 방탄자기계발
NAVER 방탄자기계발사관학교
NAVER 최보규
7G 직업
(출판사 대표, 작가, 심리 상담사, 코칭 전문가, 강사, 유튜버, 한집의 가장)
습관 주치의
멘탈 주치의
자존감 주치의
행복 주치의
사랑 주치의
웃음 주치의
강사 주치의
유튜브 주치의
책쓰기 주치의
리더십 주치의
20,000명 심리 상담, 코칭 하면서 알게 된 것은
사람들 99%가 주치의처럼 늘 옆에서 걱정, 고민을
털어놓고 삶, 인생, 자신 분야, 자자자자멘습긍
(자존감, 자신감, 자기관리, 자기계발, 멘탈, 습관, 긍정)
피드백 받을 수 있는 주치의 같은 전문가를 바란다.
세계 최초
방탄자기계발 주치의
방탄자기계발 전문가
최보규 대표
www.방탄자기계발사관학교.com

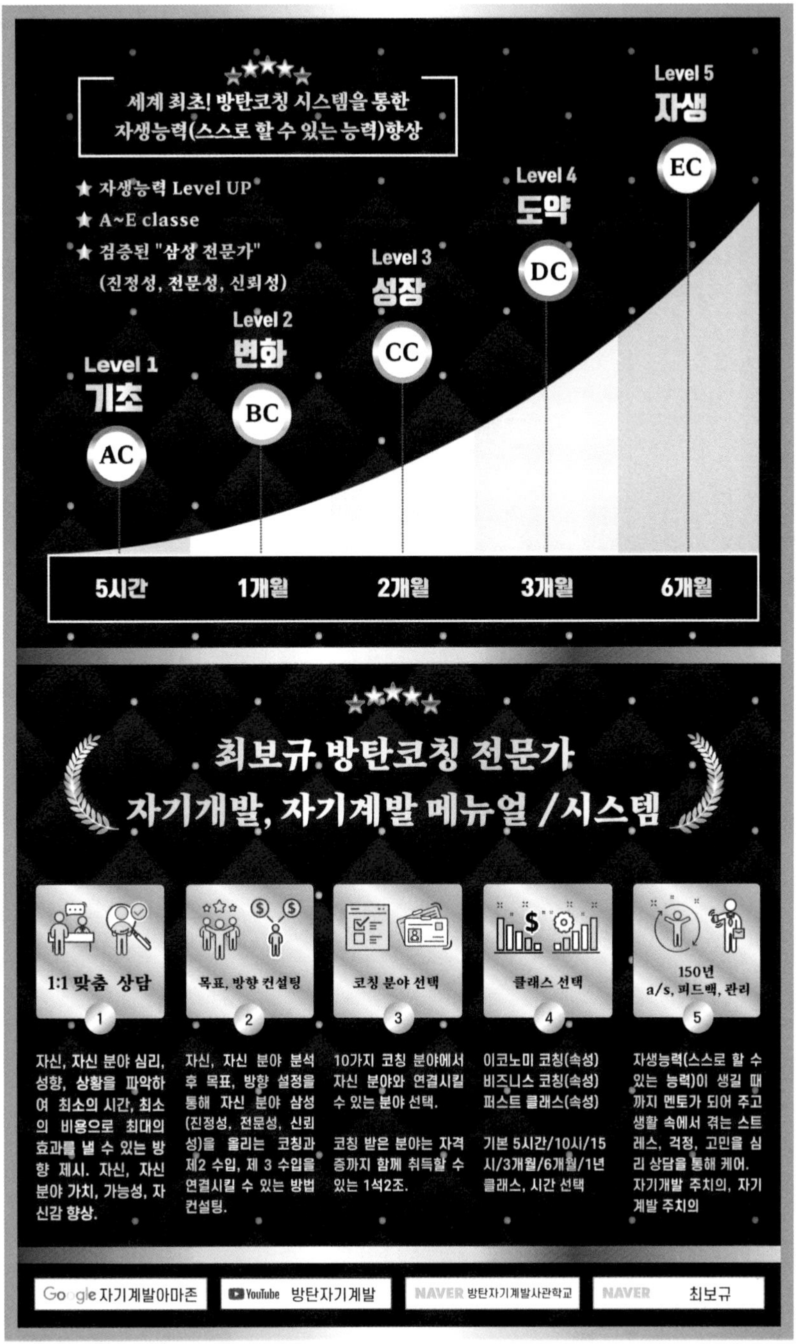
세계 최초! 방탄코칭 시스템을 통한
자생능력(스스로 할 수 있는 능력)향상
★ 자생능력 Level UP
★ A~E classe
★ 검증된 "삼성 전문가"
(진정성, 전문성, 신뢰성)
Level 1
기초
AC
Level 2
변화
BC
Level 3
성장
CC
Level 4
도약
DC
Level 5
자생
EC
5시간
1개월
2개월
3개월
6개월
최보규 방탄코칭 전문가
자기개발, 자기계발 메뉴얼 /시스템
1:1 맞춤 상담
1
자신, 자신 분야 심리, 성향, 상황을 파악하여 최소의 시간, 최소의 비용으로 최대의 효과를 낼 수 있는 방향 제시. 자신, 자신 분야 가치, 가능성, 자신감 향상.
목표, 방향 컨설팅
2
자신, 자신 분야 분석 후 목표, 방향 설정을 통해 자신 분야 삼성(진정성, 전문성, 신뢰성)을 올리는 코칭과 제2 수입, 제 3 수입을 연결시킬 수 있는 방법 컨설팅.
코칭 분야 선택
3
10가지 코칭 분야에서 자신 분야와 연결시킬 수 있는 분야 선택.
코칭 받은 분야는 자격증까지 함께 취득할 수 있는 1석2조.
클래스 선택
4
이코노미 코칭(속성)
비즈니스 코칭(속성)
퍼스트 클래스(속성)
기본 5시간/10시/15시/3개월/6개월/1년 클래스, 시간 선택
150년
a/s, 피드백, 관리
5
자생능력(스스로 할 수 있는 능력)이 생길 때까지 멘토가 되어 주고 생활 속에서 겪는 스트레스, 걱정, 고민을 심리 상담을 통해 케어.
자기개발 주치의, 자기계발 주치의
Google 자기계발아마존
YouTube 방탄자기계발
NAVER 방탄자기계발사관학교
NAVER 최보규

★★★★★

검증된 전문가 교육시스템

회원제를 통한 맞춤 학습, 연습, 훈련
오프라인 전문상담사가 검진 후 특별맞춤 학습, 연습, 훈련

검증된 강사코칭 전문가

세계 최초 강사 백과사전
강사 사용설명서를 만든 전문가!
150년 A/S, 관리,해주는 책임감!

검증된 책 쓰기 전문가 100권

행복히어로
나다운 강사 1, 2
나다운 방탄멘탈
나다운 방탄습관블록
나다운 방탄 카피 사전
나다운 방탄자존감 명언 Ⅰ, Ⅱ
방탄자기계발 사관학교
자기계발코칭전문가 1,2,3,4,5,6
나다운 방탄리더십 1,2,3,4,5
외 100권

검증된 자기계발 전문가

방탄행복 창시자!
방탄멘탈 창시자!
방탄습관 창시자!
방탄자존감 창시자!
방탄자기계발 창시자!
방탄강사 창시자!
방탄리더십 창시자!

검증된 상담 전문가

20,000명 심리 상담, 코칭 !
독학하기 힘든 자자자자멘습긍
(자존감, 자신감, 자기관리, 자기계발, 멘탈, 습관, 긍정)
1:1 케어까지 해주며 행복 주치의가
되어주는 전문가!

★★★★★

강력추천

이런 사람들 반드시 상담, 코칭 받으세요!

현재 상황에 가장 필요한 것을 상담 후 가장 효율적인 시스템을 적용합니다.

1 변화, 성장, 배움, 행동
동기부여, 셀프케어

지금처럼이 아니라 지금부터 다시 시작하고 때를 기다리는 사람이 아닌 때를 만들고 싶은 분

2 자신분야 전문성
(진정성, 전문성, 신뢰성)

경력은 스펙이 아니다! 자신 분야 차별화로 부케릭터를(부업)만들어 자신 몸값을 올리고 싶은 분

3 자신분야 자동
시스템(돈) 연결

움직이지 않아도 자동으로 돌아가는 돈 버는 시스템을 만들고 싶은 분

인고의 시간을 거쳐 쌓은 소중한 자신 분야 경력을
왜? 썩히고 있는가?
쌓은 경력으로 온라인 건물주가 될 수 있다?
자신 분야를 방탄자기계발과 연결 수입 창출!
자신 분야
방탄자기계발
몸값 상승
책 출간
(종이책, PDF)
(인세 유산)
멘토가 150년
A/S, 관리
방 탄
동기부여
디지털콘텐츠
수입(100년)
불특정 다수와
비즈니스 연결
방 탄
자기계발
온라인콘텐츠
수입(100년)
코칭 수입
(100년)
온라인 건물주
(월세, 연금성)
재능 마켓
수입(100년)

해보자! 해보자!
자신 가능성을 믿고!
해보자!
해보자!
자신의
사과 씨, 도토리, 포도 씨 믿으세요!
사과 씨 안에 얼마나 많은 사과가 있는지 모른다!
도토리 안에 얼마나 많은 도토리가 있는지 모른다!
포도 씨 안에 얼마나 많은 포도가 있는지 모른다!

Best 12

명품 자기계발

명품 동기부여

검증된 리더 강의 분야

BEST Seller

<저자 최보규>

<저자 최보규>

1 방탄 리더 동기부여

사람을 움직이는 가장 강력한 동기부여는 "우리 리더는 내가 좋은 사람이 되고 싶도록 만들어"라는 마음을 들게 하여 행동하게 만드는 리더다!

2 나다운 방탄리더십

1명의 방탄리더가 10만 명을 변화시키고 먹여 살린다. 리더는 사라져도 방탄리더십은 1,000년 간다! 리더의 삼성(진정성, 전문성, 신뢰성)을 업그레이드!

명품 자기계발

Best 12

명품 동기부여

검증된 리더 강의 분야

BEST Seller

<저자 최보규>

<저자 최보규>

3 방탄 리더 의무교육

직원은 5대 법정의무교육이 필수! 리더는 7대 의무교육이 필수! 5대 법정의무교육을 받지 않으면 벌금이지만 리더가 7대 의무교육을 받지 않으면 회사가 망한다!

4 방탄 리더 기본기

기본기를 지킨다고 리더가 되는 건 아니다. 단언컨대 사람들에게 존경받고 위대한 업적을 만드는 리더들은 기본기를 철저하게 지킨다.

명품 자기계발

Best 12

명품 동기부여

검증된 리더 강의 분야

<저자 최보규>

5 방탄 리더 태도

세상에서 가장 강력한 태도 스펙! 어떻게 학습, 연습, 훈련할 것인가?
Body(몸)태도, Head(머리)태도, Mind(마음)태도 320가지 학습, 연습, 훈련하는 방법 최초 공개!

<저자 최보규>

6 방탄 리더 인재 양성

리더의 기본 스펙은 인재 양성이다. 인재는 오는 게 아니라 시스템으로 만들어지는 것이다. 리더가 인재 양성 매뉴얼, 시스템 구축은 선택이 아닌 필수다.

Best 12

명품 자기계발 · 명품 동기부여

검증된 리더 강의 분야

<저자 최보규>

<저자 최보규>

7 방탄 리더 사명감

사명감은 스펙이다! 학습, 연습, 훈련으로 만들어 진다! 세상에 사명감 없는 사람은 없다! 다만 사명감 만드는 방법을 모를 뿐이다!

8 방탄 리더 식스팩

숨만 쉬어도 근손실이 되듯 숨만 쉬어도 리손실(리더십 손실)이 되기에 앞서가는 리더는 리더십 PT 받는다! 식스팩은 한달 지속 되지만 리더십 식스팩은 100년 지속 된다.

Best 12

명품 자기계발

명품 동기부여

검증된 리더 강의 분야

BEST Seller

<저자 최보규>

<저자 최보규>

9 방탄 리더 감정컨트롤

세상에서 가장 무능한 리더는 감정에 따라 말투, 표정, 행동이 달라지는 사람이다.
방탄 리더 감정컨트롤, 스트레스 관리 7단계!

10 방탄 리더 스피치

입은 출력장치 말이 저장 되어 있는 Body(몸), Head(머리), Mind(마음) 스피치에 답이 있다. Body(몸) 스피치, Head(머리) 스피치, Mind(마음) 스피치 학습, 연습, 훈련!

명품 자기계발

Best 12

명품 동기부여

검증된 리더 강의 분야

BEST Seller

<저자 최보규>

<저자 최보규>

11 방탄 리더 책쓰기

리더 자신 분야 삼성(진정성, 전문성, 신뢰성)을 올리는 최고의 자기계발은 책쓰기, 책 출간이다! 리더 은퇴 준비, 노후 준비까지 가능한 방탄 리더 책 쓰기!

12 방탄 리더 인간관계

좋은 리더가 되어 좋은 사람을 오게 하는 인간관계 CLASS 7. 100년 함께 하고 싶은 리더가 되기 위한 인간관계 CLASS 7.
삼성(진정성, 전문성, 신뢰성) 인간관계 CLASS 7.

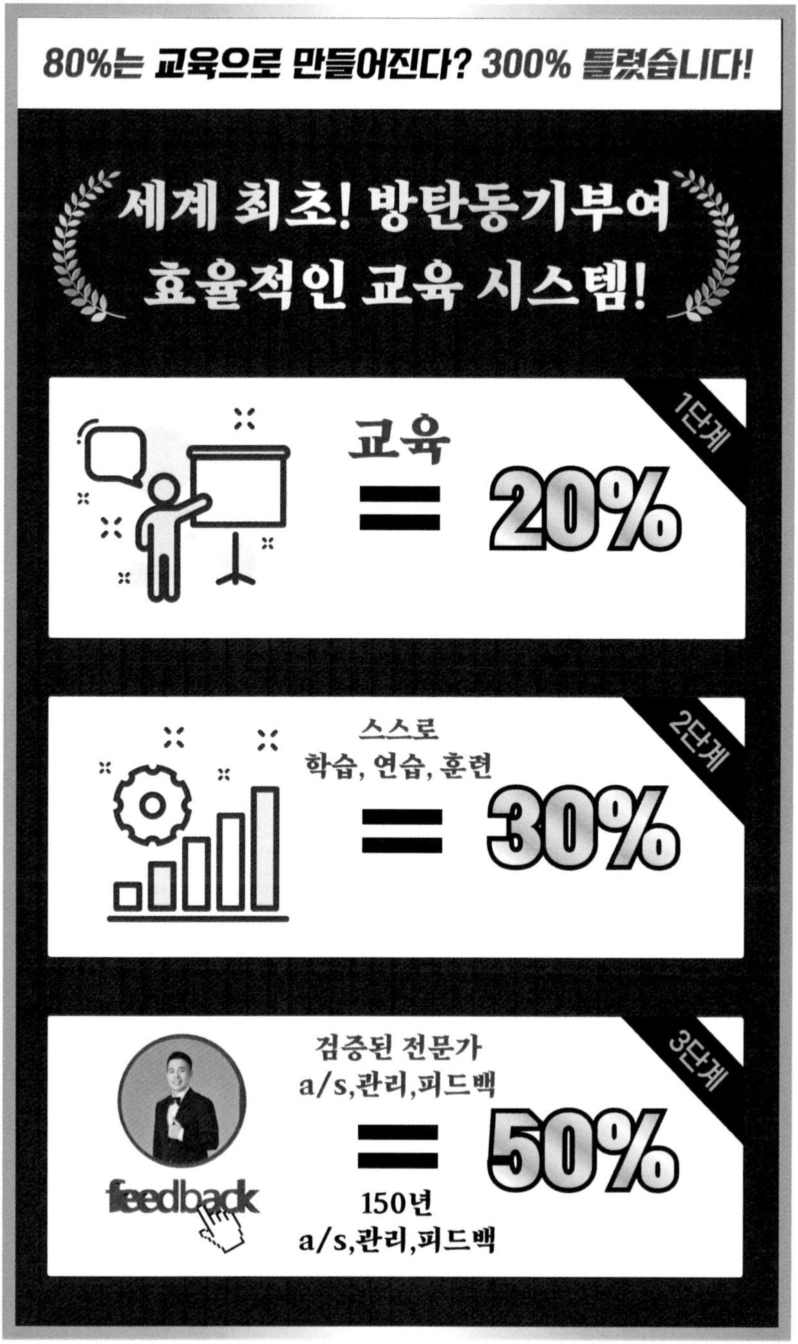

80%는 교육으로 만들어진다? 300% 틀렸습니다!
세계 최초! 방탄동기부여
효율적인 교육 시스템!
1단계
교육
= 20%
2단계
스스로
학습, 연습, 훈련
= 30%
3단계
검증된 전문가
a/s,관리,피드백
= 50%
feedback
150년
a/s,관리,피드백

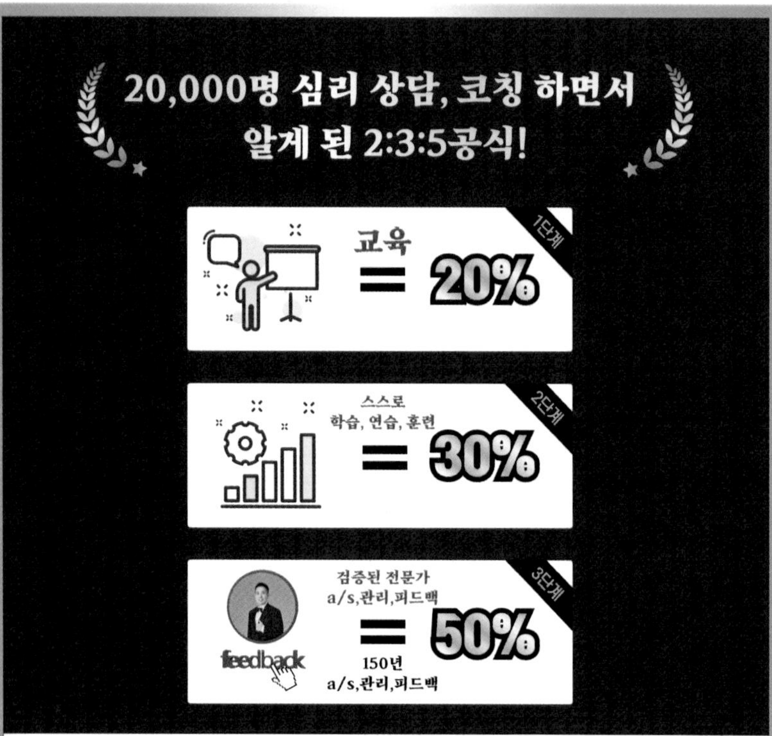

평균적으로 학습자들은 교육만 받으면 80% 효과를 보고 동기부여가 되어 행동으로 나올 것이라고 착각합니다.
그러다 보니 교육받는 동안 생각만큼, 돈을 지불한 만큼 자신 기준의 미치지 못하면 효과를 보지 못할 거라고 지레짐작으로 스스로가 한계를 만들어 버립니다. 그래서 행동으로 옮기지 못하는 것이 상황, 교육자가 아닌 자기 자신이라는 것을 모릅니다.

20,000명 심리 상담, 코칭, 리더 자기계발서 100권 출간, 리더 습관 320가지 만듦, 시행착오, 대가 지불, 인고의 시간을 통해 가장 효율적이며 효과적인 교육 시스템은 2:3:5라는 것을 알게 되었습니다.

교육 듣는 것은 20%밖에 되지 않습니다. 교육을 듣고 스스로가 생활 속에서 배웠던 것을 토대로 30% 학습, 연습, 훈련해야 합니다.
학습, 연습, 훈련한 것을 가장 중요한 50%인 검증된 전문가에게 꾸준히 a/s, 관리, 피드백을 받아야만 2:3:5공식 효과를 볼 수 있습니다.

Best 10

명품 자기계발 명품 동기부여

검증된 일반 강의 분야

BEST Seller

<저자 최보규>

<저자 최보규>

1 나다운 방탄습관블록

습관, 성격, 스피치는 바꾸는 것이 아니라 쌓아 가는 것이다. 레고 블록처럼! 몸 습관 블록, 머리 습관 블록, 마음 습관 블록! 습관에 답이 있고 습관에 인생이 있다.

2 나다운 방탄멘탈

뭘 해도 욕먹는 시대! 대중매체, SNS, 주위 사람들... 자신 멘탈 배터리를 소모시키는 현실 속에서 자신 멘탈을 보호하기 위한 방탄멘탈 7단계 업데이트!

Best 10

명품 자기계발

명품 동기부여

검증된 일반 강의 분야

BEST Seller

<저자 최보규>

<저자 최보규>

3 자기계발 코칭전문가

노오력 자기계발이 아닌 올바른 노력 자기계발을 통해 제2수입, 제3수입까지 올려 온라인 건물주가 될 수 있는 방법을 학습, 연습, 훈련하는 자기계발코칭전문가!

4 나다운 방탄카피사전

아픈 만큼 성숙해진다? 거짓말에 속지 말자!

아픈 만큼 성숙해지려면 극복을 해야 한다. 마음 상처 극복 학습, 연습, 훈련!

명품 자기계발

Best 10

명품 동기부여

검증된 일반 강의 분야

BEST Seller

<저자 최보규>

<저자 최보규>

5 행복히어로

대한민국 행복 꼴찌! 대한민국 행복이 위험하다. 자신 행복이 위험하다. 당신이 행복하지 않은 이유는 단언컨대 행복을 학습, 연습, 훈련하지 않아서다!

6 나다운 방탄자존감 명언

사랑, 연예, 인간관계, 성공, 꿈, 이루고 싶은 것, 목표, 사람이 하는 모든 것들의 결과물, 행동하는 모든 것은 행복하기 위해서이고 행복의 본질은 자존감이다.

명품 자기계발

Best 10

명품 동기부여

검증된 일반 강의 분야

BEST Seller

<저자 최보규>

<저자 최보규>

7 나다운 강사 1

1~3년 차는 강의, 강사를 다듬을 수 있는 도구.
3~5년 차는 강의, 강사 자신의 전문 분야 방향을 잡을 수 있는 GPS가 될 것이다.

8 나다운 강사 2

5~10년 차는 강의, 강사 일에 초심을 되새기고 사명감을 만들 수 있는 마지막 퍼즐 한 조각이 되어 줄 것이다.
10~130년 차는 강사의 꽃인 강사 양성 교육을 할 수 메뉴얼, 시스템이 되어 줄 것이다.

명품 자기계발

Best 10

명품 동기부여

검증된 일반 강의 분야

BEST Seller

<저자 최보규>

<저자 최보규>

9 리더는 유튜브가 아닌 나튜브

리더 삼성(진정성, 전문성, 신뢰성)을 올리는 최고의 방법은 유튜버다.
리더 자신 분야와 유튜브를 연결하여 100년 수입을 발생시키는 방법!

10 방탄 리더십

시대에 맞는 리더십으로 업데이트해야 한다. 4차 산업 시대는 4차 리더십인 방탄 리더십! 리더십을 배우는 것보다 더 중요한 것은 리더십을 보호하는 것이다.

자신 분야 스펙, 내공, 가치, 값어치

카페에서 냅킨에 그린 그림이 1억?

카페에 피카소가 앉아 있었습니다. 한 손님이 다가와 종이 냅킨 위에 그림을 그려 달라고 부탁했습니다. 피카소는 상냥하게 고개를 끄덕이곤 빠르게 스케치를 끝냈습니다. 냅킨을 건네며 1억 원을 요구했습니다.
손님이 깜짝 놀라며 말했습니다. 어떻게 그런 거액을 요구할 수 있나요? 그림을 그리는 데 1분밖에 걸리지 않았잖아요. 이에 피카소가 답했습니다.

아니요. 40년이 걸렸습니다. 냅킨의 그림에는 피카소가 40여 년 동안 쌓아온 노력, 고통, 열정, 명성이 담겨 있었습니다. 피카소는 자신이 평생을 바쳐서 해온 일의 가치를 스스로 낮게 평가하지 않았습니다.

《확신》

Best 6

명품 자기계발

명품 동기부여

검증된 방탄 PT 분야

동기부여 방탄 PT

1

<저자 최보규>

BEST Seller

자격증 발급기관

압도적 차이를 만드는 방탄 PT!
앞서가는 사람은 방탄 PT 받는다!

☑ 7대 동기부여 PT	☑ 멘탈 동기부여 PT
☑ 비전 동기부여 PT	☑ 습관 동기부여 PT
☑ 열정 동기부여 PT	☑ 긍정 동기부여 PT
☑ 목표 동기부여 PT	☑ 인간관계 동기부여 PT
☑ 자존감 동기부여 PT	☑ 행복 동기부여 PT
☑ 자신감 동기부여 PT	☑ 스피치 동기부여 PT
☑ 변화 동기부여 PT	☑ love 동기부여 PT
☑ 성장 동기부여 PT	☑ Smile 동기부여 PT

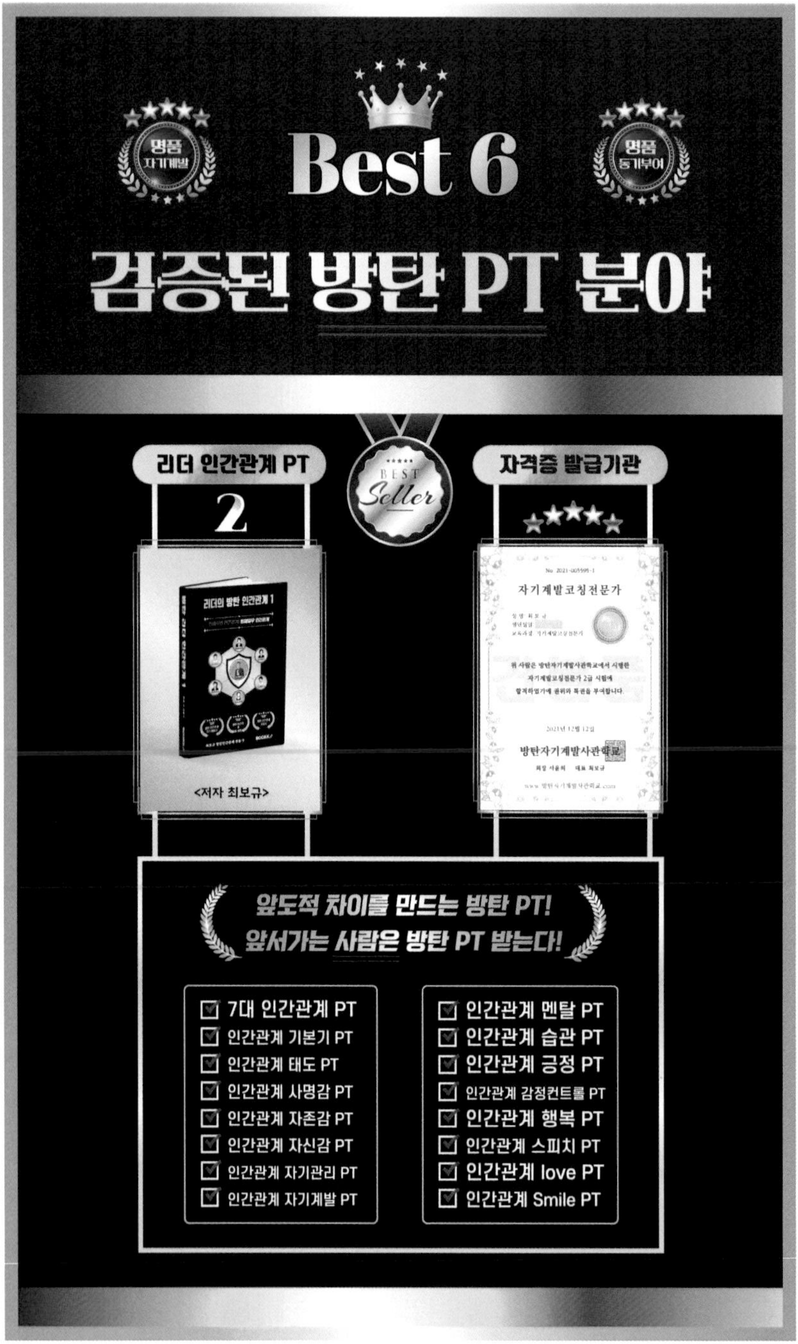
명품 자기계발
Best 6
명품 동기부여
검증된 방탄 PT 분야
리더 인간관계 PT
2
BEST Seller
자격증 발급기관
리더의 방탄 인간관계 1
<저자 최보규>
자기계발코칭전문가
방탄자기계발사관학교
압도적 차이를 만드는 방탄 PT!
앞서가는 사람은 방탄 PT 받는다!
7대 인간관계 PT
인간관계 기본기 PT
인간관계 태도 PT
인간관계 사명감 PT
인간관계 자존감 PT
인간관계 자신감 PT
인간관계 자기관리 PT
인간관계 자기계발 PT
인간관계 멘탈 PT
인간관계 습관 PT
인간관계 긍정 PT
인간관계 감정컨트롤 PT
인간관계 행복 PT
인간관계 스피치 PT
인간관계 love PT
인간관계 Smile PT

Best 6

검증된 방탄 PT 분야

자기계발 방탄 PT

4

<저자 최보규>

자격증 발급기관

No 2021-005595-1

자기계발코칭전문가

위 사람은 방탄자기계발사관학교에서 시행한
자기계발코칭전문가 2급 시험에
합격하였기에 권위와 특권을 부여합니다.

2021년 12월 12일

방탄자기계발사관학교

앞도적 차이를 만드는 방탄 PT!
앞서가는 리더는 방탄 PT 받는다!

- ☑ 7대 자기계발 PT
- ☑ 방탄 기본기 PT
- ☑ 방탄 태도 PT
- ☑ 방탄 사명감 PT
- ☑ 방탄 자존감 PT
- ☑ 방탄 자신감 PT
- ☑ 방탄 자기관리 PT
- ☑ 방탄 자기계발 PT
- ☑ 방탄 멘탈 PT
- ☑ 방탄 습관 PT
- ☑ 방탄 긍정 PT
- ☑ 방탄 인간관계 PT
- ☑ 방탄 행복 PT
- ☑ 방탄 스피치 PT
- ☑ 방탄 love PT
- ☑ 방탄 Smile PT

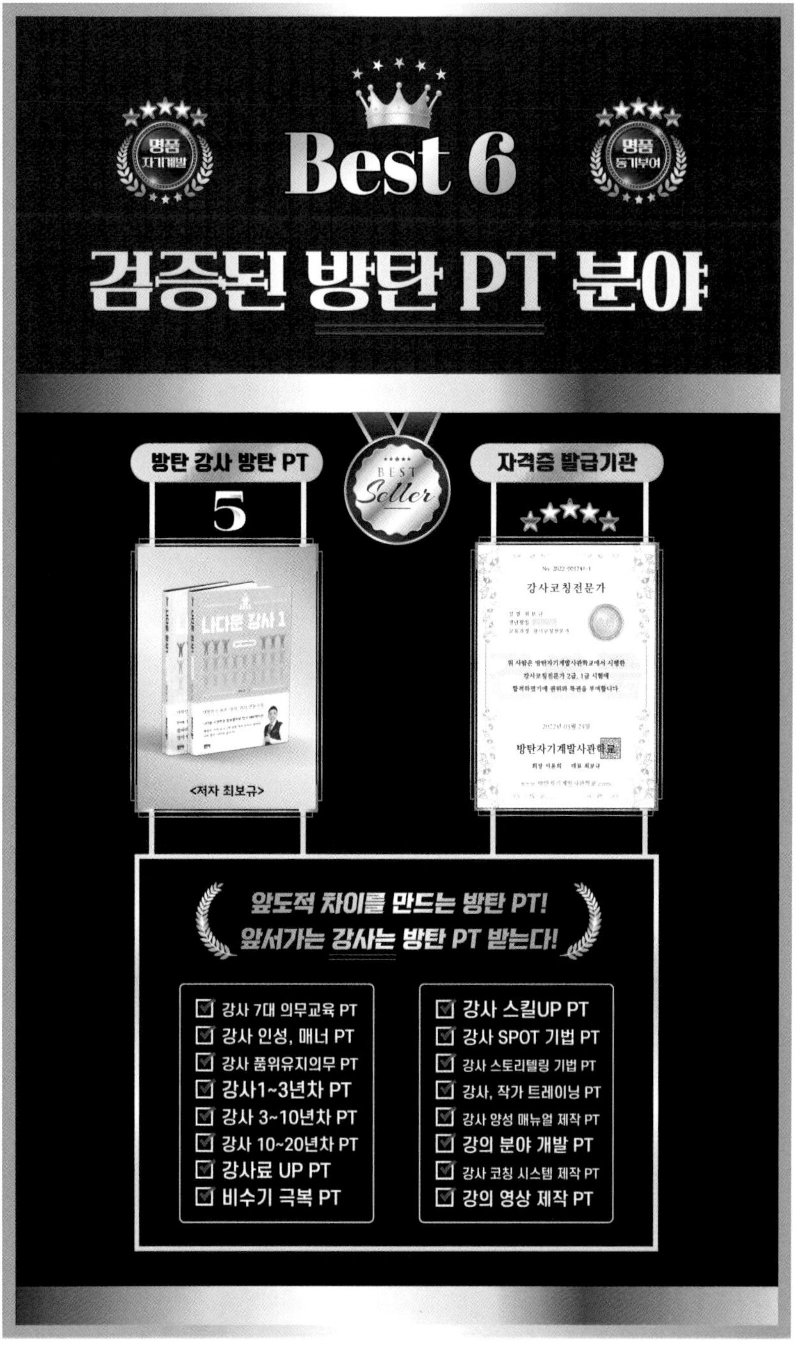
명품 자기계발
Best 6
명품 동기부여
검증된 방탄 PT 분야
방탄 강사 방탄 PT
5
BEST Seller
자격증 발급기관
나다운 강사 1
<저자 최보규>
강사코칭전문가
방탄자기계발사관학교
압도적 차이를 만드는 방탄 PT!
앞서가는 강사는 방탄 PT 받는다!
강사 7대 의무교육 PT
강사 인성, 매너 PT
강사 품위유지의무 PT
강사1~3년차 PT
강사 3~10년차 PT
강사 10~20년차 PT
강사료 UP PT
비수기 극복 PT
강사 스킬UP PT
강사 SPOT 기법 PT
강사 스토리텔링 기법 PT
강사, 작가 트레이닝 PT
강사 양성 매뉴얼 제작 PT
강의 분야 개발 PT
강사 코칭 시스템 제작 PT
강의 영상 제작 PT

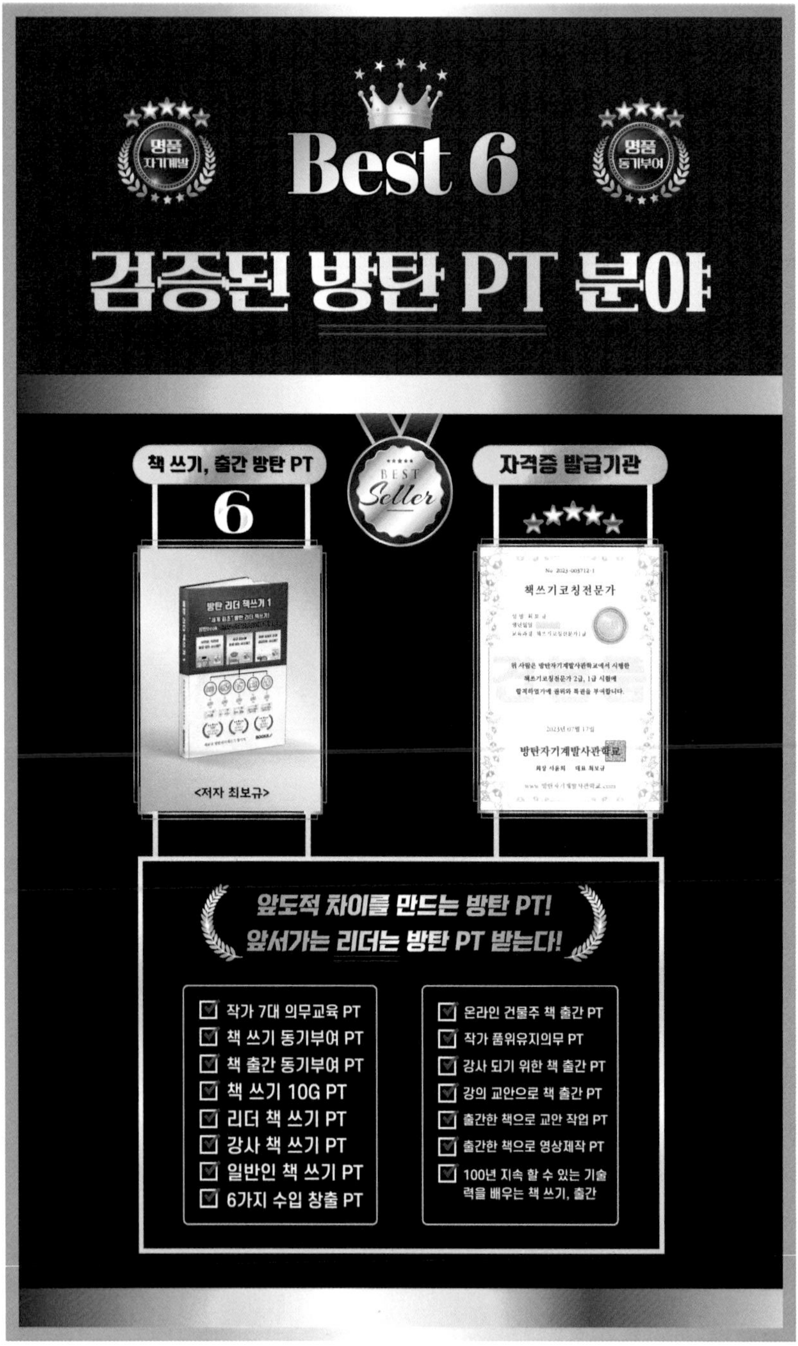
명품 자기계발
Best 6
명품 동기부여
검증된 방탄 PT 분야
책 쓰기, 출간 방탄 PT
6
BEST Seller
자격증 발급기관
방탄 리더 책쓰기 1
<저자 최보규>
책쓰기코칭전문가
방탄자기계발사관학교
압도적 차이를 만드는 방탄 PT!
앞서가는 리더는 방탄 PT 받는다!
작가 7대 의무교육 PT
책 쓰기 동기부여 PT
책 출간 동기부여 PT
책 쓰기 10G PT
리더 책 쓰기 PT
강사 책 쓰기 PT
일반인 책 쓰기 PT
6가지 수입 창출 PT
온라인 건물주 책 출간 PT
작가 품위유지의무 PT
강사 되기 위한 책 출간 PT
강의 교안으로 책 출간 PT
출간한 책으로 교안 작업 PT
출간한 책으로 영상제작 PT
100년 지속 할 수 있는 기술력을 배우는 책 쓰기, 출간

국가등록 민간자격증 교육기관

No. 2021-005595-1

자기계발코칭전문가

성 명: 최 보 규
생년월일: [redacted]
교육과정: 자기계발코칭전문가

위 사람은 방탄자기계발사관학교에서 시행한
자기계발코칭전문가 2급 시험에
합격하였기에 권위와 특권을 부여합니다.

2021년 12월 12일

방탄자기계발사관학교

회장 서윤희 | 대표 최보규

www.방탄자기계발사관학교.com

1 자기계발코칭전문가

★ 자격증명: 자기계발코칭전문가 2급, 1급
★ 등록번호: 2021-005595
★ 주무부처: 교육부
★ 자격증 종류: 모바일 자격증
★ 발급처: 방탄자기계발사관학교 (최보규 대표)

국가등록 민간자격증 교육기관

No. 2022-000126-1

리더십코칭전문가

성 명: 최 보 규
생년월일:
교육과정: 리더십코칭전문가 1급

위 사람은 방탄자기계발사관학교에서 시행한
리더십코칭전문가 2급, 1급 시험에
합격하였기에 권위와 특권을 부여합니다.

2023년 01월 17일

방탄자기계발사관학교

회장 서윤희 | 대표 최보규

www.방탄자기계발사관학교.com

2 리더십코칭전문가

★ 자격증명: 리더십코칭전문가 2급, 1급
★ 등록번호: 2023-000126
★ 주무부처: 교육부
★ 자격증 종류: 모바일 자격증
★ 발급처: 방탄자기계발사관학교 (최보규 대표)

국가등록

민간자격증 교육기관

No. 2022-001741-1

강사코칭전문가

성 명: 최 보 규
생년월일:
교육과정: 강사코칭전문가

위 사람은 방탄자기계발사관학교에서 시행한
강사코칭전문가 2급, 1급 시험에
합격하였기에 권위와 특권을 부여합니다.

2022년 03월 24일

방탄자기계발사관학교

회장 서윤희 | 대표 최보규

www.방탄자기계발사관학교.com

3 강사코칭전문가

★ 자격증명: 강사코칭전문가 2급, 1급
★ 등록번호: 2022-001741
★ 주무부처: 교육부
★ 자격증 종류: 모바일 자격증
★ 발급처: 방탄자기계발사관학교 (최보규 대표)

국가등록 민간자격증 교육기관

명품 자기계발

명품 동기부여

No. 2023-003712-1

책쓰기코칭전문가

성 명: 최 보 규
생년월일:
교육과정: 책쓰기코칭전문가1급

위 사람은 방탄자기계발사관학교에서 시행한
책쓰기코칭전문가 2급, 1급 시험에
합격하였기에 권위와 특권을 부여합니다.

2023년 07월 17일

방탄자기계발사관학교

회장 서윤희 | 대표 최보규

www.방탄자기계발사관학교.com

LOREM IPSUM DOLOR

1 THE BEST COMPANY

4 책쓰기코칭전문가

★ 자격증명: 책쓰기코칭전문가 2급, 1급
★ 등록번호: 2023-003712
★ 주무부처: 교육부
★ 자격증 종류: 모바일 자격증
★ 발급처: 방탄자기계발사관학교 (최보규 대표)

국가등록

민간자격증 교육기관

No. 2023-004646-1

동기부여코칭전문가

성 명: 최 보 규
생년월일:
교육과정: 동기부여코칭전문가1급

위 사람은 방탄자기계발사관학교에서 시행한
동기부여코칭전문가 2급, 1급 시험에
합격하였기에 권위와 특권을 부여합니다.

2023년 09월 25일

방탄자기계발사관학교

회장 서윤희 | 대표 최보규

www.방탄자기계발사관학교.com

5 동기부여코칭전문가

★ 자격증명: 동기부여코칭전문가 2급, 1급
★ 등록번호: 2023-004646
★ 주무부처: 교육부
★ 자격증 종류: 모바일 자격증
★ 발급처: 방탄자기계발사관학교 (최보규 대표)

검증된 크몽 디지털콘텐츠
kmong
어떤 전문가를 찾으시나요?
24시간 무인 시스템
방탄book기술력창시자
전자책
PPT로 책 출간
6가지 수입 창출 책 출간
방탄book기술력창시자
PPT로 종이책 출간, 전자책 출간
1
100,000원

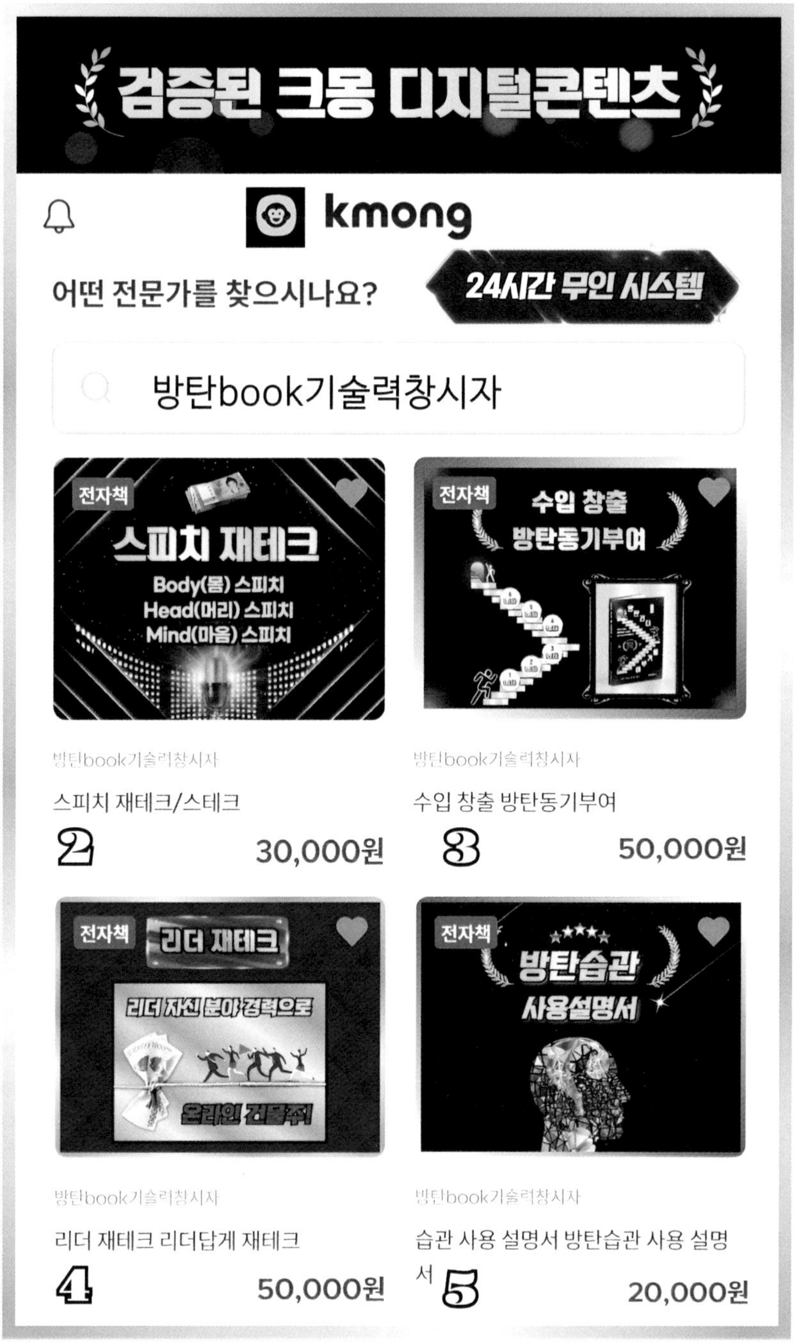
검증된 크몽 디지털콘텐츠
kmong
어떤 전문가를 찾으시나요?
24시간 무인 시스템
방탄book기술력창시자
전자책
스피치 재테크
Body(몸) 스피치
Head(머리) 스피치
Mind(마음) 스피치
전자책
수입 창출
방탄동기부여
방탄book기술력창시자
스피치 재테크/스테크
2
30,000원
방탄book기술력창시자
수입 창출 방탄동기부여
3
50,000원
전자책
리더 재테크
리더 자신 분야 경력으로
온라인 건물주
전자책
방탄습관
사용설명서
방탄book기술력창시자
리더 재테크 리더답게 재테크
4
50,000원
방탄book기술력창시자
습관 사용 설명서 방탄습관 사용 설명서
5
20,000원

검증된 크몽 디지털콘텐츠
kmong
어떤 전문가를 찾으시나요?
24시간 무인 시스템
방탄book기술력창시자
전자책
책 테크
6가지 수입 창출 책출간!
전자책
유튜브 재테크!
6가지 수입 창출!
방탄book기술력창시자
6가지 수입 창출 책출간
6
30,000원
방탄book기술력창시자
유튜브 재테크 6가지 수입 창출
7
30,000원
VOD
방탄 사랑
30분에 끝나는
결혼식에? 집착?
결혼생활 100년에 집중!
VOD
자신 분야
삼성(진정성, 전문성, 신뢰성)
제2, 3수입을 올릴 수 있는
방탄 자기계발
방탄book기술력창시자
방탄사랑 사랑 사용 설명서 사랑도 스펙이다
8
100,000원
방탄book기술력창시자
온라인 건물주 되는 방법 알려 드립니다.
9
300,000원

검증된 탈잉 디지털콘텐츠
24시간 무인 시스템
탈잉
최보규
PPT로 책 출간
6가지 시스템 수익 창출 책 출간!
전자책
PPT로 종이책 출간, 전자책 출간
100,000원
1

검증된 탈잉 디지털콘텐츠
24시간 무인 시스템
탈잉
최보규
6가지 수입 창출
방탄 자기계발
VOD
수입창출 자기계발
월 200,000원
2

검증된 탈잉 디지털콘텐츠
탈잉
최보규
24시간 무인 시스템
방탄 사랑
VOD
방탄 사랑 사용 설명서
월 200,000원
3
리더 재테크
리더 자신 분야 경력으로
올리인 건물주!
전자책
리더 재테크 리더답게 재테크
30,000원
4

검증된 탈잉 디지털콘텐츠
탈잉
최보규
24시간 무인 시스템
행복히어로
(행복사관학교)
행복하면
돈을 번다!
행복
사용설명서
전자책
[튜터전자책]행복공식1=138P . 행복공식2=145P)
22,000원
5
나다운
방탄습관블록
방탄습관
몸 습관
머리 습관
마음 습관
사용설명서
전자책
[튜터전자책]습관백과사전/방탄습관1=131P . 방탄습관
2=175P
20,000원
6

검증된 클래스U 디지털콘텐츠
24시간 무인 시스템
자기계발코칭전문가 자격증
13강(자격증 발급), 1:1 코칭 연결
CLASSU
클래스 개설
로그인
무엇을 배우고 싶나요?
최보규
클래스 2개
↑↓ 정확도순
자신 분야
삼성(진정성, 전문성, 신뢰성)
제2, 3수입을 올릴 수 있는
방탄 자기계발
참 쉽죠! 온라인 건물주!
최보규
월 70,000원
1
방탄 사랑
결혼식 하루에 집착하지 말고
결혼 생활 100년에 집중하자!
방탄사랑! 사랑 사용 설명서!
사랑도 스펙이다!
최보규
월 50,000원
2

검증된 인클 디지털콘텐츠
24시간 무인 시스템
인클
방탄자기계발
노력 자기계발이 아닌 방탄자기계발
인클
인생2막클래스 검색하기
최보규
노력 자기계발이 아닌
방탄자기계발
LEVEL UP
당신의 행복을 지켜드려요
노력 자기계발이 아닌 방탄자기계발
1,000,000원
인클패밀리 전 강좌 무료

검증된 유페이퍼 디지털콘텐츠
24시간 무인 시스템
유페이퍼
분류 신규 인기 추천 대여 할인 다운 페이퍼
[최보규] 검색어 콘텐츠 159
자신 상성을 높이는 시작은 책 쓰기, 책 출간이다!
(진정성, 전문성, 신뢰성)
온라인 건물주가 되기 위한 시작은
책 쓰기, 책 출간이다!

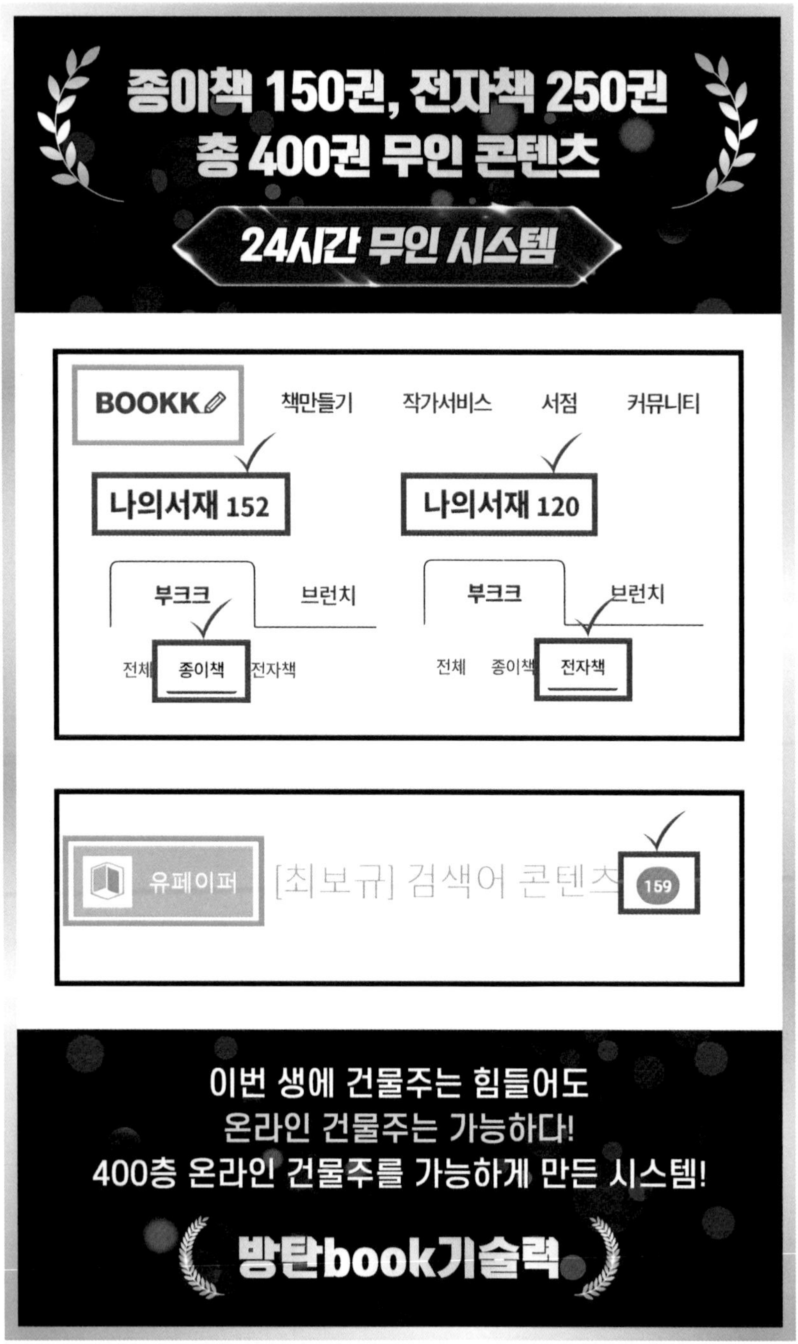
종이책 150권, 전자책 250권
총 400권 무인 콘텐츠
24시간 무인 시스템
BOOKK
책만들기
작가서비스
서점
커뮤니티
나의서재 152
나의서재 120
부크크
브런치
부크크
브런치
전체
종이책
전자책
전체
종이책
전자책
유페이퍼
[최보규] 검색어 콘텐츠
159
이번 생에 건물주는 힘들어도
온라인 건물주는 가능하다!
400층 온라인 건물주를 가능하게 만든 시스템!
방탄book기술력

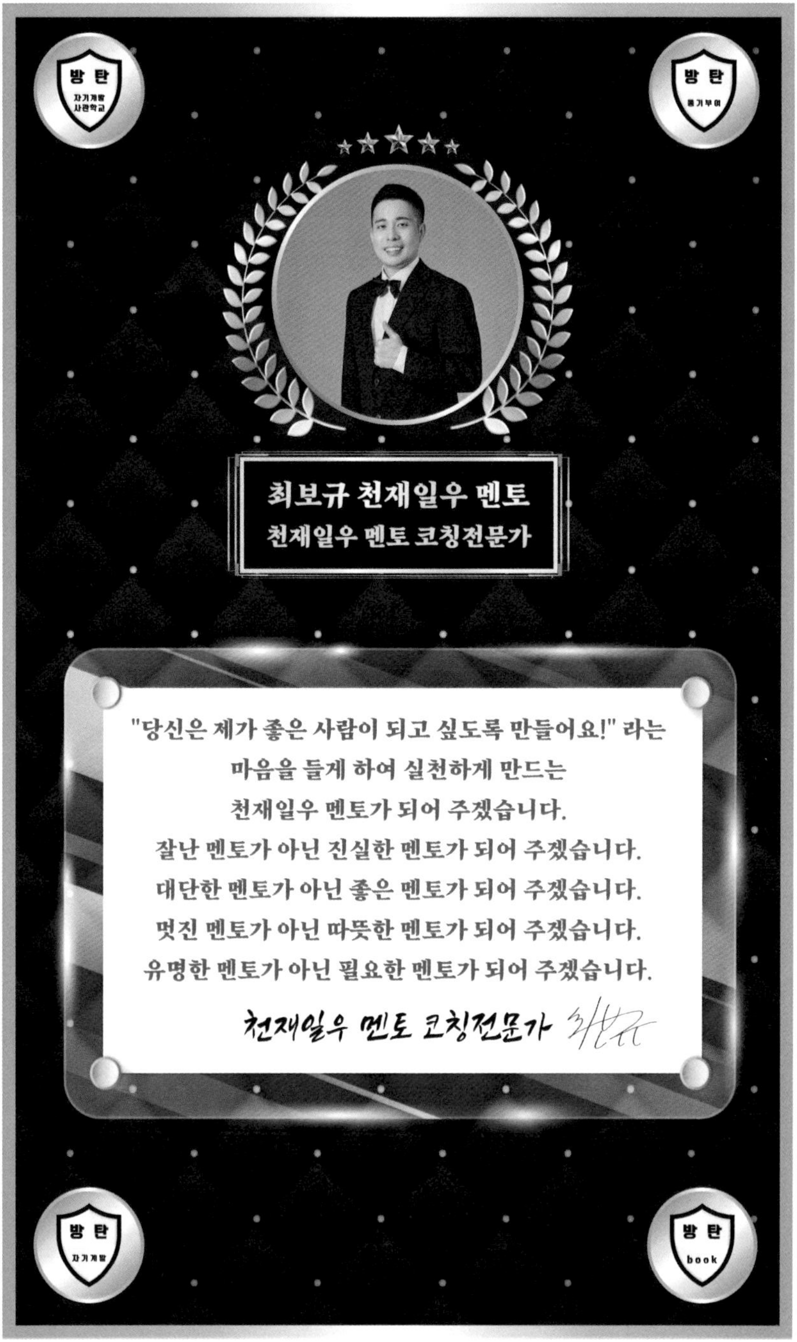
방 탄
자기계발 사관학교
방 탄
동기부여
최보규 천재일우 멘토
천재일우 멘토 코칭전문가
"당신은 제가 좋은 사람이 되고 싶도록 만들어요!" 라는
마음을 들게 하여 실천하게 만드는
천재일우 멘토가 되어 주겠습니다.
잘난 멘토가 아닌 진실한 멘토가 되어 주겠습니다.
대단한 멘토가 아닌 좋은 멘토가 되어 주겠습니다.
멋진 멘토가 아닌 따뜻한 멘토가 되어 주겠습니다.
유명한 멘토가 아닌 필요한 멘토가 되어 주겠습니다.
천재일우 멘토 코칭전문가
방 탄
자기계발
방 탄
book

5. 포트폴리오 커리어 리더는 왜! 무인 시스템 자기계발을 해야 하는가?

자고 일어났는데 통장에 돈이 들어오는 시스템? 여행 중에도 돈이 들어오는 시스템? 비수기가 없는 시스템? 홈페이지가 일하게 하자, 시스템이 일하게 하자, 콘텐츠가 일하게 하자 움직이지 않아도 수입이 발생하는 시스템!

★ 홈페이지가 없는 리더! 홈페이지만 있는 리더! 무인 자동결제 시스템이 되는 홈페이지가 있는 리더!

홈페이지가 없는 대표? 리더? 협회? 단체? 는 자신 분야 전문가라고 하면 안 된다. 왜? 4차 산업 시대, 디지털 시대에 홈페이지가 없다는 것은 시대에 뒤떨어지는 행동이다. 리더의 자질을 의심해 봐야 한다. 시대에 뒤떨어지는 사람이 어떻게 한 분야 전문가라고 말을 할 수 있는가? 홈페이지가 있다는 것은 간접적으로 자신 분야 가치, 목표, 신념, 사명감을 보여주는 것이다. 홈페이지가 없다면? 자신 분야 가치, 목표, 신념, 사명감이 없다고 봐야 한다.

비즈니스를 하기 위해서 홈페이지에 들어가 정보들을 참고하게 된다. 홈페이지가 없다고 무조건 의심스러운 사람, 사기꾼은 아니지만 단순하게 말을 하면 홈페이지가 있으면 기본적인 것이 검증이 되는 사람이다.
참고로 비즈니스를 할 때 돈을 보여주고, 돈 언급을 많이 하는 사람들이 다 사기꾼은 아니지만 비즈니스를 할 때 돈을 보여주는 사람들 90%는 사기꾼이라는 것을 명심해야 한다.

홈페이지는 자신 분야 주민등록증과 같은 것이다. 자신,

자신 분야 신분을 증명시켜주는 플랫폼이다.
누군가 전문가라고 하는데 홈페이지가 없다면 전문가라고 인정하지 않아도 된다. 홈페이지가 있다고 다 전문가는 아니지만 진짜 전문가는 홈페이지가 기본으로 있다.
이제는 시대가 빠르게 변하고 있다. 홈페이지만 있다고 되는 세상이 아니다. 전에는 홈페이지 용도가 회사 정보, 자신 분야 정보 등 정보 파악 기능 밖에 없었다. 이제는 비대면 시대, 디지털 시대, 시대에 맞게 무인 자동 결제 시스템과 연결시켜 홈페이지가 일하게 해야 하고, 콘텐츠가 일하게 해야 한다. 언제까지 몸으로 일할 것인가?
더 늦기 전에 홈페이지를 무인 자동 결제 시스템과 연결시켜 자신 분야를 디지털 콘텐츠 시스템화하지 않으면 자신 분야 미래는 우울하고 100세 까지 몸으로 일해야 한다.

20,000명 심리 상담, 코칭 하면서 리더, 협회, 단체, 개인 대표들의 고충을 알게 되었다.
경력 10년 이상, 협회장, 단체 대표, 1인 기업가, 전문 분야가 있지만 홈페이지가 없어 삼성(진정성, 전문성, 신뢰성)을 인정 못 받는 현실이다. 온라인 시스템을 만들기 위해 여기저기 알아보지만 답답하고 돈이 몇천만 원 들어가는 현실에 엄두가 나지 않는 상황이다.

● 리더, 협회장, 단체 대표, 1인 기업가, 전문 분야가 있는 사람들의 6가지 고충!

1. 홈페이지 제작 의뢰 전문가 비용 200~300만 원 부담된다.
2. 디지털콘텐츠를 자동화 결제 시스템 연결시키는데 100~200만 원 부담된다.
3. 자격증 교육, 코칭 교육, 줌교육, 자기계발교육, 책 쓰기 교육...온라인으로 팔 수 있는 콘텐츠 촬영해서 편집, 세부 디자인, 상세디자인...전문가의뢰 시 비용 200 ~ 300만 원 부담된다.
4. 홈페이지 관리 전문가 비용 100~200만 원 부담된다.
5. 회원 모집하기 쉽지 않다.
6. 새로운 콘텐츠 개발 전문가 의뢰비용 200~300만 원 부담된다.

"아~ 몇 천만 원 들어가는 홈페이지 제작비용, 디지털 콘텐츠 자동화 결제 시스템 전문가 비용(관리), 회원 모집을 한 번에 해결 수 있다면?"

"1,000만 원 이상 발생하는 비용을 1인 평균 한 달 커피 지출 비용(5만 ~ 10만 원) 수준으로 렌탈 할 수 있다면?"

시스템을 만들 수 없다면 만들어진 시스템 안으로 들어가면 된다. "함께 잘되고 잘 살자 프로젝트" "세계 최초" 자기계발아마존에서 시작 할 수 있다.

자기계발 아마존
홈페이지 렌탈서비스!
1,000만 원 발생하는
제작, 운영비를 한달 커피값으로 해결?
리더, 협회, 단체, 1인 기업가 대표들의 공통적인 6가지 고충!
1. 홈페이지 제작
2. 결제 자동화 시스템
3. 콘텐츠 촬영, 편집, 디자인
4. 홈페이지 관리
5. 회원 모집
6. 콘텐츠 개발
Google 자기계발아마존
NAVER 자기계발아마존
6가지 고충을 자기계발 아마존 한 곳에서 해결!

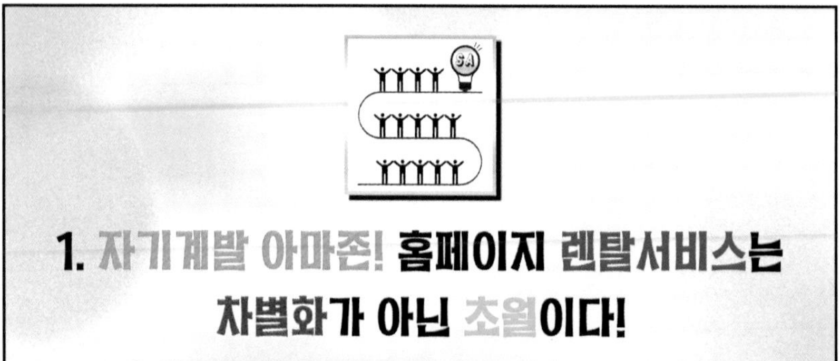

1. 초월 항목	A사 (플렛폼)	B사 (플렛폼)	C사 (플렛폼)	자기계발 아마존
홈페이지 초기 제작 비용 매달 비용 (서버 비용)	무료 매달 3 ~ 10만 원	100 ~ 200만 원 매달 3 ~ 10만 원	200 ~ 300만 원 매달 3 ~ 10만 원	무료 매달 5만 원

2. 홈페이지 제작보다 더 큰 돈이 들어가는 것? 홈페이지 운영, 관리 하기 위한 전문가 비용이다!

NAVER 방탄자기계발사관학교 | YouTube 방탄자기계발 | Google 자기계발아마존 | NAVER 최보규

2. 초월 항목	A사(플렛폼)	B사(플렛폼)	C사 (플렛폼)	자기계발 아마존
홈페이지 운영, 관리 비용 (매달 들어가는 비용)	전문가 비용 100~200만 원	전문가 비용 100~200만 원	전문가 비용 100 ~ 200만 원	무료 (매달 무료)

3. 디지털시대에 자동결제 시스템이 안되는 홈페이지는 쓰레기다!

NAVER 방탄자기계발사관학교 | YouTube 방탄자기계발 | Google 자기계발아마존 | NAVER 최보규

3. 초월 항목	A사(플렛폼)	B사(플렛폼)	C사 (플렛폼)	자기계발 아마존
자동 / 무인 결제시스템	X (시스템 없음)	제작 비용 100~200만 원	제작 비용 100 ~ 200만 원	무료

4. 디지털시대 자신 분야 촬영, 편집, 디자인 스펙은 이제 선택이 아닌 필수다!

NAVER 방탄자기계발사관학교 | YouTube 방탄자기계발 | Google 자기계발아마존 | NAVER 최보규

4. 초월 항목	A사 (플렛폼)	B사 (플렛폼)	C사 (플렛폼)	자기계발 아마존
디지털 콘텐츠 제작 촬영, 편집, 상세디자인	X (시스템 없음)	제작 비용 100 ~ 200만 원	제작 비용 200 ~ 200만 원	무료

5. 디지털트렌드는 매달 결제로 이루어지는 정액제, 시스템 사용료가 발생한다! (어도비, 포토샵, 넥플릭스, 카카오 이모티콘 플러스, 디즈니플러스....)

NAVER 방탄자기계발사관학교 | YouTube 방탄자기계발 | Google 자기계발아마존 | NAVER 최보규

5. 초월 항목	A사 (플렛폼)	B사 (플렛폼)	C사 (플렛폼)	자기계발 아마존
디지털 콘텐츠 운영, 사용 비용 (매달 비용 발생)	X (시스템 없음)	매달 3 ~ 10만 원	매달 3 ~ 10만 원	매달 5만 원

6. 협회, 단체, 단톡방, 밴드... 많은 모임들을 한 곳에서 자유롭게 교류, 모집, 콘텐츠 공유를 통해 고립되고 있는 모임들 활성화!

NAVER 방탄자기계발사관학교 | YouTube 방탄자기계발 | Google 자기계발아마존 | NAVER 최보규

6. 초월 항목	A사(플렛폼)	B사(플렛폼)	C사 (플렛폼)	자기계발 아마존
협업을 통한 회원 모집, 교류 시스템	X (시스템 없음)	X (시스템 없음)	X (시스템 없음)	홈페이지 통합 시스템 협업으로 회원을 모집, 교류, 공유

7. 앞으로는 자신 분야 한 가지 콘텐츠로 살아남지 못한다. 자신 분야를 연결시킬 수 있는 3 ~ 5개 콘텐츠를 개발하여 무인 시스템이 되는 콘텐츠로 연결시켜 제2, 제3, 제4 수입 창출하자!

NAVER 방탄자기계발사관학교 | YouTube 방탄자기계발 | Google 자기계발아마존 | NAVER 최보규

7. 초월 항목	A사(플렛폼)	B사(플렛폼)	C사 (플렛폼)	자기계발 아마존
콘텐츠 개발, 연결 (제2, 제3, 제4 수입 창출)	X (시스템 없음)	X (시스템 없음)	제작 비용 500 ~ 1,000만 원	무료 컨설팅 (기획, 제작) 콘텐츠에 따라 비용 발생

8. 114처럼 언제든지 물어볼 수 있는
삼성(진정성, 전문성, 신뢰성)이 검증된 전문가가
150년 함께 한다면 자신 분야에서 인정, 변화, 성장할 것이다!

NAVER 방탄자기계발사관학교 | YouTube 방탄자기계발 | Google 자기계발아마존 | NAVER 최보규

8. 초월 항목	A사(플렛폼)	B사(플렛폼)	C사 (플렛폼)	자기계발 아마존
A/S, 관리, 피드백	1년 ~ 2년	1년 ~ 2년	1년 ~ 2년	150년 무료

9. 비용은 시간이 지나면 당연하게 오른다!
비용이 가장 쌀 때는 지금이고 가장 비쌀 때는 내일이다.
싸고 비싸고가 중요한게 아니다. 어떤 사람과 함께하느냐가 중요하다!

NAVER 방탄자기계발사관학교 | YouTube 방탄자기계발 | Google 자기계발아마존 | NAVER 최보규

9. 초월 항목	A사(플렛폼)	B사(플렛폼)	C사 (플렛폼)	자기계발 아마존
총 비용 매달 비용	초기 비용 100 ~ 200만 원 매달 비용 3 ~ 10만 원	초기 비용 500 ~ 1,000만 원 매달 비용 5 ~ 20만 원	초기 비용 1,000 ~ 2,000만 원 매달 비용 5 ~ 20만 원	초기 비용 무료 매달 비용 5 ~ 10만 원

자신JOB 돈버는
온라인 건물주?
자고 있는데 돈이
입금 되는 시스템?
월세, 연금처럼 수입이
100년(자녀에게 유산으로 줄 수
있는 수입)발생하는 시스템?
여행 중에도
돈이 입금 되는 시스템?

자고 일어 났는데 통장에 돈이 들어오는 시스템?
여행중에도 돈이 들어오는 시스템?
비수기가 없는 시스템?
주목!!!
당신이 애타게
찾고 있던 시스템!

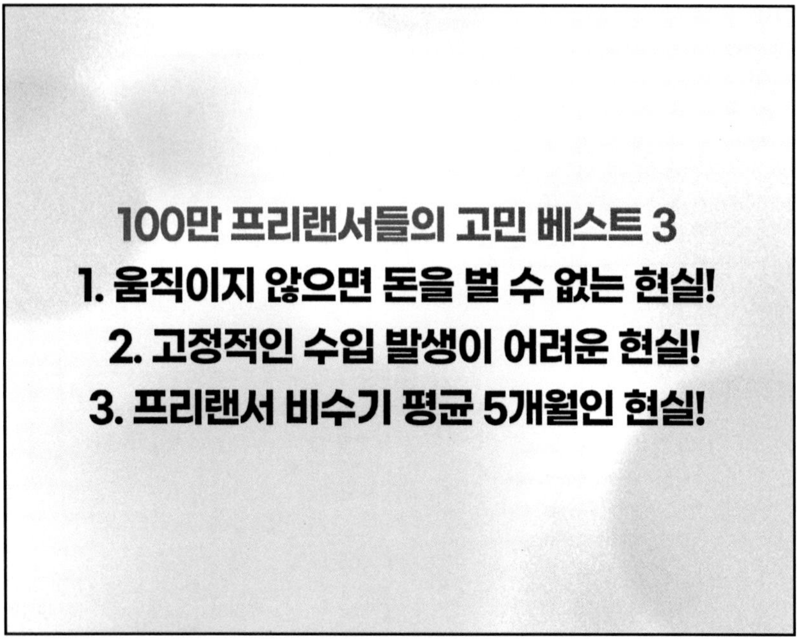
100만 프리랜서들의 고민 베스트 3
1. 움직이지 않으면 돈을 벌 수 없는 현실!
2. 고정적인 수입 발생이 어려운 현실!
3. 프리랜서 비수기 평균 5개월인 현실!

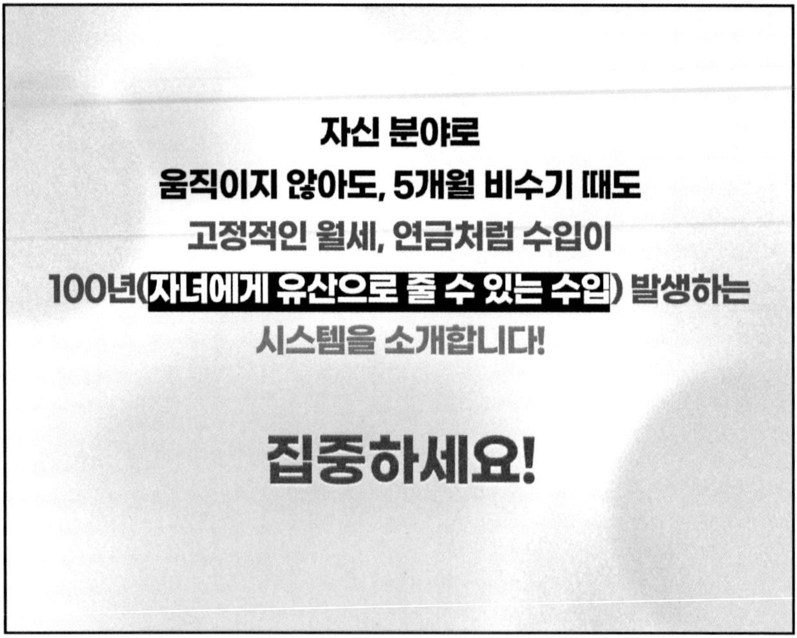
자신 분야로
움직이지 않아도, 5개월 비수기 때도
고정적인 월세, 연금처럼 수입이
100년(자녀에게 유산으로 줄 수 있는 수입) 발생하는
시스템을 소개합니다!
집중하세요!

사무실이 필요 없는 시스템!

직원이 필요 없는 시스템!

휴식 중에도 돈이 들어오는 시스템!

가족들과 여행 중에도 돈이 벌리는 시스템!

자고 일어나면 통장에 돈이 입금되는 시스템!

누구나 바라는 시스템이지만 아무나 만들 수 없고
만들고 싶어도 몇 천만원이 들어가는 시스템!

최보규원장이 그 마음 알기에 함께 잘 되고 잘 살기 위해
지금 현실, 앞으로 힘든 시기를 극복하는 터닝포인트 기회를 드립니다!

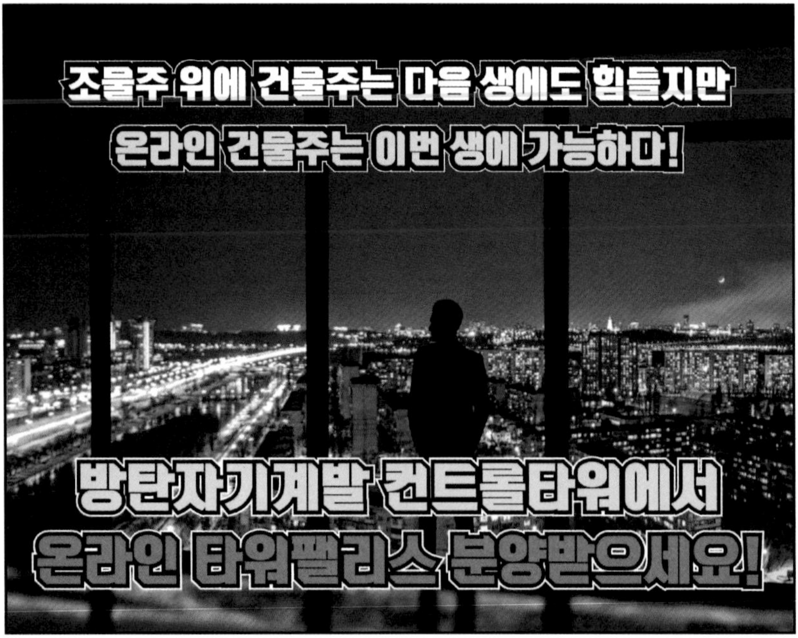
조물주 위에 건물주는 다음 생에도 힘들지만
온라인 건물주는 이번 생에 가능하다!
방탄자기계발 컨트롤타워에서
온라인 타워팰리스 분양받으세요!

분양 받기 어렵겠지?

비용이 많이 들겠지?

NOPE

NOPE

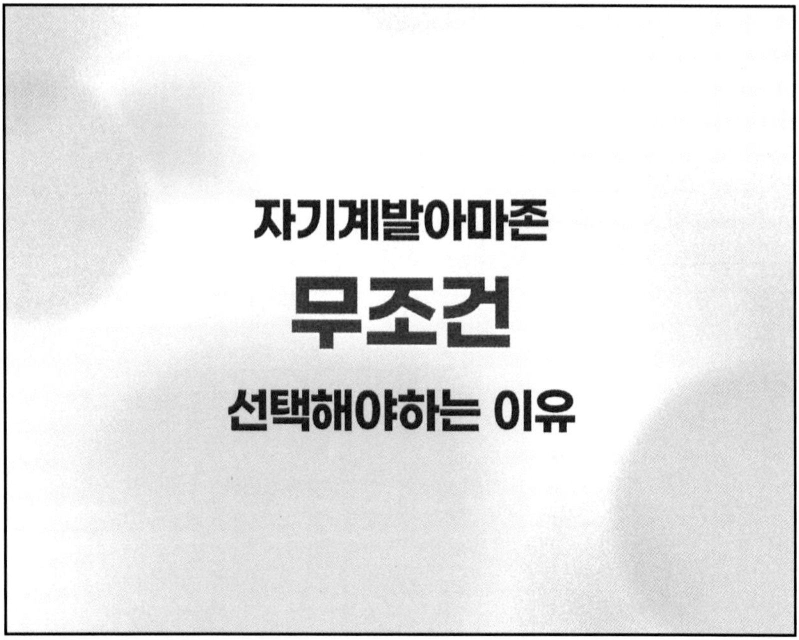
자기계발아마존
무조건
선택해야하는 이유

합리적인 비용
영상제작 · 디자인 · 편집 · 자신분야 컨설팅
초기 비용 0원
NAVER 자기계발아마존
Google 자기계발아마존

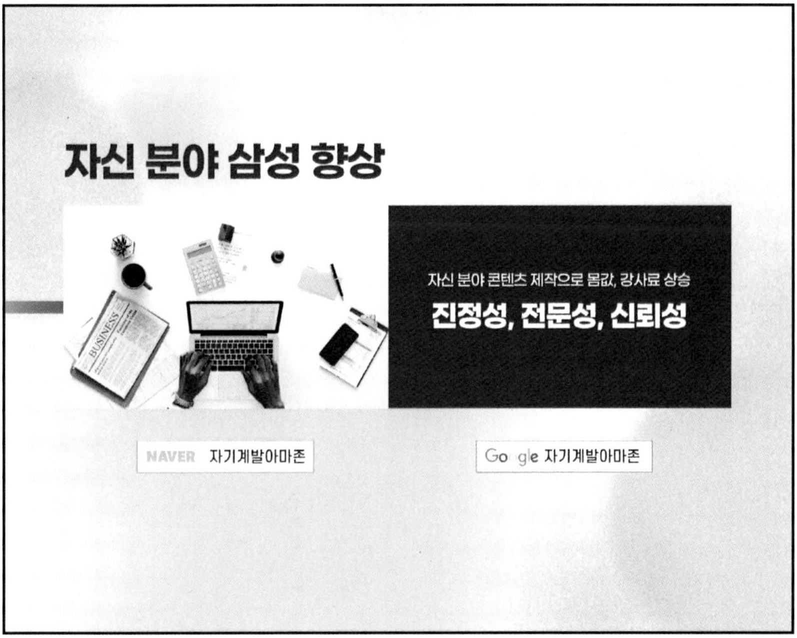
자신 분야 삼성 향상
자신 분야 콘텐츠 제작으로 몸값, 강사료 상승
진정성, 전문성, 신뢰성
NAVER 자기계발아마존
Google 자기계발아마존

연금성 소득
콘텐츠 한번 제작으로 100년 소득
(자녀에게 물려줄 수 있는 유산)
무한 소득
NAVER 자기계발아마존
Google 자기계발아마존

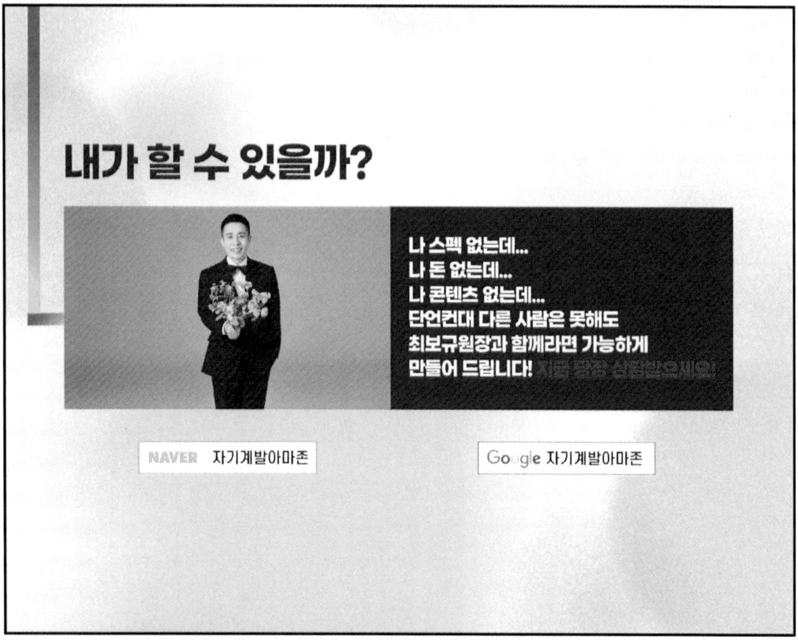
내가 할 수 있을까?
나 스펙 없는데...
나 돈 없는데...
나 콘텐츠 없는데...
단언컨대 다른 사람은 못해도
최보규원장과 함께라면 가능하게
만들어 드립니다! 지금 당장 상담받으세요!
NAVER 자기계발아마존
Google 자기계발아마존

새로운발견
자신분야의
프리랜서의

프리랜서 힘들죠? 지치죠?
전문 분야를 만들어 제대로 인정 받고 싶죠?
전국 돌아다니다 보니 몸이 성한 곳이 없죠?
나이가 많아서 불러 주는 사람이 점점 줄어 들고
자신 분야 프리랜서 직업의 미래가 불안하시죠?

100만 명 프리랜서 들의 걱정, 고민 들
세계 최초 자기계발 쇼핑몰을 창시한
최보규 원장이 그 마음들 알기에 함께 잘 살기 위한 시스템인
자기계발아마존에서 극복할 수 있습니다.

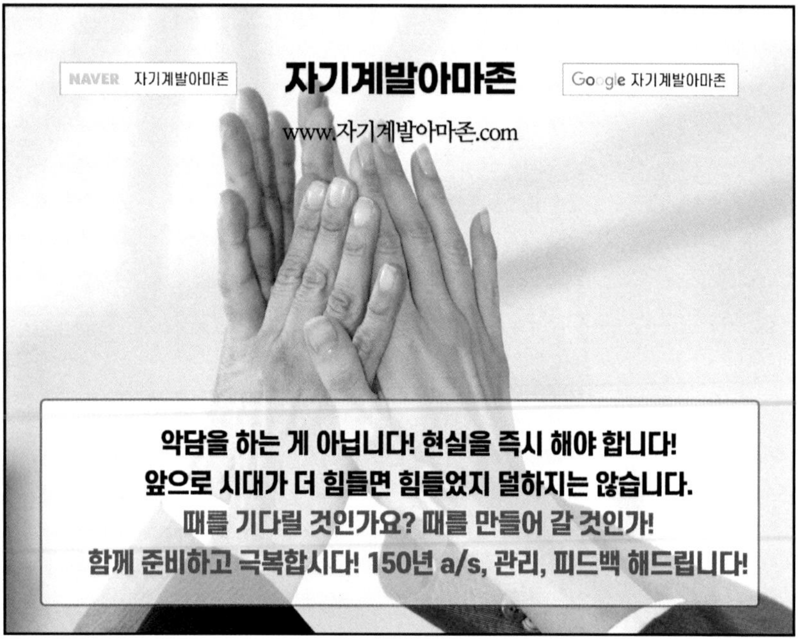
NAVER 자기계발아마존
자기계발아마존
Google 자기계발아마존
www.자기계발아마존.com
악담을 하는 게 아닙니다! 현실을 즉시 해야 합니다!
앞으로 시대가 더 힘들면 힘들었지 덜하지는 않습니다.
때를 기다릴 것인가요? 때를 만들어 갈 것인가!
함께 준비하고 극복합시다! 150년 a/s, 관리, 피드백 해드립니다!

★ 리더 자기계발계의 브라이언 오서, 거스 히딩크가 되어 주겠다!

리더 자기계발도 이제는 효율적으로 해야 한다. 효율적으로 하기 위해서는 시스템 안에서 어떤 전문가와 함께 할 것인가?

2010년 김연아를 벤쿠버 올림픽 금메달로 이끈 브라이언 오서 코치라는 시스템이 있었다. 2002년 월드컵 4강 신화의 주역인 거스 히딩크 감독이라는 체계적인 시스템을 만났기에 가능했다는 것이다.

최보규 방탄리더 자기계발 전문가가 리더 자기계발계의 오셔, 거스 히딩크가 되어주겠다. 리더여, 최보규 방탄리더 자기계발 전문가를 만났기에 이제는 가능하다는 것이다. 자신을 못 믿겠는가? 자신을 못 믿겠다면 자신을 믿어주는 최보규 방탄리더 자기계발 전문가를 믿고 지금부터 시작하면 된다.

기댈 곳 / 가수 싸이

당신의 오늘 하루가 힘들진 않았나요

나의 하루는 그저 그랬어요

괜찮은 척하기가 혹시 힘들었나요

난 그저 그냥 버틸만했어요

솔직히 내 생각보다 세상은 독해요
솔직히 난 생각보다 강하진 못해요.
하지만 힘들다고 어리광 부릴 순 없어요.
버틸 거야 견딜 거야 괜찮을 거야
하지만 버틴다고 계속 버텨지지는 않네요
그래요 나 기댈 곳이 필요해요
그대여 나의 기댈 곳이 돼줘요
당신의 고된 하루를 누가 달래주나요
다독여달라고 해도 소용없어요
솔직히 난 세상보다 한참 부족해요
솔직히 난 세상만큼 차갑진 못해요
하지만 힘들다고 어리광 부릴 순 없어요
버틸 거야 견딜 거야 괜찮을 거야
하지만 버틴다고 계속 버텨지지는 않네요
그래요 나 기댈 곳이 필요해요
그대여 나의 기댈 곳이 돼줘요
항상 난 세상이 날 알아주길 바래
실은 나 세상이 날 안아주길 바래
괜찮은 척하지만 사는 게 맘 같지는 않네요
저마다의 웃음 뒤엔 아픔이 있어
하지만 아프다고 소리 내고 싶지는 않아요
그래요 나 기댈 곳이 필요해요
그대여 나의 기댈 곳이 돼줘요

기댈 곳을 찾고 있는가? 방탄자기계발사관학교가 기댈 곳이 되어 주겠다. 방탄자기계발사관학교에서 방탄자기계발 학습, 연습, 훈련을 통해서 누군가에게 기댈 곳이 되어 줄 수 있는 세계 최강 방탄 코칭 전문가가 되어 인생을 갱생하자!

한번 코칭으로 "세계 최초" 세계 최강 책임감! 150년 동안 a/s, 관리, 피드백 해주겠다. 메시지, 메일 하길 바란다!

20,000명 심리 상담, 코칭으로
알게 된 사람들이 바라는 6가지 시스템!

1

커피숍에서 지인과
대화 중에도 돈이
입금되는 시스템?

2

자고 있는데
돈을 버는 시스템?

3

여행 중에도 돈이
입금되는 시스템?

4

사무실, 직원이
필요 없는 시스템?

5

건물주처럼
월세가
입금되는 시스템?

6

집에서 댕댕이와
휴식하고 있는데 돈이
입금되는 시스템?

세계 최초! 출판계의 혁신!
돈이 들어오는 6가지 시스템을
가능하게 하는 것이

방탄book기술력!

6. 포트폴리오 커리어 리더는 왜! 코칭 자기계발을 해야 하는가?

리더의 0순위 스펙은 인재 양성 코칭이다. 리더는 자신 분야를 청춘어람할 수 있는 코칭 능력이 있어야 한다. 인재, 귀인은 오는 것이 아니라 만들어지는 것이다. 포트폴리오 커리어 리더 코칭10계명(품위유지의무) 마스터로 코칭 수입 극대화!

1) 포트폴리오 커리어 리더 코칭 전문가의 사설
★ 리더는 보는 것, 말하는 것, 행동하는 것, 생각하는 것, 배우는 것, SNS 사진 한 장 올리는 것, 만나는 사람들...등 일반 사람들과는 달라야 한다.

다음은 리더에게 멘토가 얼마만큼 중요한지 알려주는 스토리텔링이다!

멘토의 중요성(사람 멘토, 책 멘토) -타이로페즈-
타이로페즈는 미국의 사업가이자 강연가로 유명합니다. 그는 한화로 5만 원을 수백억대로 불렸고 그의 TED톡 영상은 수백만 명이 봤습니다. 그런 그가 그 자리에 오를 수 있었던 가장 큰 이유 두 가지를 공유합니다.

멘토가 필요하냐구요? 책을 읽어야 하냐구요?
겁나 많은 의견들이 있어서 뭘 믿어야 할지 모르겠죠? 제가 한마디 하죠. 누군가가 저에게 해준 말인데 사람은 거짓말을 하지만 숫자는 진실을 말한다.

헷갈리면 숫자를 보세요. 내 말을 듣지 말고 남들 말도 듣지 말아 보죠. 그냥 숫자를 검색해봐요. 겁나 쉽습니다. Forbes(미국의 격주간 경제 잡지) 리스트를 봐바요. 세상 가장 성공한 기업가들 리스트죠. 그 사람들이 멘토가 있었을까요? 책을 읽었을까? 내가 읽어줄게요. 그럼 오마이갓.. 거의 모두가 포함되네요. 내가 존경하는 사람들인데 예로 리스트에 몇 명을 말해볼게요.

빌게이츠 멘토 Ed 로버츠
오프라 윈프리 멘토 메리던킨
스티브잡스 멘토 로버트 프리드랜드
워렌버핏 멘토 벤저민그레이엄
마이클조전 멘토 필잭슨
마크 저커버그 멘토 스티브 잡스
리스트에 모두가 멘토가 있었어요. 누가 누구의 제자였는지요. 작년에 코비 브라이언트랑 같이 앉아서 경기를 봤는데 그와 라커룸에서 대화했어요. 비디오로도 찍었는데 내가 물어봤죠.

"코비, 너 멘토 있었어?" 바로 답하더군요. "타이, 멘토가 가장 중요해." 코비는 많은 부류의 멘토가 있더군요. 마이클 잭슨도 코비에게 조언을 해줬대요. 디즈니의 CEO를 멘토로 만나는 등 각기 다른 멘토들요.

알버트 아인슈타인도 마찬가지예요. 인류 역사상 가장 위대한 천재도 멘토가 있었어요.
십대 때 부터 매주 목요일 멘토의 가족들과 함께 점심

을 먹었죠. 대화하며 수학과 물리학을 배웠어요.
당신이 누군진 모르겠지만 저는 아인슈타인보다 똑똑하지 않아요. 만약 그들이 멘토가 필요했다면 저는 더욱 필요하다고 느껴요.

역사를 돌아봐도 마찬가지예요. 위대한 정복자 알렉산더 대왕도 멘토가 있었어요. 15세 때 그의 아버지가 위대한 철학자 아리스토텔레스를 고용해 아들과 같이 여행해달라고 부탁하죠.
아리스토텔레스는 그렇게 그를 가르쳤어요. 아리스토텔레스의 놀라운 사실은 그는 철학자 플라토의 멘티였어요. 플라토는 소크라테스를 멘토로 두었죠. 연결고리가 보이시나요? 스티브 잡스도 멘토를 두고 있었지만 결국 자신도 누군가의 멘토가 되었죠. 멘토는 조언만 해주는 사람이 아니라 동기부여도 해줍니다. 세계 최고의 기업들이 바로 이렇게 탄생했다구요.

학습의 방법은 단 두 가지에요. 누군가에게 직접 배우던가 누군가가 쓴 책이나 영상으로 배우죠. 그게 다입니다. 한글, 수학 어떻게 배웠어요? 누워서 배워야지 생각만 하니까 배워졌어요?

누군가는 말하겠죠. "타이, 만약 멘토링과 책을 읽는데"

"행동을 안 하면 어떻게 돼?" 당연히 행동도 해야죠. 지하 방에 박혀서 책 읽고 유튜브에 동기부여나 멘토 양상만 본다고 되겠어요? 하지만 한 가지 더 열심히만 행동, 일하면서 똑똑하게 일하지 않으면 마찬가지로 얻는 건 별로 없을 겁니다.
예를 들어보면 누가 더 열심히 일할까요? 일용직 노동자와 스티브 잡스 혹은 일론 머스크 중에서요. 물론 일용직 노동자는 꼭 필요해요. 그분들을 욕하는 게 아닙니다. 하지만 성취한 수확물을 보면 열심히 보다 똑똑하게 일하는 게 더 큽니다.

포브스 리스트를 봐요. 최고 부자 리스트 아마존 창업자 제프베조스 아이러니하게도 책 관련 사업으로 시작했죠. 그는 책을 엄청 읽어요. 특히나 그의 샘 월튼의 자서전은 거의 인생에 멘토가 되었고 얼마나 많이 읽었는지 페이지들이 낡았더군요. 제프는 세계 3위 부자예요. 나는 그에게 상대가 안 되죠. 그런데 그가 책과 멘토가 필요하면 나에겐 더 필요한 존재들이죠. 때로는 나도 일을 미뤄요. 그리고는 읽은 책들 자서전들의 조언을 생각하죠. 혹은 직접 만나 들은 조언들요.

일론 머스크가 뭐라고 했는지 알아요?

제가 물었어요. "일론, 어떻게 스페이스X를 창업했어?" "우주선 분야에는 경험도 없었잖아"
"페이팔 경력밖에 없었을 텐데" 그가 대답하길 "책으로 다 배웠어." "수많은 책을 읽었지." 이렇듯 책은 비대면 멘토에요. 사람은 아니니까요. 하지만 효과는 동일합니다. 그 책의 작가가 멘토가 되는 거예요.
나는 알아요. 모두가 스티브 잡스가 되길 원하지 않겠죠. 아인슈타인처럼 될 필요는 없어요.
제가 하는 말은 그게 아니라 나는 뭘 배우더라도 큰일을 해낸 사람에게 배우고 싶은 거예요.
당신이 정하세요. 누구에게 배우고 싶은지를요.
저의 경우는 꼭대기에 있는 사람들이죠. 그리고 위대한 사람들은 항상 위대한 멘토를 가졌죠.
그리고 그들은 책을 읽어요. 마크 큐반이 제 집에서 해준말이예요. 그는 샤크탱크라는 회사의 CEO이자 억만장자입니다.
제가 묻길 "마크, 너 책 많이 읽어?" 그는 "타이, 너 그거 알아?" "내가 LA 공항에 지금 날 기다리는" "전용기를 산 이유가" 바빠서 못했던 독서를 누구의 방해도 받지 않고 더 하기 위해서야"

마크가 500억 짜리 전용기를 산 이유가 책을 더 읽기 위해서라구요. 워렌버핏도 비행기에 타면 아무도 말을 못 걸게 한대요, 독서하려고.
사람과 다르게 숫자는 거짓말을 안 하니까요. 열심히만 일하지 말고 똑똑하게 일하세요. 도구를 가지고 효율적으로 일하세요.

무엇이 빌 게이츠를 16년 연속 세계 최고 부자로 만들었을까요? 그는 휴가를 독서하러 가고(그는 실제로 가지고 싶은 슈퍼파워로 속독을 말했습니다.)그는 책이 주제인 블로그도 운영하죠.

그의 한마디가 정말 충격적이었는데 말하길 "나는 참 게을러요. 그래서 남들과 달리 머리를 써서 쉬운 방법을 찾죠."

그가 시간을 쓰지 않는다는 게 아니에요. 시간은 무조건적으로 써지는 거죠.
하지만 시간을 쓰는 게 목표가 아니라 적은 시간 동안 많은 일을 끝내는 거죠. 일은 반만 하는데 결과는 두 배를 만드는 게 목표라는 거예요. 그리고 그 방법은 단 한 가지 머리를 써야하는 겁니다.
그게 당신을 위대하게 할 거예요. 그러기 위해 위대한 멘토를 찾고 더 많이 읽는 거죠.
내 말 믿어요. 그리고 틀린지 시도해보세요. 못 믿겠으면 직접 시도해보라니까요.
그리고 결과가 맘에 안 들거나 도움 안 되는 거 같으면 그만두면 되죠.
각자 배우는 방식은 다를 수도 있으니까요. 하지만 열 명 중 아홉의 위대한 사람들은 멘토가 있거나 책에서 멘토를 찾죠. 그러니까 밑져야 본전인 거 확률을 믿고 해보세요. 멘토와 독서는 성공확률을 극대화시켜요. 이게 보증된 건 아니죠.
왜냐하면 행동도 해야 하니까요. 배운 걸 써야 한다는 거예요. 그딴거 필요 없고, 내가 최고야? 라고 한다면 당신 겸손함에 문제가 있는 거예요. 위인들이 필요한데 당신이 필요 없다고? 이인슈타인도 멘토가 필요했고 뉴턴도 자기가 대단한 이유는 대단한 스승들이 있었기에 가능했다는데 흠...근데 당신이 멘토가 필요 없다고? 말 안 해도 미래의 통장잔고가 보이네요.

"정말 쉬운 개념인데 저도 참 어렵게 생각하고 있었습니다. 원하는 것을 얻는 가장 쉽고 빠른 방법은 그걸 가지고 있는 사람에게 물어보는 것입니다.
그리고 그렇게 유명한 사람들을 멘토로 만나는 방법은 독서 혹은 유튜브 영상으로도 볼 수 있죠."

책을 제대로 읽기 전에 저는 책의 가치를 표면적으로만

생각했습니다. "만원, 이만 원이니까." "책들이 얼마나 도움이 되겠어?" 제가 책을 읽어보면서 느낀점은 어떤 책은 정말 십만 원 백만 원을 줘도 꼭 구매했을 법한 책들이 있습니다.
그리고 책의 저자를 나만의 비대면 멘토로 생각한 순간부터 책장을 펴고 읽어나가는 게 너무나 새롭습니다.
많은 사람들이 노력합니다. 하지만 노력만이 중요한 건 아니죠. 서울에서 부산을 간다고 쳤을 때 걸어가면 몇 달이 걸릴 수도 있겠지만 비행기타면 한 시간도 안 걸리죠. 걸어서 간 사람이나 비행기 타고 편하게 간 사람이나 도착지는 같은 곳이고 냉정하게도 세상은 결과를 더 중요시하게 생각하는 경우가 많잖아요. 부정한 방법으로 가라는 게 아닙니다.

비행기 타고 편하게 가세요. 책과 멘토가 바로 당신을 목표로 데려다 줄 베테랑 파일럿이 운전하는 비행기입니다.

<유튜브 터닝포인트.위대한 성공의 시작점>

다음은 다다익선 인간관계가 아닌 효율적인 인간관계가를 왜 해야 하는지를 알게 해주는 메시지이고 어떤 사람을 만나야 하고 어떤 사람과 어울려야 되는지를 알게 해주는 스토리텔링이다.

90만 원으로 50조를 만든 사업가 댄페나

당신 친구를 보면 당신을 알 수 있죠. "친구들을 보여주세요. 그럼 제가 당신의 미래를 보여드리죠."

누구랑 어울려 다니십니까? 누구랑 놀러 다니십니까?

빌 개이츠는 어울려 다니지 않습니다.

제가 아는 스티브 잡스는 놀러다니지 않습니다. 워렌 버핏은 사람들과 어울려 놀지 않습니다.

일론 머스크도 놀러 다니지 않습니다. 놀러 다니지 않는 사람들의 리스트를 계속 댈 수 있죠.

일론 머스크가 워라밸이 있다고 생각하십니까? 아니죠.

스티브 잡스가 살아생전에 워라밸이 있었을까요? 아니죠. 빌 게이츠는요? 아니죠. 핸리 포드는요? 아닙니다.

즉 세상의 부를 창출해낸 그런 거물들 중 어느 누구도 월라밸을 찾지 않습니다.

왜 당신은 워라밸을 기대하십니까? 왜요? 가질 자격이 있어서요? 전 그렇게 생각하지 않습니다.

이런 사람을 찾으세요. 20년, 30년 후에 당신이 되고 싶은 사람을 말이죠. 그리고 당장 그 사람을 찾아가세요.

월드 클래스 운동선수가 되고 싶다면 어디로 가야 합니까? 월드 클래스 코치에게 가야 하죠. 맞습니까? 의심의 여지가 없습니다.

만약 당신이 자존감을 키우고 싶다면 높은 자존감을 가진 사람을 찾아가야 합니다.

그렇다고 일론 머스크가 당신과 커피를 마셔주진 않겠지만요.

아마 여러분들 모두 들어보신 적 있으신 텐데요. 알콜 중독 회복자 모임, 약물 중독 치료 모임
이런 종류의 치료 모임들을요. 그렇죠? 12단계의 치료 프로그램이 있죠.
"저는 댄이고, 알콜 중독자입니다." 그들은 말하겠죠. "오. 댄 괜찮아요. 좋아요."
그리고 5주가 지나고 당신은 또 찾아옵니다. 또 이렇게 고개를 풀 떨구고 "저는 댄입니다. 다시 돌아가 버리고 말았어요" 그 뜻은 다시 술이나 마약을 했다는 얘깁니다. 그럼 또 사람들이 와서 안아줍니다. 그렇죠? "괜찮아요. 괜찮아요" 맞죠?
빌어먹을 절대 안 통합니다. 하나도 괜찮지 않죠. 다시 돌아가는 꼴을 보고 싶지 않습니다.
그건 절대로 용납될 수 없습니다. 절대로요.
저한테 오지 않으시는 게 좋습니다. 제 말은 왜냐하면 여러분들을 두둘겨 패줄 거거든요. 저는 단호합니다.
올림픽 선수들이 말했죠. "선생님은 올림픽 코치만큼 강경하십니다." "제가 금메달을 2개 땄을 때 그 코치만큼요." 이런 유형의 사람이 당신 인생에 필요한 겁니다. 항상 당신에게 동의해주는 사람이 아니라요.

항상 이렇게 말하는 사람들 "괜찮아. 다시 도전하면 되지!" "겨우 26살밖에 안 됐잖아"
"또 남은 인생을 살 수 있잖아" 전부 헛소리입니다!
지금 여기 있는 분들을 보세요. 30대, 40대 25년 전 누군가가 이 사람들에게 헛소리를 했죠.
지금 주위를 한 번 보세요. 지금 여러분이 앉아있는 빌어먹을 테이블 주위를 보세요. 제기랄!
이보다 더 나은 대안은 없었습니까? 이런 거지 같은 곳에 나오는 것보다요? 금요일에요?
제가 여기를 떠날 때 어느 누구라도 저를 좋게 본다면 저는 실패한 겁니다. 무슨 말인지 이해가 되십니까? 저는 실패한 거라고요. 당신 친구 하려고 여기 있는 것이 아닙니다. 친구가 필요하면 가서 개나 한 마리 사세요. 저는 당신의 불쌍한 엉덩이를 움직이기 위해 여기 있습니다. 무슨 일이 있던 간에 말이죠.

첫인상을 남길 수 있는 기회는 단 한 번뿐입니다. 첫인상은 바로 당신 외모입니다.
저는 지금 제 모습이 어떤지 알고 있죠. 여러분도 제 모습을 보고 계실 겁니다.
은행에서 돈을 빌리고 싶다면 마치 국가의 대통령처럼 옷을 입으세요.
국가의 대통령처럼, 총리처럼 옷을 입으세요. 첫인상을

남길 수 있는 기회는 한 번 뿐입니다. 여러분!
지금 여러분 옷차림으로 저한테 왔다면 전 빌어먹을 화장실 휴지 한 장도 줄 생각이 없습니다.
여러분 대부분이 입고 있는 옷은 창피한 수준입니다.
두 번째 인상은 바로 당신이 입을 열 때입니다.
여러분 대부분은 외람된 말씀이지만 말도 제대로 하지 못합니다.
더듬거리고, 중얼거리고, 긴장하고 계속 지적 할 수 있습니다. 지금 이 방에 있는 여러분들을 말하는 겁니다.
당신의 손자와 자녀들에게 무슨 말을 하실 건가요? 20년 후에 말이죠. 가장 큰 부의 변화가 일어났던 시대에 "할아버지께서는 뭘 하고 계셨나요?"
"아버지는 뭘 하고 계셨나요?" "그냥 손가락만 빨고 계셨나요?" 그들에게 뭐라고 말해줄 건가요? 그냥 손가락 빨면서 멍하니 있었다고요?
여러분들의 자녀들이 여러분의 가장 친한 두 명의 친구처럼 되길 원하시나요?
그렇습니까? 아마 아니시겠죠. 당신의 자녀들이 당신처럼 됐으면 하시나요? 아마 아니겠죠. 그런데 왜 아무것도 안 하고 앉아있습니까? 인생에서 원하는 것을 얻을 자격은 열심히 할 때 생기는 것입니다.

<유튜브 필미필미TV>

리더 코칭 전문가 자질을 끌어올리기 위해서 어떤 행동을 해야 하고 어떤 사람과 어울려야 하는가?

어떤 분야라도 전문가라면 자질이 중요하다. 전문가의 자질을 끊임없이 끌어올리기 위해서 힘써야 하고 배워야 한다. 리더 코칭 전문가는 리더를 코칭 하는 사람이기에 그 어떤 리더들보다 리더십이 있어야 한다. 자질을 높이기 위해서는 보는 것, 말하는 것, 행동하는 것, 생각하는 것, 배우는 것, 만나는 사람들...등 일반 사람들과는 달라야 한다.

필자의 7G(출판사 대표, 작가, 심리 상담사, 코칭 전문가, 강사, 유튜버, 한집의 가장)직업 중에 강사직업이 있다. 대한민국 최초 강사 백과사전(나다운 강사1) 강사 사용 설명서(나다운 강사2)를 창시한 강사 양성 전문가 자격으로 한마디 하겠다.

리더는 강사가 되어야 한다. 그래서 리더십을 강사 직업으로 비유를 하겠다. 강의 분야가 1,000개가 넘는다. 강사 직업이 어떤 직업인가? 많은 사람들을 변화, 성장, 배움, 가르침, 동기부여, 의미부여, 터닝포인트...등 삶의 질을 올려주고 자신 분야를 좀 더 나은 방법으로 방향 제시 해주며 행복한 인생으로 살 수 있는 내비게이션 역할을 하는 직업이다.

20,000명 심리 상담, 코칭 하면서 알게 된 것은 "일할

때만 강사이지 일상생활 속에서는 한 사람이기에 프리하게 일반 사람들처럼 행동한다." 이 말이 틀린 말은 아니다. 하지만 많은 사람들 앞에서 말하는 직업을 가지고 있는 사람들이라면 공인이라는 마음으로 글, 사진 하나도 신경 써서 업로드 해야 한다.
말과 행동이 사람들에게 선한 영향력을 끼칠 수 있고 부정의 영향력도 끼칠 수 있는 공인이라는 직업이다. 지금 시대는 SNS로 사람을 어느 정도 판단 할 수 있는 정보를 습득한다. SNS를 하더라도 리더라면, 각 분야 코칭 전문가라면, 강사라면, 교육자라면, 전문직에 있는 사람이라면... 일반 사람들과 똑같이 자신의 일상 사진을 업로드하고 공인이라는 직업에 맞지 않는 말과 행동하는 이미지들을 업로드하면 안 되는 것이다.

예를 들어 술 먹고 노는 사진, 사치스러운 사진, 비방하는 사진, 비난하는 글, 놀러 다니는 사진, 화가 난 글, 감정 조절 못 하는 글, 우울하다는 사진...등 교육자로서 자신을 컨트롤 못하고 자랑하고 사치스러운 사진들을 올리면서 교육할 때는 "변화해라? 마인트컨트롤을 해라? 자기계발을 해라? 이렇게 살면 되겠냐? 이렇게 해라?" 교육자 자신의 생활 속에서는 솔선수범을 하지 않고 일할 때랑 사생활 차이가 너무 많이 나게 되면 교육자, 리더로서의 자질이 안 되는 것이다.

SNS에 일상 사진을 올리지 말라고 말하는 게 아니다. SNS는 자신의 제2의 자아다. 나를 대신하기에 실제와 차이가 너무 나면 쇼윈도 인생을 사는 것이다. 리더, 코칭 전문가, 교육자라면 자신 SNS를 통해 하나라도 배우고, 동기부여가 될 수 있는 글, 사진, 영상들로 도움을 주기 위해 힘쓰는 게 교육자의 의무인 것이다.

리더의 의무, 코칭 전문가의 의무, 교육자의 의무를 꾸준히 지켜나갈 때 사람의 내공, 가치, 값어치가 올라가는 것이다.

리더 코칭 전문가 자질은 사소한 것부터 시작되는 것이다. 대중들 앞에서는 말만 잘하고 일상생활 속에서는 일반 사람들처럼 똑같이 말과 행동한다면 진정성, 전문성, 신뢰성이 쌓이겠는가? 이런 사람들도 있을 수 있다. "대중 앞에서는 카리스마가 넘쳤는데 일상생활 속에서는 털털하니 좋네요." 이런 말을 들어도 되는 분야는 연예인 직업이다.

리더, 강사, 전문 분야를 교육 하는 사람들은 연예인이 아니라 공인이다. 연예인처럼 SNS을 하면 안 된다. 리더, 강사, 전문 분야가 있고 교육을 하는 직업을 가진 사람들이라면 자신이 말한 만큼 일상생활 속에서도 보범이 되어야 한다는 것이다.

교육을 하는 직업을 가지고 있는 사람들이라면 SNS를 하더라도 사람들에게 도움이 되고 가르치지 않고 가르칠 수 있는 글, 이미지, 영상, 표현을 해야 한다는 것이다. 일상생활 속에서도 솔선수범이 자연스럽게 나와야만 교육을 할 때도 삼성(진정성, 전문성, 신뢰성)이 나오는 것이다. 교육할 때는 말만 잘하고 일상생활 속에서는 교육자가 더 못한다면 삼성(진정성, 전문성, 신뢰성)이 나오겠는가?
그래서 리더 코칭 전문가와 교육 쪽에 종사하는 사람들은 보는 것, 말하는 것, 배우는 것, 행동하는 것, SNS 하는 것, 만나는 사람들을 신경 써서 해야 한다. 그러기 위해서는 끊임없이 리더십 학습, 연습, 훈련을 해야 한다.

리더십 학습, 연습, 훈련이 안 되어 있는 사람들은 이런 말을 많이 듣게 된다.
"이 리더, 코칭 전문가, 교육자(강사, 교수, 선생님)는 SNS 하는 게 보통 사람과 같네? 보고 배울 게 없네? 이런 사람이 리더야? 코칭 전문가야? 교육자야? 자신도 하지 않으면서 교육할 때만 잘하라고 하네? 그런 교육이면 나도 교육하겠다."

반대로 리더십 학습, 연습, 훈련이 잘되어 있는 사람들은 이런 말을 많이 듣게 된다.

"이 리더, 코칭 전문가, 교육자(강사, 교수, 선생님)는 SNS도 도움이 되는 자료, 정보들을 올리네. 말한 대로 생활 속에서 솔선수범하네. 역시 다르다."

당신은 어떤 리더, 코칭 전문가, 교육자가 되고 싶은가?

리더, 코칭 전문가, 교육자는 SNS도 달라야 한다?
"이 리더, 코칭 전문가, 교육자(강사, 선생님)는 SNS 하는 게 보통 사람과 같네? 보고 배울 게 없네? 이런 사람이 리더야? 코칭 전문가야? 교육자야? 자신도 하지 않으면서 교육할 때만 잘하라고 하네? 그런 교육이면 나도 교육하겠다."
"이 리더, 코칭 전문가, 교육자(강사, 선생님)는 SNS도 도움이 되는 자료, 정보들을 올리네. 말한 대로 생활 속에서 솔선수범하네. 역시 다르다."
말만 하는 전문가의 SNS 모습
말한 대로 솔선수범 하는 전문가의 SNS 모습

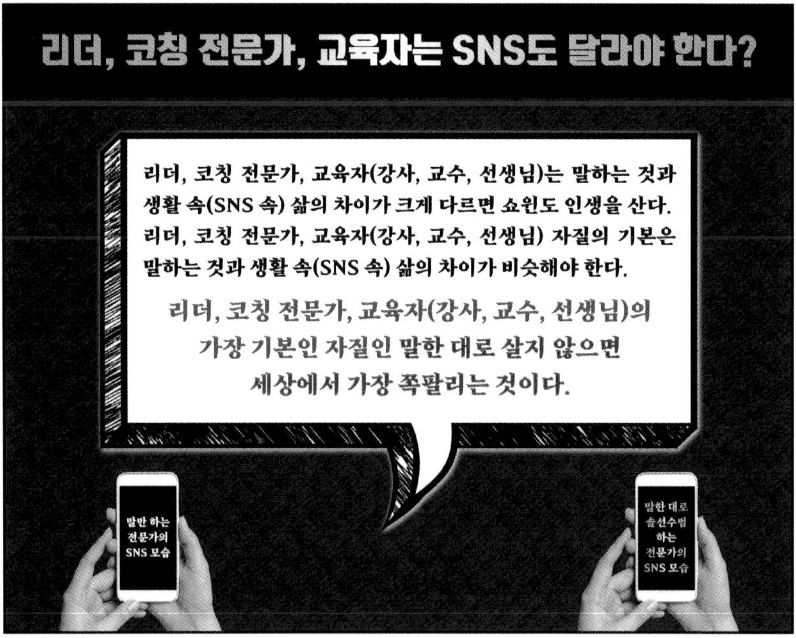
리더, 코칭 전문가, 교육자는 SNS도 달라야 한다?
리더, 코칭 전문가, 교육자(강사, 교수, 선생님)는 말하는 것과 생활 속(SNS 속) 삶의 차이가 크게 다르면 쇼윈도 인생을 산다. 리더, 코칭 전문가, 교육자(강사, 교수, 선생님) 자질의 기본은 말하는 것과 생활 속(SNS 속) 삶의 차이가 비슷해야 한다.
리더, 코칭 전문가, 교육자(강사, 교수, 선생님)의 가장 기본인 자질인 말한 대로 살지 않으면 세상에서 가장 쪽팔리는 것이다.
말만 하는 전문가의 SNS 모습
말한 대로 솔선수범 하는 전문가의 SNS 모습

★ 세계 최고의 멘토는 첫 번째 아내, 두 번째 책, 세 번째 자신 습관(최보규 습관 320가지)

필자의 멘토는 3명이다. 첫 번째 아내, 두 번째 책, 세 번째 자신 습관(최보규 습관 320가지)이다.

최보규 방탄리더십 전문가의 첫 번째 멘토는 아내다.

최보규라는 사람을 가장 잘 아는 사람은 아내다. 내가 보지 못한 미세하고 디데일 함을 체크해주고 피드백 해준다. 그 누구도 할 수 없는 것을 그것도 공짜로 해주는 고마운 멘토다. "사랑하는 아내는 내가 좋은 사람(부모, 사위, 아들, 남편, 매형, 오빠, 형, 동생, 남자)이 되고 싶도록 만든다." 세상에서 가장 존경하는 멘토는 아내다.

말만 잘하는 사람이 아니라는 것을 증명하기 위해서 세계 최초로 만든 남편, 아내 13계명을 공개하고 클래스 101에서 검증한 방탄사랑(남편, 아내 13계명)사용 설명서 참고하길 바란다.

방 탄
리더십
최보규 방탄리더십 창시자
세계 최고의 멘토!
최보규 방탄리더십 전문가의 멘토!
1. 아내
2. 책
3. 습관
320가지

남편 13계명

1. 남편의 행복 0순위는 아내의 행복이다! 일어나서 자기 전까지 모든 것 아내에게 집중!
2. 아내 말을 잘 듣자! 하는 일이 잘 된다!
3. 아버지가 어머니에게 이렇게 대했으면 하는 남편이 되겠습니다. 매형들이 누나들에게 이렇게 대했으면 하는 남편이 되겠습니다.
4. 남편 몸은 아내 거다. 빌려 쓰는 거다! 담배, 술, 몸에 무리가 가는 모든 것 자제 하고 건강관리, 자기관리 하겠습니다.
5. 아내에게 받은 사랑(내조) 보답하기 위해 머리, 가슴, 몸, 돈으로 실천하겠습니다. 용돈 안에 아내의 바가지도 포함되어 있다.
6. 아내를 몸, 마음, 돈으로 평생 웃게 해서 호강시켜주겠습니다.
7. 아내를 존경하겠습니다. 세상에 아내 같은 여자 없습니다.
8. 아내 빼고는 모든 여자는 공룡이다! 정신으로 살겠습니다.
9. 아내를 위해 앉아서 싸겠습니다.
10. 많은 사람들에게 인정받는 남편이 아닌 아내에게 인정받는 남편이 되기 위해 먼저 맞춰가는 남편이 되겠습니다.
11. 아내에게 무조건 지겠습니다. 이기려 하지 않겠습니다. 아내 앞에서는 나직성자체를 내려놓겠습니다. (나이, 직급, 성별, 자존심, 체면)
12. 지저분한 것(음식물 쓰레기, 화장실 청소)같이 하겠습니다.
13. 함께하는 한 가지를 위해 개인 생활 10가지를 감수하겠습니다.

아내 13계명

1. 아내의 행복 0순위는 남편의 행복이다! 일어나서 자기 전까지 모든 것 남편에게 집중!
2. 남편 말을 잘 듣자! 하는 일이 잘 된다!
3. 어머니가 아버지에게 이렇게 대했으면 하는 아내가 되겠습니다. 새언니가 친오빠에게 이렇게 대했으면 하는 아내가 되겠습니다.
4. 아내 몸은 남편 거다. 빌려 쓰는 거다! 담배, 술, 몸에 무리가 가는 모든 것 자제 하고 건강관리, 자기관리 하겠습니다.
5. 남편에게 받은 사랑(외조) 보답하기 위해 머리, 가슴, 몸, 돈으로 실천하겠습니다. 남편 사랑 안에 남편의 잔소리 포함되어 있다.
6. 남편을 몸, 마음, 돈으로 평생 웃게 해서 호강시켜주겠습니다.
7. 남편을 존경하겠습니다. 세상에 남편 같은 남자 없습니다.
8. 남편 빼고는 모든 남자는 공룡이다! 정신으로 살겠습니다.
9. 남편 피로 해소를 위해 어깨 안마 5분씩 해주겠습니다.
10. 많은 사람들에게 인정받는 아내가 아닌 남편에게 인정받는 아내가 되기 위해 먼저 맞춰가는 아내가 되겠습니다.
11. 남편에게 무조건 지겠습니다. 이기려 하지 않겠습니다. 남편 앞에서는 나직성자체를 내려놓겠습니다. (나이, 직급, 성별, 자존심, 체면)
12. 지저분한 것(음식물 쓰레기, 화장실 청소)같이 하겠습니다.
13. 함께하는 한 가지를 위해 개인 생활 10가지를 감수하겠습니다.

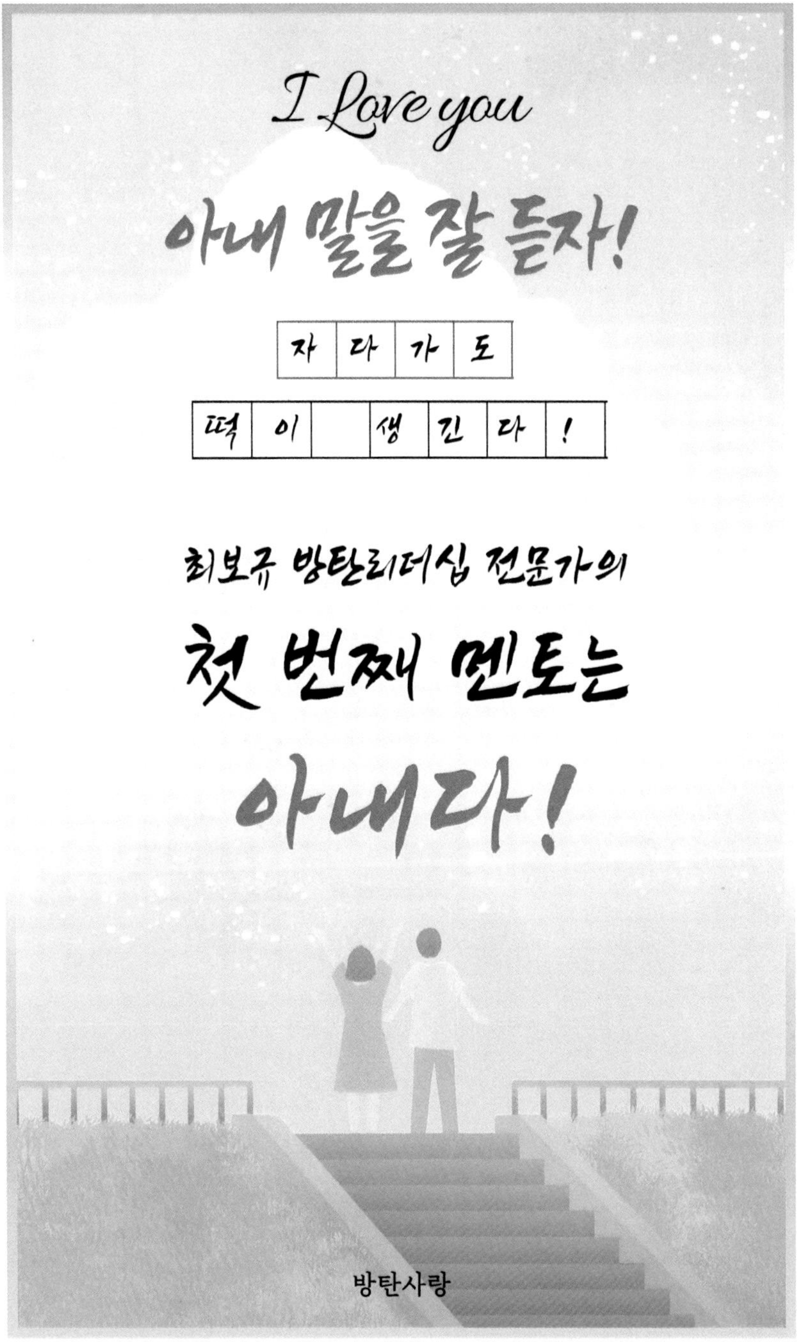
I Love you
아내 말을 잘 듣자!
자다가도
떡이 생긴다!
최보규 방탄리더십 전문가의
첫 번째 멘토는
아내다!
방탄사랑

Dear.

OO는

행복을 존재하게 한다?

OO는

행복을 만들어 낸다?

OO는

행복을 사라지게 할 수도 있다?

신이 인간과 함께 할 수 없어서

OO를 내려보냈다.

- 최보규 방탄사랑 창시자 -

2

Dear.

평생을 같이 살고
늘 함께 하는 사람을

행복하게 못해주는데
그 어느 곳에서 행복할 수 있을까요?

행복할 자격이 없는 것입니다!

가정, 가족, 아내를 행복하게 못하는데
행복하다고 하는 사람의 행복은

가짜입니다.

- 최보규 방탄사랑 창시자 -

3

Dear.

당신을 만나 행복을 찾았고

당신을 만나 나를 알게 되었고

당신을 만나 삶의 이유를 알았고

.

.

.

.

당신의 행복이

내 행복이라는 것을 알았습니다.

- 최보규 방탄사랑 창시자 -

4

Dear.

태양, 물, 공기, 땅, 자연,

동물, 사람 없으면 살아도

첫사랑이자 끝사랑인

그 사람 없으면 하루도 못 삽니다.

내가 지구에 온 이유는

당신을 만나기 위해서입니다!

제 삶의 이유는 당신을 웃게 하는 것이고

제 삶의 행복은

당신을 행복하게 하는 것입니다.

- 최보규 방탄사랑 창시자 -

5

Dear. 이 사람은 늘 감사, 긍정의 말

한마디 한마디가 저에 행복을 충전시켜줍니다.

이 사람은 꾸준한 자기관리하는 모습으로

저에 행복을 충전시켜줍니다.

이 사람은 부모를 챙기는 모습으로

저에 행복을 충전시켜줍니다.

.

무한 에너지인 태양광 에너지처럼

저에 행복을 무한 충전해 주는 사람!

아내는 가정의 행복을 지켜주는 유일한

행복 태양광 에너지!

- 최보규 방탄사랑 창시자 -

방탄
사랑
스드메보다 1,000배
중요한 결혼 준비?

방탄
사랑
결혼식 하루 준비에 집착하지 말고
결혼 생활 100년을 하기 위한
결혼 준비, 학습, 연습, 훈련에 집중하자!

결혼 행복 공식
부부 행복 공식
20,000명 알게 된
상담, 코칭을 통해
사랑, 행복 공식!

방탄사랑은 스펙이다!
아내 방탄 사랑 남편
NAVER 크몽
kmong
어떤 전문가를 찾으시나요?
방탄사랑
VOD
방탄 사랑
30분에 끝나는
결혼식에? 집착?
결혼생활 100년에 집중!
방탄사랑 사랑 사용 설명서 사랑도 스펙이다

법적 부부의 날

【 혼인신고 20♥♥. ♥♥. ♥♥ 】

아내: ♥ ♥ ♥ ♥ 남편: 최보규

가정의 행복 법(부부 13계명)을 지키기 위해

아내 ♥♥♥는
아내 13계명을 솔선수범하겠습니다.

남편 최보규는
남편 13계명을 솔선수범하겠습니다.

천년의 약속

♥♥♥ ♥ 최보규

세계 인구 78억 인구에서 둘이 만나
봄, 여름, 가을, 겨울을 지나
다섯 번째 계절인 사랑의 계절을 시작하려고 합니다.

미안해 보다는 고마워, 사랑해 말을 더 하겠습니다.

혼자 있는 시간보다는 함께 하는 시간을
더 만들겠습니다.

맞춰 주길 바라기보다는 맞춰 주기 위해
더 행동하도록 하겠습니다.

다섯 번째 계절인 사랑의 계절을 시작하는 첫날
♥ 기쁘게 축하해 주세요 ♥
사랑하며 예쁘게 살겠습니다!

【 다섯 번째 계절인 사랑의 계절 시작 20♥♥. ♥♥ . ♥♥ 】

최보규 방틴리더십 전문가의 두 번째 멘토는 책이다.

책은 사람이다. 비대면 멘토인 것이다. 생각하지 못한 것들을 알려 주고 하는 일에 목표, 방향을 다듬어 주는 멘토다. 세상에서 가장 저렴한 멘토인데 세상에서 가장 값진 것을 준다. 그래서 필자는 한 달에 15명(15권)멘토를 만나고 각 전문 분야 노하우를 배워 내 분야에 접목시켜 가치, 수입을 발생시킨다.

최보규 방틴리더십 전문가의 세 번째 멘토는 자신(최보규 습관 320가지)습관이다.

습관분야 베스트셀러인 《나다운 방탄습관블록》창시자로서 습관에 대해 한마디 하면 사람은 습관을 만들고 습관은 사람을 만들기에 자신 습관에 모든 답이 있다.
우울 한 사람은 우울한 습관 때문에 우울하고, 행복하지 않은 사람은 행복하지 않은 습관 때문에 행복하지 않는 것이다. 그래서 필자의 습관 320가지가 세 번째 멘토인 것이다.
최보규 방탄리더십 전문가의 세 가지 멘토 활용 방법이 습관 320가지에 다 포함된다. 멘토 활용 방법 습관 320가지 벤치마킹해서 코칭 전문가 자질을 업데이트하길 바란다.

최보규 방탄리더십 전문가의 세 가지 멘토(아내, 책, 자신 습관)활용 방법 320가지

2008년 ~ 현

1. 전신 장기기증
2. 유서 써놓기
3. 꿈 목표 설정
4. 영양제 챙기기
5. 꿀 챙기기
6. 계단 이용
7. 8시간 숙면
8. 취침 4시간 전 안 먹기
9. 기상 후, 자기 전 스트레칭 10분
10. 술, 담배 안 하기
11. 하루 운동 30분
12. 밀가루 기름진 음식 줄이기
13. 자극적인 음식 줄이기
14. 얼굴 눈 스트레칭
15. 박장대소 하루 2회
16. 기상 직후 양치질 물먹기
17. 물 7잔 마시기
18. 밥 먹는 중 물 조금만
19. 국물 줄이기
20. 밥 먹고 30후 커피 마시기
21. 기상 직후 책 듣기
22. 한 달 책 15권 보기
23. 책 메모하기
24. 메모 ppt 만들기
25. SNS 캡처 자료수집
26. 강의 자료 항상 찾기
27. 좋은 글 점심때 보내기
28. 사랑의 전화 봉사
29. 주말 유치원 봉사
30. 지인 상담봉사
31. 강의 재능기부
32. 사랑의 전화 후원
33. 강의자료 주기
34. TV 줄이기
35. 부정적인 뉴스 줄이기
36. 솔선수범하기
37. 지인들 선물 챙기기
38. 한 달 한번 등산
39. 몸에 무리 가는 행동 안 하기
40. 하루 감사 기도 마무리
41. 탄산음료, 과일주스 줄이기
42. 아침 유산균 챙기기
43. 고자세
44. 스마트폰 소독 2번
45. 게임 안 하기
46. SNS 도움 되는 것 공유
47. 전단지 받기
48. 긍정, 멘탈 사용설명서 도구 스티커 나눠주기
49. 학습자 선물 주기
50. 강의 피드백 해주기
51. 자일리톨 원석 먹기 하루 3개
52. 찬물 줄이고 물 미온수 먹기
53. 소금물 가글
54. 알람 듣고 바로 일어나기

최보규 방탄리더십 전문가의 세 가지 멘토(아내, 책, 자신 습관)활용 방법 320가지

2008년 ~ 현

55. 오전 10시 이후 커피 먹기
56. 믹스커피 안 먹기
57. 강의 족보 주기
58. 강의 동영상 주기
59. 강의 녹음파일 주기
60. 블로그 좋은 글 나누기
61. 인스턴트 음식 줄이기
62. 아이스크림 줄이기
63. 빨리 걷기
64. 배워서 남 주자 실천(PPT)
65. 읽어서 남 주자 실천(책 속의 글)
66. 오른손으로 차 문 열기
67. 오손도손 오손 왼손 캠페인 전파하기
68. 운전 중 스마트폰 안 보기
69. 취침 전 30분 독서
70. 취침 전 30분 스마트폰 안 보기
71. 오늘이 마지막인 것처럼 섬기고 영원히 살 것처럼 배우기
72. 자존심 신발장에 넣어 두고 나오기
73. 내가 받은 상처는 모래에 새기고 내가 받은 은혜는 대리석에 새기기
74. 어제의 나와 비교하기
75. 어제 보다 0.1% 성장하기
76. 세상에서 가장 중요한 스펙? 건강, 태도 실천하기
77. 나방이 되지 않기
78. 마라톤 10주 프로그램 시작
79. 마라톤 5km 도전
80. 마라톤 10km 도전
81. 마라톤 하프 도전
82. 마라톤 풀코스 도전
83. 자기 전 5분 명상
84. 뱃살 스트레칭 3분
85. 아침 동기부여 사진 보내기 8시
86. 저녁 동기부여 사진 보내기 9시
87. 나의 1%는 누군가에게는 100%가 될 수 있다. 실천
88. 150세까지 지금 몸매, 몸 상태 유지 관리
89. 아침 달걀 먹기
90. 운동 후 달걀 먹기
91. 헬스장 등록
92. 오래 살기 위해서가 아니라 옳게 살기 위해 노력하는 사람이 되자
93. 남들이 하는 거 안 하기 남들이 안 하는 거 하기

최보규 방탄리더십 전문가의 세 가지 멘토(아내, 책, 자신 습관)활용 방법 320가지

2008년 ~ 현

94. 아침 결명자차 마시기
95. 저녁 결명자차 마시기
96. 폼롤러 스트레칭
97. 어제보다 나은 내가 되자
98. 남들이 안 하는 강의 분야 도전
99. 플랭크 운동
100. 스쿼터 운동
101. 계산할 때 양손으로 주고받고 인사
102. 명함 거울 선물 주기
103. 40살 되기 전 책 출간
104. 반 100년 되기 전 책 5권 집필하기
105. 유튜브[나다운TV] 강사심폐소생술
106. 유튜브[나다운TV] 나다운심폐소생술
107. 아.원.때.시.후.성.실 말 줄이기
108. 나다운 강사 책 유튜브 올려 함께 잘 되기
109. 리플렛으로 동기부여 시켜주기
110. 아침 8시 동기부여 메시지 만들어 보내기
111. 저녁 9시 동기부여 메시지 만들어 보내기
112. 어플 책 속의 한 줄에 책 내용 올리기
113. 책 내용 SNS 오픈
114. 3번째 책 원고 작업 시작
115. 4번째 책 자료수집
116. 뱃살관리 스트레칭 아침, 저녁 5분
117. 3번째 책 기획출판계약
118. 최보규강사사관학교 시작
119. 최보규강사사관학교 지회 원장 임명
120. 올 노(올바른 노력)공식 오픈
121. 행복, 방탄멘탈 공식 자자자자멘습금 오픈
122. 생화 네 잎 클로버 선물 주기
123. 세바시를 통해 극단적인선택 예방 전파!
124. 세바시를 통해 자자자자멘습금 사용설명서 전파!
125. 4번째 책 원고 시작 2021년 1월 출간 목표!
126. 전염성이 강한 상황 왔을 때 대처하기 위한 준비!
127. 코로나19 극복을 위한 공적 마스크 독고 어르신들 주기!

최보규 방탄리더십 전문가의 세 가지 멘토(아내, 책, 자신 습관)활용 방법 320가지

2008년 ~ 현

128. 아내를 위해 앉아서 소변보기
129. 들어라 하지 말고 듣게 하자
130. 좋은 사람이 되지 말고 좋은 사람 되어주자.
131. 좋아하게 하지 말고 좋아지게 하자
132. 보여주는(인기)인생을 사는 것보다 보여지는(인정)인생을 살아가자.
133. 나 이런 사람이야 말하지 않아도 이런 사람이구나 느끼게 하자.
134. 마음을 얻으려 하지 말고 마음을 열게 하자.
135. 믿으라 하지 말고 믿게 하자
136. 나에 행복 0순위는 아내의 행복이다! 일어나서 자기 전까지 모든 것 아내에게 집중!
137. 아내 말을 잘 듣자! 하는 일이 잘 된다!
138. 아버지가 어머니에게 이렇게 대했으면 하는 남편이 되겠습니다. 매형들이 누나들에게 이렇게 대했으면 하는 남편이 되겠습니다.
139. 내 몸은 아내거다. 빌려 쓰는 거다! 담배, 술, 몸에 무리가 가는 모든 것 자제 하고 건강관리, 자기관리 하겠습니다.
140. 아내의 은혜를 보답하기 위해 머리, 가슴, 몸, 돈으로 실천하겠습니다!
141. 아내에게 받은 사랑(내조) 보답하기 위해 머리, 가슴, 몸, 돈으로 실천하겠습니다.
142. 아내를 몸, 마음, 돈으로 평생 웃게 해서 호강시켜주겠습니다.
143. 아내를 존경하겠습니다. 세상에 아내 같은 여자 없습니다.
144. 아내 빼고는 모든 여자는 공룡이다! 정신으로 살겠습니다.
145. 많은 사람들에게 인정받는 남편이 아닌 아내에게 인정받는 남편이 되기 위해 먼저 맞춰가는 남편이 되겠습니다.
146. 아내에게 무조건 지겠습니다. 이기려 하지 않겠습니다. 아내 앞에서는 나직성자체를 내려놓겠습니다. (나이, 직급, 성별, 자존심, 체면)
147. 지저분한 것(음식물 쓰레기, 화장실 청소)다 하겠습니다.
148. 함께하는 한 가지를 위해 개인 생활 10가지를 감수하겠습니다.
149. 최강자 학습지 시작 (최보규의 강사학습지, 자기계발학습지)
150. 홈코 시작(집에서 화상 1:1 케어)
151. 불자의 인생 시작
152. 나는 복덩어리다. 나는 운이 좋은 사람이다.
153. 베스트셀러 3권 달성 노하우 책쓰기 교육 시작
154. 유튜브, 유튜버 100년 하는 노하우 교육 시작

최보규 방탄리더십 전문가의 세 가지 멘토(아내, 책, 자신 습관)활용 방법 320가지

2008년 ~ 현

155. 방탄멘탈마스터 양성 시작
156. 나다운 방탄멘탈 책으로 극단적인 선택 줄이기
157. 아침 8시, 저녁 9시 방탄멘탈공식 SNS 공유
158. 5번째 책 2022년 나다운 방탄사랑
159. 2023 나다운 방탄멘탈 2
160. 2024 나다운 책 쓰기(100년 가는 책)
161. 2025 유튜버가 아니라 나튜버 (100년 가는 나튜버)
162. 2026 나다운 강사3(Q&A)
163. 2027 나다운 명언
164. 2029 나다운 인생(50살 자서전)
165. 줌 화상 기법 강의, 코칭(최보규줌사관학교)
166. 언택트(비대면)시대에 맞게 아날로그 방식 80%를 디지털 방식 80%로 체인지
167. 변기 뚜껑 닫고 물 내리기
168. 빨래개기
169. 요리하기, 요리책 내기 위한 자료 수집
170. 화장실 물기 제거
171. 부엌 청소, 집 청소, 화장실 청소
172. 사랑해 100번 표현하기
173. 아내에게 하루 마무리 안마 5분 해주기
174. 헌혈 2달에 1번
175. 헌혈증 기부
176. 네 번째 책 행복 히어로 책 출간
177. 극단적인 선택률, 이혼율 낮추기 위한 교육 시작
178. 행복률 높이기 위한 교육 시작
179. 다섯 번째 책 원고 작업 시작
180. 여섯 번째 책 자료 수집
181. 운전 중 양보 해 줄 때, 받을 때 목례로 인사하기.
182. 다섯 번째 책 나다운 방탄습관블록 출간
183. 습관사관학교 시스템 완성
184. 습관 코칭, 교육 시작
185. 아침 8시, 저녁 9시 습관 메시지 sns 공유
186. 습관 전문가 되어 무료 케어 상담 시작
187. 습관 콘텐츠 유튜브<행복히어로>에 무료 오픈 시작

최보규 방탄리더십 전문가의 세 가지 멘토(아내, 책, 자신 습관)활용 방법 320가지

2008년 ~ 현

188. 여섯 번째 책 원고 작업 시작
189. 최보규상(대한민국 노벨상) 버킷리스트 설정
190. 2037년까지 운영진, 자금(상금), 시스템 완성 목표 설정
191. 최보규상을 1,000년 동안 유지하기 위한 공부
192. 일곱 번째 자존감 책 원고 작업
193. 여덟 번째 책 쓰기 책 자료 수집, 공부
194. 앉아서 일할 때 50분의 한번 건강 타이머 누르기
195. 세계 최초 자기계발쇼핑몰(www.자기계발아마존.com)
196. 온라인 건물주 분양 시작(월세, 연금성 소득 올릴 수 있는 시스템)
197. 일곱, 여덟 번째 책 출간(나다운 방탄자존감 명언 Ⅰ, Ⅱ)
198. 자기계발코칭전문가 1급, 2급 자격증 교육 시작
199. 방탄자기계발사관학교 Ⅰ, Ⅱ, Ⅲ, Ⅳ 4권 출간
200. 2021년 목표였던 9권 책 출간 달성!
201. 하루 3번 호흡 스펙 습관 쌓기 시작 (코 8초 마시고, 5초 멈추고, 입으로 8초 내뱉기)
202. 장모님께 출간 한 책 12권 드리기
203. 2022년 최보규의 책 쓰기9 원고 작업 시작
204. 100만 프리랜서들 도움주기 위한 프로젝트 시작
205. 방탄 자존감 코칭 기술
206. 방탄 자신감 코칭 기술
207. 방탄 자기관리 코칭 기술
208. 방탄 자기계발 코칭 기술
209. 방탄 멘탈 코칭 기술
210. 방탄 습관 코칭 기술
211. 방탄 긍정 코칭 기술
212. 방탄 행복 코칭 기술
213. 방탄 동기부여 코칭 기술
214. 방탄 정신교육 코칭 기술
215. 꿈 코칭 기술
216. 목표 코칭 기술
217. 방탄 강사 코칭 기술
218. 방탄 강의 코칭 기술
219. 파워포인트 코칭 기술
220. 강사 트레이닝 코칭 기술
221. 강사 스킬UP 코칭 기술
222. 강사 인성, 멘탈 코칭 기술

최보규 방탄리더십 전문가의 세 가지 멘토(아내, 책, 자신 습관)활용 방법 320가지

2008년 ~ 현

223. 강사 습관 코칭 기술
224. 강사 자기계발 코칭 기술
225. 강사 자기관리 코칭 기술
226. 강사 양성 코칭 기술
227. 강사 양성 과정 코칭 기술
228. 퍼스널브랜딩 코칭 기술
229. 방탄 리더십 코칭 기술
230. 방탄 인간관계 코칭 기술
231. 방탄 인성 코칭 기술
232. 방탄 사랑 코칭 기술
233. 스트레스 해소 코칭 기술
234. 힐링, 웃음, FUN 코칭 기술
235. 마인드컨트롤 코칭 기술
236. 사명감 코칭 기술
237. 신념, 열정 코칭 기술
238. 팀워크 코칭 기술
239. 협동, 협업 코칭 기술
240. 버킷리스트 코칭 기술
241. 종이책 쓰기 코칭 기술
242. PDF 책 쓰기 코칭 기술
243. PPT로 책 출간 코칭 기술
244. 자격증 교육 커리큘럼으로 책 출간 코칭 기술
245. 자격증 교육 커리큘럼으로 영상 제작 코칭 기술
246. 책으로 디지털콘텐츠 제작 코칭 기술
247. 책으로 온라인 콘텐츠 제작 코칭 기술
248. 책으로 네이버 인물 등록 코칭 기술
249. 책으로 강의 교안 제작 코칭 기술
250. 책으로 민간 자격증 만드는 코칭 기술
251. 책으로 자격증 과정 8시간 제작 코칭 기술
252. 책으로 유튜브 콘텐츠 제작 코칭 기술
253. 유튜브 시작 코칭 기술
254. 유튜브 자존감 코칭 기술
255. 유튜브 멘탈 코칭 기술
256. 유튜브 습관 코칭 기술
257. 유튜브 목표, 방향 코칭 기술
258. 유튜브 동기부여 코칭 기술

최보규 방탄리더십 전문가의 세 가지 멘토(아내, 책, 자신 습관)활용 방법 320가지

2008년 ~ 현

259. 유튜브가 아닌 나튜브 코칭 기술
260. 유튜브 영상 제작 코칭 기술
261. 유튜브 영상 편집 코칭 기술
262. 유튜브 울렁증 극복 코칭 기술
263. 유튜브 썸네일 디자인 제작 코칭 기술
264. 유튜브 콘텐츠 제작 코칭 기술
265. 유튜브 수입 연결 제작 코칭 기술
266. 유튜브 영상 홍보 코칭 기술
267. 홈페이지 무인시스템 연결 제작 코칭 기술
268. 홈페이지 자동 결제 시스템 제작 코칭 기술
269. 홈페이지 비메오 연결 제작 코칭 기술
270. 홈페이지 렌탈 시스템 제작 코칭 기술
271. 홈페이지 디자인 제작 코칭 기술
272. 홈페이지 제작 코칭 기술
273. 재능마켓 크몽 PDF 입점 코칭 기술
274. 재능마켓 크몽 강의 입점 코칭 기술
275. 재능마켓 크몽 이미지 디자인 제작 코칭 기술
276. 재능마켓 크몽 입점 영상 제작 코칭 기술
277. 재능마켓 크몽 입점 영상 편집 코칭 기술
278. 재능마켓 크몽 VOD 입점 코칭 기술
279. 클래스101 영상 입점 코칭 기술
280. 클래스101 PDF 입점 코칭 기술
281. 클래스101 이미지 디자인 제작 코칭 기술
282. 클래스101 영상 제작 코칭 기술
283. 클래스101 영상 편집 코칭 기술
284. 탈잉 영상 입점 코칭 기술
285. 탈잉 PDF 입점 코칭 기술
286. 탈잉 이미지 디자인 제작 코칭 기술
287. 탈잉 영상 제작 코칭 기술
288. 탈잉영상 편집 코칭 기술
289. 탈잉 VOD 입점 코칭 기술
290. 클래스U 영상 입점 코칭 기술
291. 클래스U 영상 제작 코칭 기술
292. 클래스U 영상 편집 코칭 기술
293. 클래스U 이미지 디자인 제작 코칭 기술
294. 클래스U 커리큘럼 제작 코칭 기술

최보규 방탄리더십 전문가의 세 가지 멘토(아내, 책, 자신 습관)활용 방법 320가지

2008년 ~ 현

295. 인클 입점 코칭 기술
296. 자신 분야 콘텐츠 제작 코칭 기술
297. 자신 분야 콘텐츠 컨설팅 코칭 기술
298. 자기계발코칭전문가 1시간 ~ 1년 코칭 기술
299. 강사코칭전문가, 리더십코칭전문가 1시간 ~ 1년 코칭 기술
300. 온라인 건물주 되는 코칭 기술
301. 강사 1:1 코칭기법 코칭 기술
302. 전문 분야 있는 사람 1:1 코칭 기법 코칭 기술
303. CEO, 대표, 리더, 협회장 품위유지의무 코칭 기술
304. 은퇴 준비 코칭 기술
305. 2023년 나다운 방탄리더십 1, 2, 3, 4, 5 출간
306. 나다운 방탄리더십 아침, 저녁 메시지 시작
307. 강사코칭전문가 자격증 시스템 시작
308. 방탄 리더십 원고 작업 시작
309. 방탄 리더 자존감 원고 작업 시작
310. 방탄 리더 멘탈 원고 작업 시작
311. 방탄 리더 습관 원고 작업 시작
312. 방탄 리더 행복 원고 작업 시작
313. 방탄 리더 자기계발 원고 작업 시작
314. 방탄 리더 코칭 원고 작업 시작
315. 마트에서 구입한 물건들 바코드 정렬해서 올리기
316. 장모님 머리 염색해 주기
317. 처남 금연, 금주 도와주기
318. 한 해 시작할 때 습관 영상 업로드
319. 결혼기념일 뺏지, 명찰 제작
320. 뒤꿈치 들기 운동 시작

★ 코칭 전문가는 크랩 멘탈리티를 극복하는 자정작용 멘탈리티가 되어야 하고 되어 줘야 한다!

다음은 자신 인생을 지옥으로 끌어당기는 크랩 멘탈리티를 극복하기 위한 스토리텔링이다.

게를 잡는 어부들은 보통 작은 게들을 한 바구니에 몰아넣고 굳이 뚜껑을 덮지 않는다. 혹시라도 게들이 바구니 밖으로 도망치지는 않을까? 놀랍게도 단 한 마리의 게조차 탈출하지 못하는 것을 확인할 수 있었다. 게 한 마리가 그곳에서 나가려고 하면 다른 게들이 그 게를 계속 안으로 끌어들였기 때문이다. 그러한 모습에서 착안, 심리학자들은 남이 잘되는 모습을 못 보는 심리를 '크랩 멘탈리티'라고 이름 붙였다.
우리는 살면서 수많은 '게 같은 사람들'을 만난다. 자신이 아니면 아무도 안 된다고 여기는 이기적인 사람들 말이다. 그러한 사람들 앞에서는 우리는 과연 어떤 결정을 해야 할까? 물론 주변에 그런 사람들이 있다고 해도 흔들리지 않고 버틴다면야 괜찮겠지만 그래도 버티기만 할 수는 없는 일이다.

그런 사람들을 대하는 가장 올바른 방법은 그 모든 부정적인 말과 시선을 차단하고 곧바로 그곳을 벗어나는 일이다. 나의 도전과 성공을 아니꼽게 보고 해보기도 전부터 부정적인 의견을 내는 사람들은 피해야 한다.

그보다는 나와 닮은 사람들, 나의 크고 작은 성공과 도전들을 기꺼이 축하해주고 박수 쳐 주는 사람들을 만나 긍정적인 시너지를 만들어가는 것이 훨씬 경제적이며 훨씬 더 나를 위한 일이다. 주변에 당신을 끌어내리려고 하는 사람이 있는가? 사소한 것에 질투하고 열등감에 사로잡힌 사람이 있는가? 이제는 당신을 위해 그런 사람들로부터 멀어져야 할 순간이다.

<열정에 기름 붓기>

멘탈리티 (mentality)
정신이나 의식이 놓인 상태 또는 생각하고 궁리하는 방법이나 태도. (사고방식, 심리 상태)

<국어사전>

자연치유 자정작용(연잎효과)
인당수에 빠진 심청이를 보듬은 꽃 아시죠...?
바로 연꽃인데요. 혹시 연꽃효과라고 들어보셨나요? 식물이 자신의 생명을 위협하는 그을음이나 먼지, 균 같은 것을 스스로 씻어내는 작용을 해서 연꽃 효과라고 합니다. 1982년 독일 본 대학교의 식물학자 빌헬름 바르트로트 교수팀이 알아낸 연잎의 자연적인 자정 및 방수기능. 연잎 표면의 미세한 나노구조 때문에 물방울이 떨어졌을 때 스며들듯 물방울이 퍼지지 않고 구슬 모양으로 뭉쳐져서 이리저리 잎이 움직일 때마다 마치 수은처럼 굴러다니면서 연잎 표면의 먼지를 쓸어준다고 합니다.

특히 연꽃이나 토란같이 잎이 커서 더러움을 타기 쉬운 식물에서 연꽃 효과가 활발하다고 하는데요.
그렇게 안 하면 작은 먼지 같은 것이 쌓이고 쌓여서 숨도 못 쉬게 되기 때문에 한 방울의 물을 가지고도 열심히 청소를 한데요. 그야말로 "살려고" 스스로를 치유하는 것이지요.

생각해보면 우리 인간에게도 그런 능력 있잖아요. 예를 들면 조용한 곳에서 혼자 시간을 갖고 나서, 아침 산책 후에 친구랑 신나게 수다 떨고 나서, 노래방에서 고래고래 소리 지르고 나서, 아니면 슬픈 영화를 보면서 실컷 울어버리고 난 뒤에, 이런 연꽃 효과 같은 일이 일어나기도 하는데요. 얼룩이 생기면 지울 수 있는 능력이 어떨 때는 그것을 역이용해서 훌훌 털고 일어날 수 있는 능력. 그런 힘은 바로 우리의 마음에서 나오는 거겠죠...? "마음먹기에 달렸다."는 말은 괜히 나온 말이 아닌 것 같아요.

<네이버 블로그 네오애플>

자정 작용 (自淨作用)
오염된 물이나 땅 따위가 저절로 깨끗해지는 작용.

<국어사전>

리더 코칭 전문가의 목표, 신념, 가치, 방향은 자정작용 멘탈리티[주위 사람들이나 자신을 스스로 케어 해줄 수 있는 태도(사고방식)를 가지고 있는 사람]을 양성, 코칭 하는 것이다.

대한민국 5,200만 명이다. 그중에 크랩 멘탈리티가 몇 명이나 될까? 자정작용 멘탈리티가 몇 명이나 될까?

20,000명 심리 상담, 코칭하면서 알게 된 것은 크랩 멘탈리티가 20%, 크랩 멘탈리티에게 당하는 사람 70%, 자정작용 멘탈리티 10%다. 인재 1명이 10만 명을 먹여 살리듯 리더 코칭 전문가(자정작용 멘탈리티)1명이 10만 명을 케어 할 수 있다. 일반 코칭 전문가 양성, 코칭으로는 안 된다는 것이다. 개나 소나 닭이나 아무나 리더 코칭 전문가가 될 수 없는 것이다.

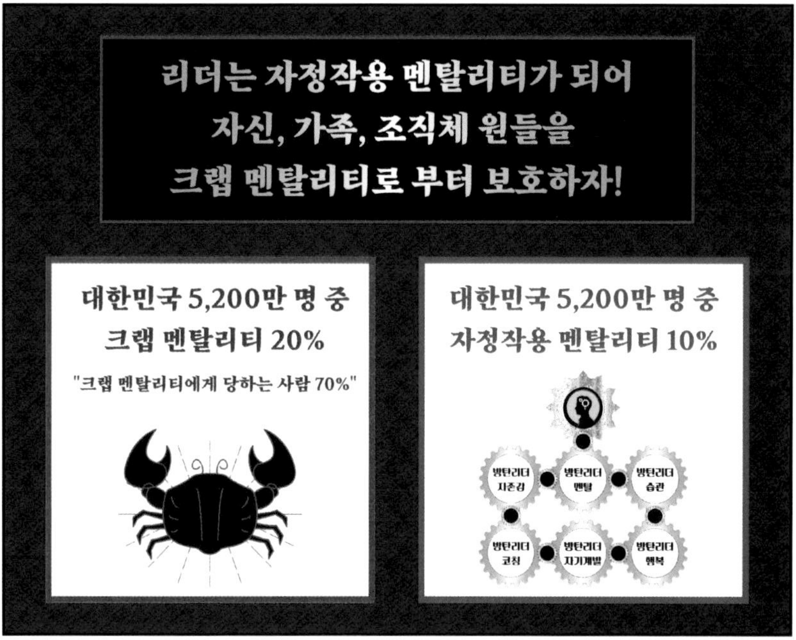

★ 코칭 전문가는 자기개발, 자기계발 두 분야 전문가가 되어야 한다!

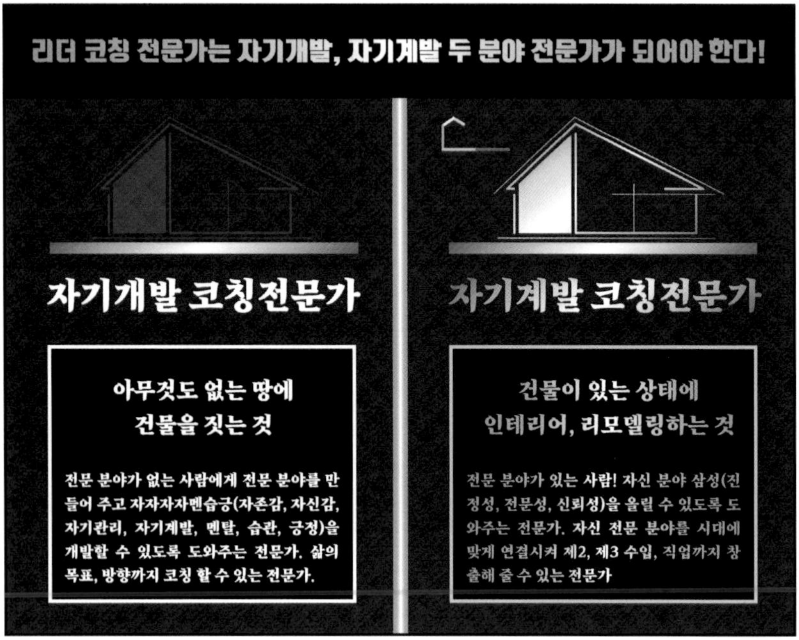

질문:

요즘 '자기계발'과 '자기개발' 중 어떤 것이 표준어인가요?

답변:

'자기 개발'과 '자기 계발'을 모두 쓸 수 있습니다. 다만 '개발'과 '계발'의 뜻을 고려하면, '자기 개발'은 '자기에 대한 새로운 그 무엇을 만들어냄. 또는 자신의 지식이나 재능 따위를 발달하게 함.' 정도의 뜻을, '자기 계발'은 '잠재되어 있는 자신의 슬기나 재능, 사상 따위를 일깨움.' 정도의 뜻을 나타내게 될 것입니다. '계발(啓發)'은 '슬기나 재능, 사상 따위를 일깨워 줌.'이라는 뜻으로, '상상력 계발/외국어 능력의 계발/평소에 자기 계발을 계속한 사람은 좋은 기회가 왔을 때에 그것을 잡을 수 있다.'와 같이 쓰입니다. 한편 '개발(開發)'은 쓰임새가 다양한데, '토지나 천연자원 따위를 유용하게 만듦.'이라는 뜻으로, '유전 개발/수자원 개발'과 같이, '지식이나 재능 따위를 발달하게 함.'이라는 뜻으로, '자신의 능력 개발'과 같이, '산업이나 경제 따위를 발전하게 함.'이라는 뜻으로, '산업 개발'과 같이, '새로운 물건을 만들거나 새로운 생각을 내어놓음.'이라는 뜻으로, '신제품 개발/핵무기 개발/프로그램 개발'과 같이 쓰입니다.

<네이버 국어사전>

자기개발, 자기계발을 좀 더 쉽게 설명을 하겠다. 자기개발은 아무것도 없는 땅에 건물을 짓는 것이고 자기계발은 건물이 있는 상태에 인테리어, 리모델링을 하는 것이다.

자기개발 코칭 전문가는 전문 분야가 없는 사람에게 전문 분야를 만들어 주고 자자자자멘습긍(자존감, 자신감,

자기관리, 자기계발, 멘탈, 습관, 긍정)을 개발할 수 있도록 도와주는 전문가다. 삶의 목표, 방향까지 코칭 할 수 있는 전문가다.

자기계발 코칭 전문가는 전문 분야가 있는 사람이다. 자신 분야 삼성(진정성, 전문성, 신뢰성)을 올릴 수 있도록 도와주는 전문가. 자신 전문 분야를 시대에 맞게 연결시켜 제2, 제3 수입, 직업까지 창출해 줄 수 있는 전문가다. 리더 코칭 전문가는 자기개발을 통해 자기계발을 할 수 있도록 학습, 연습, 훈련을 시켜 줄 수 있어야 한다.

20,000명 심리 상담, 코칭을 하면서 자기개발 전문가, 자기계발 전문가들의 자격이 안 되는 사람들이 많은 정도가 아니라 개나, 소나, 닭이나, 고양이나 다 한다는 것을 알게 되었다. 대부분 사람들이 하는 말이 있다. 자기개발, 자기계발 영상, 교육, 코칭을 하면 시간, 돈 낭비가 된다고 한다. 근본적인 이유가 뭔지 아는가? 코칭 전문가가 매뉴얼, 시스템이 없기 때문이다.

매뉴얼, 시스템이 없는 코칭은 교육효과가 한 달도 안가지만 매뉴얼, 시스템이 있는 코칭은 150년이 간다. 최보규 방탄코칭 전문가의 자기개발, 자기계발 코칭 매뉴얼, 시스템 참고하길 바란다.

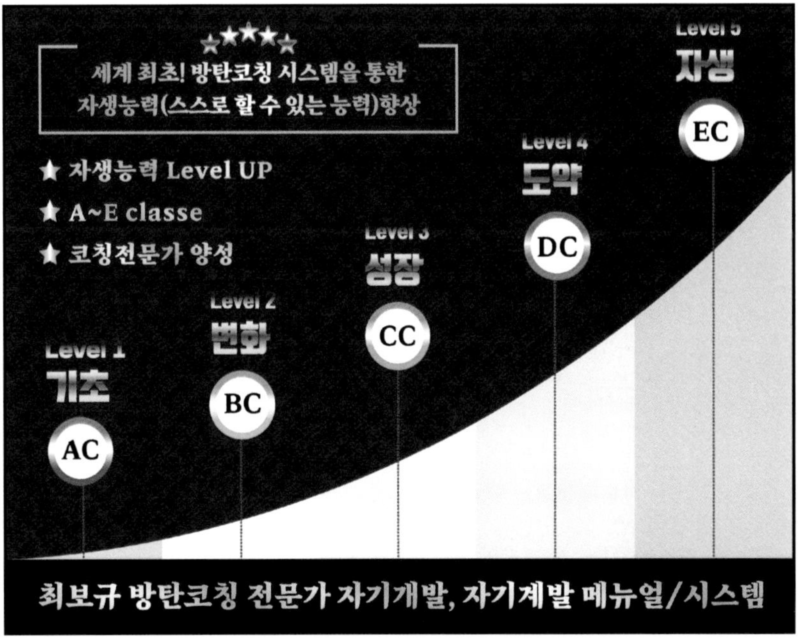
세계 최초! 방탄코칭 시스템을 통한
자생능력(스스로 할 수 있는 능력)향상
★ 자생능력 Level UP
★ A~E classe
★ 코칭전문가 양성
Level 1
기초
AC
Level 2
변화
BC
Level 3
성장
CC
Level 4
도약
DC
Level 5
자생
EC
최보규 방탄코칭 전문가 자기개발, 자기계발 메뉴얼/시스템

최보규 방탄코칭 전문가
자기개발, 자기계발 메뉴얼 /시스템
1:1 맞춤 상담
1
자신, 자신 분야 심리, 성향, 상황을 파악하여 최소의 시간, 최소의 비용으로 최대의 효과를 낼 수 있는 방향 제시.
자신, 자신 분야 가치, 가능성, 자신감 향상.
목표, 방향 컨설팅
2
자신, 자신 분야 분석 후 목표, 방향 설정을 통해 자신 분야 삼성(진정성, 전문성, 신뢰성)을 올리는 코칭과 제2 수입, 제 3 수입을 연결시킬 수 있는 방법 컨설팅.
코칭 분야 선택
3
10가지 코칭 분야에서 자신 분야와 연결시킬 수 있는 분야 선택.
코칭 받은 분야는 자격증까지 함께 취득할 수 있는 1석2조.
클래스 선택
4
이코노미 코칭(속성), 비즈니스 코칭(속성), 퍼스트 클래스(속성)
기본 5시간/10시간/15시간/3개월/6개월/1년 클래스, 시간 선택
150년
a/s, 피드백, 관리
5
자생능력(스스로 할 수 있는 능력)이 생길 때까지 멘토가 되어 주고 생활 속에서 겪는 스트레스, 걱정, 고민을 심리 상담을 통해 케어.
자기개발 주치의, 자기계발 주치의

★ 코칭 전문가의 7개의 기둥인 자자자자멘습긍
(자존감, 자신감, 자기관리, 자기계발, 멘탈, 습관, 긍정)

자신 분야를 말로만 설명하는 사람은 삼류다. 자신 분야를 글로, 책으로 설명하는 사람은 이류다. 자신 분야를 자신이 출간한 전문 서적을 통해 체계적인 시스템으로 코칭하여 코칭 전문가를 양성하는 사람은 일류다.

분야별 코칭 분야가 많다. 대한민국에 직업의 수가 12,000개 정도 있다. 그렇다면 코칭 분야도 12,000개가 있다고 봐야 한다. 각 분야 코칭에서 공통점이 있다. 사람이 하는 모든 것들은 자자자자멘습긍(자존감, 자신감,

자기관리, 자기계발, 멘탈, 습관, 긍정)이 기본 전제가 된다.

사람이 하는 모든 것은 가장 기본 전제인 자자자자멘습긍(자존감, 자신감, 자기관리, 자기계발, 멘탈, 습관, 긍정)으로 시작을 한다는 것이다. 집으로 따지면 자자자자멘습긍은 7개의 기둥이라는 것이다. 세상의 모든 것은 기둥으로 이루어져 있습니다. 어떤 기둥은 무너지면 모든 것이 무너지지만 어떤 기둥은 천천히 무너집니다. 당신의 방탄멘탈 기둥은 튼튼하십니까?

- 자연 7개 기둥: 태양, 물, 땅, 바람, 동물, 태풍, 식물
- 자동차 7개 기둥: 운전습관, 엔진, 바퀴, 핸들, 브레이크, 엑셀, 사이드미러
- 뇌 호르몬 7개 기둥: 생활 습관, 엔도르핀(쾌감 자극), 세로토닌(행복), 도파민(의욕, 열정, 동기), 아드레날린(신체 능력), 멜라토닌(수면), 옥시토신(사랑)
- 몸 7개 기둥: 자기관리 습관, 뇌, 눈, 머리, 장기, 팔, 다리
- 사랑 7개 기둥: 사랑 습관, 맞춰가려는 행동, 존중, 인정, 배려, 자존심 내려놓기, 이기는 것보다 지려는 마음
- 인간관계 7개 기둥: 인간관계 습관, 존중, 이해, 맞춰가려는 행동, 말투, 만만하게 보이지 말자, 인연 끊을 사

람 빨리 끊자.
- 일 7개 기둥: 일하는 습관, 하고 싶은 일은 아니지만 하고 싶은 일을 찾기 위한 디딤돌이라는 마음, 전문성, 프로정신, 있으나 마나 한 존재가 아닌 대체 불가능한 존재, 제2의 가족, 월급
- 행복의 7개 기둥: 자존감, 자신감, 자기관리, 자기계발, 멘탈, 습관, 긍정
- 방탄멘탈 7개 기둥: 자자자자멘습긍(자존감, 자신감, 자기관리, 자기계발, 멘탈, 습관, 긍정)

삶의 질을 높이기 위한 7개 기둥, SNS 시대에 자신의 페이스를 잃지 않고 살아가기 위한 7개 기둥 자자자자멘습긍! 시작하십시오. 사람을 겪어본다고 어떻게 인생을 살았는지 다 알 수는 없지만 지금 하는 습관 패턴을 보면 어떻게 살아왔는지 알 수 있습니다. 지금 하는 모든 좋은 습관, 안 좋은 습관이 당신이 어떻게 살아왔는지 말해줍니다. 과거를 바꾸고 싶나요? 좋은 습관을 쌓으세요. 습관은 바꾸는 것이 아니라 쌓는 것입니다. 습관을 쌓으면 미래가 바뀝니다. 오늘이라는 선물 상자에는 과거, 현재, 미래가 들어 있습니다. 과거, 현재, 미래를 바꾸고 싶다면 나다운 방탄멘탈 7개의 기둥 자자자자멘습긍에 집중하세요!

《나다운 방탄멘탈》

대한민국 5,200만 명 사람들이 살아가는 이유 중 자자자자멘습긍이 전제가 되어 각자 위치에서 자신의 일에 결과를 내기 위해서 행복하기 위해서 살아간다. 각 분야 코칭 전문가가 되려면 자자자자멘습긍은 그 누구보다 전문가가 되어야 한다. 그래서 리더 자존감, 리더 멘탈, 리더 습관, 리더 자기계발, 리더 코칭을 강조하는 것이다. 리더라면 선택이 아닌 필수로 자자자자멘습긍을 마스터 해야 하고 리더 코칭 전문가는 자자자자멘습긍을 토대로 리더 코칭 전문가 10계명(품위유지의무)을 학습, 연습, 훈련을 해야 한다.

세계에 하나뿐인 리더 코칭 전문가(품위유지의무)10계명 설명 시작한다! 집중!

명품
방탄리더

리더십 코칭 전문가 10계명
(품위유지의무)

1. 꾸준한 학습

(상담사의 전문적인 지식 이외에도 사람들이 평균적으로 물어보는 상담 스킬 학습)

2. 솔선수범 (공인이라는 마음)

3. 정신건강 운동

(내담자들의 부정을 긍정으로 밀어내기 위한 노력)

4. 측은지심 갖기 (안쓰러운 마음 안타까운 마음)

5. 답을 주는 코칭전문가 되지 않기 (중간자 입장에서)

6. 경청 (눈, 입, 코, 몸, 귀, 마음, 삶의 자세)

7. 진인사대천명

(7:3 최선을 다해서 상담하고 나머지 상황은 하늘이 한다는 마음)

8. 코칭 전문가 자신 삶 속으로 가져오지 않기

9. 코칭 내용 보완 유지

10. 나의 1%는 누군가에게 살아가는 100%가 될 수 있다.

포트폴리오커리어 리더 코칭 10계명
(품위유지의무)
특허청 등록
최보규 리더동기부여 코칭전문가
등록 번호: 제 40-2128786호
특허청 등록
최보규 자기계발코칭 창시자
등록 번호: 제 40-2072344호
리더 코칭 10계명 사용 설명서
리더 코칭 PT 10
앞서가는 리더는 PT한다!
압도적 차이를 만드는
방탄 리더십 PT
BOOKK
리더 코칭 PT 11
앞서가는 리더는 PT한다!
압도적 차이를 만드는
방탄 리더십 PT
BOOKK
Google 자기계발아마존
YouTube 방탄자기계발
NAVER 리더코칭PT
NAVER 최보규

20,000명 심리 상담, 코칭으로 알게 된 사람들이 바라는 6가지 시스템!

1

커피숍에서 지인과 대화 중에도 돈이 입금되는 시스템?

2

자고 있는데 돈을 버는 시스템?

3

여행 중에도 돈이 입금되는 시스템?

4

사무실, 직원이 필요 없는 시스템?

5

건물주처럼 월세가 입금되는 시스템?

6

집에서 댕댕이와 휴식하고 있는데 돈이 입금되는 시스템?

세계 최초! 출판계의 혁신!
돈이 들어오는 6가지 시스템을 가능하게 하는 것이

방탄book기술력!

평균 희망 은퇴 73세, 현실 은퇴 나이 49세!
100세 시대 언제까지 몸(노동)으로만
일해서 돈을 벌 것인가?

세상, 현실 기준에서 스펙, 돈, 인맥, 자산 등이 없어서 100세까지 노동을 해야 되고 몸까지 아프면 더 답이 없는 상황! 젊을 때는 100가지 중 99가지를 할 수 있지만 나이 들면 100가지 중 99가지를 할 수 없다. 3고 시대, AI 시대, 챗GPT 시대에 자신의 직업이 사라 질 수 있는 상황에서 어떻게 준비, 대비할 것인가?

방탄BOOK기술력
선택이 아닌 필수!

Google 자기계발아마존 | YouTube 방탄자기계발 | NAVER 방탄BOOK | NAVER 최보규

명품 자기계발

특허청 등록

최보규 자기계발코칭 창시자

등록 번호: 제 40-2072344 호

명품 동기부여

★★★★★ **차별이 아닌 초월 시스템** ★★★★★

타사와 비교불가 초월 혜택!
자신 분야 온라인 건물주가 되어 100년 수입 창출!

Google 자기계발아마존 | YouTube 방탄자기계발 | NAVER 방탄동기부여 | NAVER 최보규

이코노미 PT

기본 5H : 500,000원

CHECK POINT

- ☑ 기본 1회(1일=5H)
- ☑ 6가지 수입 창출 시스템 매뉴얼 설명
- ☑ 150년 A/S

명품 자기계발

특허청 등록
최보규 자기계발코칭 창시자
등록 번호: 제 40-2072344 호

명품 동기부여

★★★★★ **차별이 아닌 초월 혜택** ★★★★★

Google 자기계발아마존 | YouTube 방탄자기계발 | NAVER 방탄동기부여 | NAVER 최보규

이코노미 PT

기본 5H : 500,000원

- ☑ 150년 A/S (세계 최초)
- ☑ 마스터한 분야 자격증 1종 취득
- ☑ 방탄자기계발사관학교 강사 위촉
- ☑ 방탄자기계발사관학교 마스터 위촉
- ☑ 비지니스 PT 10% 할인 (10만원 상당)
- ☑ 퍼스트클래스 PT 10% 할인 (30만원 상당)
- ☑ 마스터한 분야 실전 2시간 강의 교안 제공. (강사료 200만원 상당)

특허청 등록
최보규 자기계발코칭 창시자
등록 번호: 제 40-2072344 호
명품 자기계발
명품 동기부여
★★★★★ 차별이 아닌 초월 시스템 ★★★★★
타사와 비교불가 초월 혜택!
자신 분야 온라인 건물주가 되어 100년 수입 창출!
Google 자기계발아마존
YouTube 방탄자기계발
NAVER 강사야
NAVER 최보규
비지니스 PT
기본 5H : 500,000원
CHECK POINT
기본 1회(2~3일=10H)
6가지 수입 창출 시스템 실전 훈련
150년 A/S, 피드백

명품 자기계발
특허청 등록
최보규 자기계발코칭 창시자
등록 번호: 제 40-2072344 호
명품 동기부여
차별이 아닌 초월 시스템
타사와 비교불가 초월 혜택!
자신 분야 온라인 건물주가 되어 100년 수입 창출!
Google 자기계발아마존
YouTube 방탄자기계발
NAVER 강사야
NAVER 최보규
퍼스트클래스 PT
기본 15H : 3,000,000원~
CHECK POINT
기본 1회(15H) / (2회 ~ 5회 선택 사항)
6가지 수입 창출 자동 시스템 구축
150년 A/S, 피드백, VIP맞춤 관리

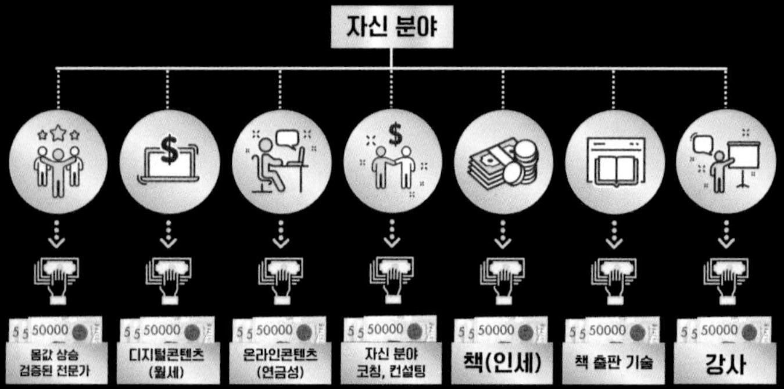

CLASS	내용
class 1	자신 분야 연결 6가지 수입 창출 기술력 컨설팅
class 2	자신 분야 삼성(진정성, 전문성, 신뢰성) 향상 책 쓰기, 책 출간 기술력 PT
class 3	자신 전문 분야로 제2수입 창출 기술력 PT
class 4	자신 전문 분야로 제3수입 창출 기술력 PT
class 5	온라인, 디지털 콘텐츠 기획, 제작 기술력 PT (4,5,6 수입 / 100년 지속적인 수입 창출 PT)

명품 자기계발
방탄 동기부여
명품 동기부여
방탄동기부여 전문가
www.방탄자기계발사관학교.com
방탄리더 동기부여
1
최보규 대표
상담, 코칭, 강의, 컨설팅 문의
010-6578-8295
어제의 나는 잊어라!
살아온 날로 살아갈 날단정 짓지 말자!
자신을 못 믿겠다면 자신을 믿어주는
최보규 방탄동기부여 전문가를 믿고 시작합시다!
세상, 현실아 덤벼라!
몸, 머리, 마음을
강하게 해드립니다.!
Google 자기계발아마존
YouTube 방탄자기계발
NAVER 방탄동기부여
NAVER 최보규

◈ 참고문헌, 출처

(2020년 8월 11일 앙코르메일)

<고도원의 아침편지>

- 강성남 칼럼위원(담양문화원장) - <담양뉴스>

《방탄 리더 인재양성 1》 최보규, 부크크, 2023

《마음을 밝혀주는 소금 1》 내용 각색 유동범, 움직이는책, 1997

<SBS 드라마 낭만닥터 김사부>

<중용 23장>

<유튜브 터닝포인트 - 위대한 성공의 시작점>

《캣치》 바네사 반 에드워즈, 쌤앤파커스, 2018

《회복탄력성》 김주환, 위즈덤하우스, 2019

<두산백과>

《최고의 설득》 <유튜브 책그림>

《나다운 강사1》 최보규, 좋은땅, 2019

《나다운 강사2》 최보규, 좋은땅, 2019

《친절한 성 기자의 유튜브 재테크》 성선화, 한국경제신문, 2019

기댈 곳 / 가수 싸이

<유튜브 필미필미TV>

<열정에 기름 붓기>

<네이버 블로그 네오애플>

《나다운 방탄멘탈》 최보규, 베프북스, 2020

당신에게 방탄book기술력은 천재일우다! 3

(수입 창출 6가지 시스템)

발 행 | 2024년 03월 30일
저 자 | 최보규, 서윤희
편 집 | 최보규, 서윤희
디자인 | 최보규, 서윤희
마케팅 | 최보규
펴낸이 | 한건희
펴낸곳 | 주식회사 부크크
출판사등록 | 2014.07.15.(제2014-16호)
주 소 | 서울특별시 금천구 가산디지털1로 119 SK트윈타워 A동 305호
전 화 | 1670-8316
이메일 | info@bookk.co.kr

ISBN | 979-11-410-7800-3

www.bookk.co.kr